MEGAN HART

TRZY OBLICZA POŻĄDANIA

Tłumaczenie:
Bogusław Stawski

Tytuł oryginału:
Tempted

Pierwsze wydanie:
Spice Books 2008

Opracowanie graficzne okładki:
Kuba Magierowski

Redaktor prowadzący:
Jacek Fronczak

Opracowanie redakcyjne:
Grażyna Ordęga, Jacek Fronczak

Korekta:
Sylwia Kozak-Śmiech

Wydanie niniejsze zostało opublikowane w porozumieniu z Harlequin Enterprises II B.V.

Arlekin – Wydawnictwo Harlequin Enterprises sp. z o.o.
00-975 Warszawa, ul. Starościńska 1B lokal 24-25

Skład i łamanie: COMPTEXT®, Warszawa

Druk: ABEDIK

ISBN 978-83-238-6650-3

ROZDZIAŁ PIERWSZY

Światło i cień malowały linie jego sylwetki. Skradałam się do łóżka na palcach, sunęłam powoli jak mgła. Niespiesznym ruchem, kawałek po kawałku, ściągałam kołdrę, aż odkryłam jego ciało.

Uwielbiałam patrzeć, jak śpi. Ten widok mnie podniecał. Czasami miałam ochotę uszczypnąć się, by sprawdzić, czy nie śnię. To naprawdę mój mąż, mój dom i moje życie? Doskonałe życie... Czasami przytrafia nam się jednak coś dobrego, tak jak teraz.

James poruszył się we śnie. Podkradłam się jeszcze bliżej i stanęłam nad nim. Widok ciała, długich ramion i nóg, opalonej skóry sprawił, że moje palce zaczęły drżeć, tak mocno pragnęłam go dotknąć. Powstrzymałam się, by go nie obudzić i jeszcze przez chwilę napawać się tym widokiem.

Gdy nie spał, nie potrafił leżeć bez ruchu. Tylko sen go rozluźniał, zmiękczał, roztapiał... Kiedy spał, aż trudno było mi wierzyć, że jest mój, ale za to łatwiej docierało do mnie, jak bardzo go kocham.

Och, dobrze odgrywałam rolę mężatki. Nosiłam obrączkę i przedstawiałam się jako pani Kinney. Moje prawo jazdy i karty kredytowe były wystawione na nazwisko po mężu. Małżeństwo było dla mnie taką oczywistością, że nigdy nie wątpiłam w jego sens, szczególnie gdy robiłam pranie, kupowałam jedzenie lub sprzątałam łazienkę, gdy pakowałam Jamesowi lunch do pracy lub składałam skarpetki. Czułam wtedy, że nasze małżeństwo jest trwałe i solidne niczym granit. Jednak czasem, gdy obserwowałam go podczas snu, ta skała stawała się wapieniem, łatwo kruszejącym pod wpływem wolno kapiących kropli wątpliwości.

Słońce przebijało się między liśćmi za oknem, wpadało przez szyby, oświetlając ciało jasnymi łatkami, które chciałam całować. Padało na ciemniejsze punkty sutków, na solidny łuk żeber, miękki dywanik włosów na brzuchu łączący się z gęstym puklem na łonie. Taki zgrabny i szczupły. Miał w sobie ukrytą siłę. Wyglądał na chudego, kruchego, ale pod skórą grały mocne mięśnie. Wielkie dłonie o stwardniałej skórze, przywykłe do fizycznej pracy, sprawdzały się świetnie również podczas zabaw w łóżku.

Interesowała mnie właśnie ta zabawa, dlatego pochyliłam się i dmuchnęłam lekko ponad jego ustami. Był szybki jak błyskawica. Momentalnie złapał mnie za ręce, połączył nadgarstki w jednej dłoni, wciągnął do łóżka i położył się na mnie. Umościł się między udami. Teraz dzielił nas tylko materiał cieniutkiego letniego szlafroka. Czułam, jak twardnieje.

– Co robiłaś?

– Obserwowałam, jak śpisz.

Wyprostował moje ramiona nad głową, rozciągając mi ciało. Trochę zabolało, ale dzięki temu przyjemność była jeszcze większa. Wolną ręką powoli odsunął poły szlafroka i dotknął mojego nagiego uda.

Koniuszkami palców przeczesywał kędziorki pomiędzy nogami.

– A dlaczego obserwowałaś, jak śpię?

– Bo to lubię – odparłam, zanim głębiej westchnęłam pod wpływem jego nieustępliwych palców.

– Czy chcę wiedzieć, dlaczego lubisz obserwować mnie podczas snu? – Uniósł koniuszki ust w ironicznym uśmiechu. Przyłożył do mojego najczulszego punktu koniuszek palca, ale jeszcze nim nie poruszał. – Anne?

Roześmiałam się.

– Nie. Prawdopodobnie nie.

– No właśnie.

Przysunął się, ale jeszcze mnie nie pocałował. Wyciągałam szyję, by dosięgnąć jego ust, ale nadal były o jeden oddech dalej. Koniuszkiem palca zaczął powoli zataczać kółeczka, wiedząc, że zaraz doprowadzi mnie do szaleństwa. Czułam jego żar i twardość na udzie, ale dłonie miałam uwięzione w uścisku jego ręki i mogłam jedynie szarpać nimi w niemym proteście.

– Powiedz, co mam ci zrobić?

– Pocałuj mnie.

Oczy Jamesa były stworzone z błękitu letniego nieba, otoczone ciemniejszym granatem. Ten kontrast był niezwykły. Mrużąc oczy, opuścił ciemne rzęsy. Zwilżył wargi.

– Gdzie?

– Wszędzie... – Moja odpowiedź rozmyła się w westchnieniu, zaczęłam pojękiwać z rozkoszy, gdy jego palec się poruszył.

– Tutaj?

– Tak.

– Poproś!

Na początku protestowałam, ale wiedziałam, że i tak zrobię, co będzie chciał. Zawsze tak się kończyło. Zwykle chciałam właśnie tego, co on chciał, żebym chciała. Pod tym względem byliśmy doskonale dopasowani.

Kąsał mnie w czułe miejsce na szyi.

– Poproś!

Zamiast prosić, skręcałam się z rozkoszy pod wpływem pieszczot. Zagłębił palec we mnie, potem trochę wysunął i delikatnie nim kręcił, choć pragnęłam mocniejszej pieszczoty. Droczył się...

– Anne – zaczął poważnym tonem. – Powiedz, że marzysz, żebym ci wylizał pizdę.

Nienawidziłam tego słowa, dopóki nie poznałam jego mocy. Tym słowem mężczyźni określają kobiety, które ich pokonały. Tym słowem kobiety przezywają się nawzajem, gdy chcą się skrzywdzić. Słowo „suka" ma nawet dość dumną konotację, ale „pizda" nadal brzmi ostro i wulgarnie, i tak już pewnie pozostanie.

O ile nie spowszednieje.

Powiedziałam, co chciał usłyszeć, nieco chrapliwym głosem. Spojrzałam prosto w ciemne z pożądania oczy.

– Chcę, byś całował mnie między udami i zrobił mi dobrze.

Nie poruszył się przez chwilę. Jego twardy członek, oparty na moim biodrze, uniósł się i powiększył.

Widziałam, jak krew pulsuje na jego szyi. Powoli zmrużył powieki i rozciągnął usta w triumfalnym uśmiechu.

– Uwielbiam, gdy tak do mnie mówisz.

– Uwielbiam, gdy mi to robisz – mruknęłam w odpowiedzi.

Zamilkliśmy, kiedy jego głowa zsuwała się w dół, kiedy rozchylił poły szlafroka i gdy jego usta znalazły się dokładnie tam, gdzie chciałam. Lizał mnie przez długi czas, aż zaczęłam drżeć i krzyczeć, a wtedy wszedł we mnie i pieprzył mnie, aż z naszych gardeł wydobyły się jęki, których jednostajna melodia mogłaby wskazywać raczej na modlitewne uniesienie.

Dzwonek telefonu przerwał nam błogie rozleniwienie po seksie. Gdy James zawisł nade mną, by podnieść słuchawkę, rozłożone na łóżku niedzielne wydanie „Sandusky Register" zaszeleściło i się pogniotło. Wykorzystałam moment, gdy odbierał telefon, by polizać jego skórę i skubnąć ustami ciało. Aż podskoczył i zachichotał.

– Lepiej, żeby to był dobry powód – rzucił do słuchawki telefonu. – O co chodzi?

Milczenie. Spojrzałam na niego znad sekcji z modą i rozrywką. Wyszczerzył zęby.

– Ty sukinsynu! – James oparł się o wezgłowie i ugiął nogi w kolanach. – Co robisz? Gdzie jesteś, do cholery?

Próbowałam wyczytać coś z jego oczu, ale rozmowa pochłonęła go całkowicie. Był jak piękny motyl przenoszący uwagę z miejsca na miejsce, a gdy już na czymś się skupił, poświęcał się temu całkowicie, angażując wszystkie zmysły. Było cudownie, gdy to mnie właśnie poświęcał uwagę, ale już nie tak uroczo, gdy komuś innemu.

– Ty pieprzony szczęściarzu! – Gdy to wykrzyknął z zazdrością w głosie, moja ciekawość sięgnęła zenitu. – Myślałem, że jesteś w Singapurze.

Wtedy domyśliłam się, kto zaburzył nasz popołudniowy niedzielny błogostan. To musiał być Alex Kennedy. Wróciłam do lektury gazety, a James dalej rozmawiał przez telefon. Nie obchodziło mnie, co nosi się tego lata i jakie samochody są najmodniejsze. Jeszcze mniej interesowały mnie kronika policyjna i polityka, więc przelatywałam wzrokiem po kolumnach gazety. Dowiedziałam się, że wyprzedziłam trendy obowiązujące w dekoracji wnętrz, gdy pomalowałam ściany sypialni na bladożółty kolor już rok temu. Najwyraźniej w tym roku był to hit sezonu.

Przysłuchiwanie się jednej stronie rozmowy było jak układanie puzzli bez patrzenia na obrazek na pudełku. Słyszałam, jak James rozmawia ze swoim najlepszym przyjacielem z gimnazjum, ale nie wiedziałam nawet, jak on wygląda. Znałam dobrze męża, jak tylko człowiek może znać drugiego człowieka, jednak Alex był dla mnie zagadką.

– No tak. Oczywiście. Tobie zawsze wszystko się udaje.

Na twarzy Jamesa ponownie odmalował się podziw. Tym razem wzbogacony dziwnym rodzajem gorliwości, jakiej do tej pory u niego nie zauważyłam. Przyjrzałam mu się uważnie. Jego twarz jaśniała, ale dostrzegłam coś jeszcze. Coś bardziej przejmującego. James skupiał się na swoich priorytetach, ale potrafił zawsze cieszyć się szczęściem innych. Rzadko towarzyszył temu podziw albo zazdrość. Tym razem widziałam u niego właśnie te wszystkie emocje, co sprawiło, że całkowicie pochłonęło mnie przysłuchiwanie się rozmowie.

– Daj spokój, stary! Gdybyś tylko chciał, mógłbyś rządzić całym pieprzonym światem!

Zamrugałam zdziwiona. Ten prostolinijny, niemal szczeniacki ton był taką samą nowością jak wyraz jego twarzy. Byłam nie tylko kompletnie zaskoczona, lecz także zdezorientowana. Tak przecież zwraca się chłopiec do ukochanej kobiety, kiedy wie, że ona już nigdy na niego nie spojrzy.

– Tak, ja też. – Śmiech, niski i tajemniczy. Jakże inny od zwykłych chichotów. – Zajebiście, stary, wprost świetnie! Cieszę się.

Obserwowałam go wsłuchanego w głos po drugiej stronie. Widziałam, jak nieświadomie przesuwał palcem po półokrągłej bliźnie nad sercem. Robił to już wcześniej, głaszcząc jak talizman – zwykle gdy był zmęczony, zły albo czymś przejęty. Czasem zaledwie przesunął po niej palcem, jakby tylko strzepywał paproch z koszuli. Kiedy indziej dotykał jej długim, posuwistym, niemal zmysłowym ruchem. Gdy obserwowałam, jak głaszcze tę bliznę w kształcie półksiężyca albo łuku tęczy, czułam się niemal zahipnotyzowana.

– Nie... Naprawdę? Co oni sobie myślą? Ja pierdolę, Alex! Nieźle popieprzone! O kurwa, stary, przykro mi...

Od radości do smutku w pół sekundy. Tego też u niego wcześniej nie zaobserwowałam. Może i potrafił szybko przenosić uwagę z obiektu na obiekt, ale zawsze udawało mu się zachować emocjonalną równowagę.

Teraz nawet składnia zdań uległa zmianie. Nie jestem świętoszkowata, jeśli chodzi o używanie dosadnego języka, ale zaczął za często „kurwić” i „pierdolić”.

Chwilę później twarz znowu mu pojaśniała. Usiadł prosto i wyciągnął nogi. Słoneczny uśmiech rozświetlił oblicze, jeszcze przed paroma sekundami zasłonięte chmurami.

– Tak? To super! Zajebiście! No to ci się udało! To, kurwa, fantastycznie!

Nie potrafiłam dłużej ukryć zdziwienia, ale James tego nie zauważył. Kiwał się lekko, bujając łóżkiem, aż rozłożona gazeta spadła na podłogę.

– Kiedy? To świetnie! To... tak, tak... oczywiście. Będzie dobrze. Jestem pewien, że tak. Oczywiście! – Spojrzał na mnie, ale byłam pewna, że tak naprawdę wcale mnie nie widzi, bez reszty pochłonięty tym, co działo się w Singapurze. – Nie mogę się doczekać! Tak, daj mi znać. Cześć, stary. Do zobaczenia!

Odłożył słuchawkę i oparł się o wezgłowie z uśmiechem szerokim i radosnym – prawie kretyńskim. Czekałam, aż coś powie, podzieli się ze mną cudownymi wiadomościami, które tak go podnieciły. Musiałam czekać dłużej, niż się tego spodziewałam.

Już miałam zacząć przesłuchanie, ale odwrócił się wreszcie, przyciągnął mnie i głęboko pocałował, wplatając palce w moje włosy. Trochę zabolało, dlatego się skrzywiłam.

– Wiesz co? Wielka korporacja kupiła firmę Alexa. Facet jest teraz pieprzonym milionerem!

Moja wiedza o Aleksie Kennedym zmieściłaby się na jednej kartce papieru. Wiedziałam tylko, że od dłuższego czasu pracuje gdzieś w Azji, dokąd wyjechał, zanim poznałam Jamesa. Nie zjawił się na naszym ślubie, ale przysłał elegancki i chyba potwornie drogi prezent. Wiedziałam, że był najlepszym przyjacielem Jamesa od ósmej klasy, jednak ich drogi rozeszły się dosyć gwałtownie, gdy mieli po dwadzieścia jeden lat. Zawsze czułam, że rysa na ich przyjaźni jest równie głęboka, jak przed laty, ale przecież męskie przyjaźnie różnią się od kobiecych. Owszem, James prawie nie rozmawiał z przyjacielem, ale być może już dawno wszystko sobie wybaczyli.

– No coś ty?! Naprawdę? Jest milionerem?!

– Ten facet to pieprzony geniusz, Anne. Nie masz pojęcia jaki...

Nie miałam.

– To dobra nowina. Przynajmniej dla niego.

James zmarszczył czoło i przeczesał palcami włosy, już jaśniejące od słońca, chociaż lato dopiero się zaczynało.

– Tak, ale te dranie, które kupiły firmę, nie chcą go już u siebie. I jest bez pracy.

– To milionerzy muszą pracować?

James rzucił mi spojrzenie, jakbym niczego nie rozumiała.

– Nie muszą, ale mogą, zwłaszcza gdy robią coś ciekawego. Nieważne. Alex ma już dość Singapuru i wraca do Stanów. Zaprosiłem go do nas. Powiedział, że zatrzyma się tutaj na kilka tygodni, zanim otworzy jakiś interes.

– Kilka tygodni? Tutaj? – Nie chciałam, by mój głos był aż tak wyprany z entuzjazmu, ale...

– Tak. – James uśmiechnął się do siebie. – Będzie super! Alex ci się spodoba, kochanie. Zobaczysz!

Spojrzał na mnie i przez moment wydało mi się, że nie znam tego mężczyzny. Wziął moją dłoń, podniósł do ust i pocałował wewnętrzną stronę. Delikatnie pieścił skórę ustami, a gdy zerknął na mnie, jego błękitne oczy błyszczały z podniecenia.

Niestety, to nie ja go tak podnieciłam.

Byłam jedyną synową Evelyn i Franka Kinneyów. Gdy spotykałam się z Jamesem, a nawet później, już po zaręczynach, traktowali mnie chłodno. Za to gdy stałam się panią Kinney, zaakceptowali mnie i zaczęli traktować jak pełnoprawnego członka rodziny. Przytulili do piersi klanu Kinneyów i wciągnęli w rodzinę jak w ruchome piaski. Niewiele mogłam zrobić, by się z nich wydostać.

Kontakty z teściami i resztą rodziny układały się dosyć dobrze. Siostry Jamesa – Margaret i Molly – były od nas o wiele lat starsze, obydwie miały mężów i dzieci. Nie łączyło mnie z nimi nic oprócz płci i choć bardzo uprzejmie zapraszały na kobiece ploty z mamą, to nigdy nie zbliżyłyśmy się do siebie. Nie miało to zresztą większego znaczenia.

James nie zauważał, jak powierzchowne są moje stosunki z jego matką i siostrami, ale zupełnie mi to nie przeszkadzało. Błyszczący lakier tego układu odbijał spojrzenia ciekawskich, wszystkie wiry, prądy i głębia prawdy pozostały niewidoczne. Przywykłam do tego.

I nie byłoby wcale źle, gdyby nie oczekiwania teściowej.

Zawsze chciała wiedzieć, jakie mamy plany, co robimy, jak to robimy i ile to kosztuje. Chciała wiedzieć wszystko i nigdy nie była zadowolona z tego, czego dowiedziała się już wcześniej. Nieustannie spragniona wiedzy...

Dopiero po kilku miesiącach zrozumiałam, że skoro James nie wyjawiał matce wszystkich szczegółów z naszego życia, to ja również nie muszę. Cóż, wychowała go w przekonaniu, że świat kręci się tylko wokół niego, powinna zatem wiedzieć, dlaczego nie poświęcał jej tyle uwagi, ile pragnęła. James nie przejmował się jej humorami ani oczekiwaniami. Ze mną było inaczej. Podczas gdy on reagował wzruszeniem ramion na utyskiwania i złośliwości Evelyn, ja nie potrafiłam znieść cichych tygodni, aluzji do rzekomego braku szacunku lub porównań do Molly i Margaret. One pewnie po wydmuchaniu nosa pokazywały mamuni chusteczkę, by mogła obejrzeć kolor smarków. Spełnianie oczekiwań teściowej przerastało mnie...

– Marzę o tym, żeby twoja matka przestała męczyć mnie pytaniem, kiedy damy rodzince „coś nowego do zabawy" – wyznałam idealnie spokojnym tonem, od którego mogłoby pęknąć szkło.

James spojrzał na mnie, zanim skupił uwagę na drodze, mokrej od późnowiosennego deszczu.

– A kiedy ona cię tym męczy?

Oczywiście! Nic nie zauważył. Dawno temu nauczył się nie zwracać uwagi na gadanie matki. Ona mówiła, on machinalnie kiwał głową. I wilk syty, i owca cała.

– Spytaj raczej, kiedy mnie nie męczy? – Założyłam ręce na piersiach i patrzyłam na przednią szybę, na której strugi deszczu tworzyły wodną abstrakcję.

Jechaliśmy w ciszy. James miał prawdziwy talent – wiedział, kiedy lepiej się nie odzywać. Szkoda, że nie nauczył tego mamusi, pomyślałam złośliwie. Łzy spłynęły mi do gardła, ale zdołałam przełknąć.

– Ona nie ma nic złego na myśli – powiedział w końcu, gdy wjeżdżaliśmy na podjazd przed naszym domem otulonym sosnami kołysanymi przez silny wiatr znad jeziora.

– Ani nic dobrego, i w tym problem. Doskonale wie, co mówi, odgrywa te swoje scenki z szyderczym uśmiechem, jakby opowiadała dowcip. Cóż, mnie to nie śmieszy...

– Anne... – westchnął i odwrócił się do mnie, wyłączając silnik. – Proszę cię, nie denerwuj się tak bardzo.

– Ciągle zadaje pytania, James. To jest koszmarnie męczące.

Pogłaskał mnie po plecach i przejechał dłonią po warkoczu.

– Chce, żebyśmy mieli dzieci. Nic dziwnego.

Zamilkłam. James cofnął rękę. Widziałam niewyraźny zarys jego profilu, błysk oczu w poświacie odbijającej się od tafli wody. Park Rozrywki Cedar Point błyszczał w oddali, mimo deszczu i węża samochodów na szosie.

– Spokojnie, Anne. Nie rób wielkiego hałasu o...

Przerwałam mu, otwierając drzwi auta. Zimny deszcz chłodził gorące policzki. Skierowałam twarz w górę, przymknęłam powieki i udawałam, że mokre policzki to wyłącznie wina deszczu. James też wysiadł. Poczułam ciepło, jeszcze zanim mnie objął.

– Chodź do domu, bo przemokniesz.

Pozwoliłam, by zaprowadził mnie do środka, ale nie odezwałam się ani słowem. Poszłam prosto do łazienki i odkręciłam gorącą wodę. Gdy pomieszczenie wypełniło się parą, zrzuciłam ubranie i weszłam pod prysznic.

Tam mnie odnalazł. Głowę miałam pochyloną, gorąca woda spływała mi po karku i plecach, usuwając napięcie. Rozpuszczone włosy przykrywały piersi sklejonymi od wody pasemkami.

Miałam zamknięte oczy, ale krótki powiew chłodu pozwolił domyślić się, że otworzył szklane drzwi i wszedł do środka. Objął mnie mocno. Przytuliłam twarz do jego gorącej i mokrej skóry.

Przez chwilę nie odzywaliśmy się, pozwalając strumieniom wody pieścić ciała. Palcami przesuwał po moim kręgosłupie w dół i w górę, ruchem, jakim czasami dotykał swojej blizny. Woda zebrała się w miejscu, gdzie byłam przytulona do jego piersi, i zapiekła mnie w oko. Musiałam na chwilę się od niego oderwać.

– Hej – odezwał się, gdy podniosłam wzrok. – Nie złość się tak. Nie cierpię, kiedy się denerwujesz.

Chciałam mu wyjaśnić, że zdenerwowanie, zwłaszcza od czasu do czasu, nie jest niczym złym, ale milczałam. Nie powiedziałam, że czyjś uśmiech może wywołać taki sam ból jak pełen agresji krzyk.

– To przez nią tak się złoszczę – powiedziałam.

– Wiem.

Pogłaskał mnie po włosach. Chyba nie rozumiał problemu. Nie mam pojęcia, czy mężczyzna potrafi pojąć skomplikowaną materię relacji między kobietami. Może nie chciał ich zrozumieć. Wolał ślizgać się po powierzchni.

– Nigdy nie pyta ciebie. – Przekręciłam głowę, by na niego spojrzeć. Mrugałam powiekami, żeby chronić oczy przed kroplami wody.

– Bo wie, że nie dostanie odpowiedzi. – Przesunął palcem po mojej brwi. – Wie, że to ty tu rządzisz.

– Dlaczego niby ja tu rządzę? – domagałam się wyjaśnień, chociaż znałam już odpowiedź.

Wybrał rolę, jaka mu odpowiadała. Zrzucał z siebie wszelką odpowiedzialność.

– Bo jesteś w tym dobra – odparł.

Skrzywiłam twarz i odsunęłam się od niego, by sięgnąć po szampon.

– Chciałabym, żeby się ode mnie odczepiła.

– Powiedz jej to.

– No tak. Na pewno zrozumie, przecież jest taka otwarta na uwagi... – ironizowałam.

Wzruszył ramionami i zrobił z palców miseczkę na szampon.

– Najwyżej trochę się wkurzy.

Chciałam, żeby sam powiedział matce, by dała mi spokój, ale wiedziałam, że nic z tego. Idealny synek, który nigdy nie zrobił nic nagannego, nie przejmował się, czy rozzłości rodziców. To w ogóle nie był jego problem. Poczułam bezradność. A zatem znowu ja jestem winna. Skupiłam się na myciu włosów.

– Zaraz zabraknie gorącej wody.

Strumień z prysznica już robił się letni. Umyliśmy się szybko, przekazując sobie z rąk do rąk gąbkę i żel, a palce muskały ciała, nie tylko, by je myć. James zakręcił wodę, sięgnęłam po dwa puszyste ręczniki z szafki koło prysznica. Podałam mu jeden, ale zanim zaczęłam się wycierać, James złapał mnie za nadgarstek i przyciągnął.

– Chodź tu, mała. Nie złość się już.

Trudno było gniewać się na niego. Uspokojony świadomością, że nie zrobił nic złego, zapragnął hojnie okazać uczucia. Wycisnął resztki wody z włosów, wytarł mnie ręcznikiem, pieszcząc plecy, biodra, tył kolan, dotykał między udami. Klęcząc przede mną, uniósł i wytarł moje stopy. Gdy odłożył ręcznik, moje serce biło już szybciej. James położył ręce na moich biodrach i delikatnie mnie przyciągnął.

Gdy pocałował mały pasek kędziorków pomiędzy moimi udami, westchnęłam głęboko. Przyciągnął mnie jeszcze bliżej, dłońmi ściskał pośladki. Trzymał mocno, gdy językiem zaczął drażnić łechtaczkę. Jeden, dwa, trzy lekkie muśnięcia, i zagryzłam dolną wargę, jęknęłam głośniej.

Spojrzałam na ciemną głowę w dole i napięte mięśnie ud pokrytych szorstkimi włosami. Gęsty pukiel włosów otaczający nabrzmiewający członek kontrastował z gładkimi pośladkami i pozbawioną włosów piersią. Wtulił się we mnie głębiej, żeby móc mocniej całować. Jego język mnie pocierał, usta obejmowały, a oddech otulał rozkoszą.

Kobieta, która nie czuje potęgi władzy w momencie, gdy mężczyzna klęka przed nią, by oddać hołd jej cipce, chyba sama siebie okłamuje. Oparłam dłoń na głowie Jamesa. Jego usta pieściły moje wnętrze z cudowną finezją, zachęcając do wypchnięcia bioder. Podniecenie rozlewało się gorącą falą po podbrzuszu. Dłonie przesunęły się w kierunku moich pośladków. Masował je kolistymi ruchami, które czułam głęboko w lędźwiach.

Gdy biodra zaczęły mi drżeć z podniecenia, obrócił mnie, bym mogła usiąść na brzegu wanny. Zimny metal powinien zaskwierczeć od dotyku rozpalonego ciała. Krawędź wanny uciskała pośladki, ale gdy James, nadal klęcząc, rozchylił szerzej moje uda i zanurzył się głębiej ustami i palcami, nic już nie miało znaczenia.

Jęknął, gdy wsunął we mnie palec. Ja westchnęłam, gdy wsunął drugi.

Na początku naszego współżycia jego delikatne pieszczoty nie robiły na mnie specjalnego wrażenia. W sumie nie spodziewałam się niczego więcej. Poszłam z nim do łóżka, bo spotykaliśmy się od kilku miesięcy. On tego oczekiwał, a ja po prostu nie chciałam go zawieść. Nie poszłam z nim do łóżka, by przeżyć orgazm.

Lizał mnie powoli, zagłębiając we mnie leciutko zgięte palce, dotykając nimi mięciutkich poduszeczek kończących się w punkcie G. Złapałam krawędź wanny, plecy wygięłam w łuk, rozchyliłam szeroko uda. Bolały mnie dłonie. Nie dbałam o to. Później palce będą zdrętwiałe od uścisku, a pośladki przecięte czerwoną pręgą od opierania się o wannę, ale teraz nie miało to znaczenia, bo rozkosz przesłaniała wszystko.

Gdy kochaliśmy się po raz pierwszy, James nie zapytał nawet, czy miałam orgazm. Nie zrobił tego ani za drugim, ani za trzecim razem. Dwa miesiące po naszym pierwszym razie wynajęliśmy pokój w hotelu, nie mówiąc nikomu, że znikamy na weekend. Leżeliśmy w łóżku i James przestał mnie całować, kładąc dłoń na moim wzgórku łonowym.

– Jak mam cię pieścić? – spytał spokojnym, rzeczowym tonem.

Byłam z chłopakami, którzy myśleli, że kilka ruchów palcami doprowadzi mnie do ekstazy. Seks z nimi nie miał znaczenia, nie pozostawił żadnych wspomnień. Udawanie rozkoszy było jedyną zabawą, jakiej wówczas doświadczałam, i nawet mi to odpowiadało. Tym łatwiej przychodziło zrywać z nimi, zresztą rozgrywałam to tak, by wydawało się im, że to oni porzucają mnie.

Pytanie Jamesa było szczere. Wiedział, że to, co robiliśmy do tej pory, zupełnie nie działało, chociaż nigdy się nie poskarżyłam. Delikatnie dotknął mojej łechtaczki i warg. Spojrzał mi głęboko w oczy.

– Co zrobić, żebyś miała orgazm?

Mogłam oczywiście roześmiać się i zagruchać wesoło, że przecież jest doskonały w łóżku i nigdy nie miałam lepszego kochanka. Mogłam go okłamać i miesiąc później znaleźć jakiś sposób, by przestał się ze mną spotykać. Przez moment chyba nawet o tym pomyślałam. Nie pamiętam tylko, dlaczego tak nie zrobiłam. Dlaczego, patrząc w pełne wyrazu oczy Jamesa, odpowiedziałam: „Nie wiem".

To też było kłamstwo, ale trochę bardziej „szczere" niż stwierdzenie, że wszystko, co robił, było super. Rozchyliłam usta do pocałunku, ale mnie nie pocałował. Zamyślił się, głaskał niespiesznie moje uda i brzuch, od czasu do czasu dotykając łechtaczki.

– Kocham cię, Anne – powiedział wtedy. To był pierwszy raz, gdy mi to wyznał, choć nie był pierwszym chłopakiem wyznającym mi miłość. – Chcę, żebyś była szczęśliwa. Jak to zrobić?

Nie wiedziałam, czy potrafię mu powiedzieć, dlatego tylko się uśmiechnęłam. Też się uśmiechnął. Pochylił się i pocałował mnie, nadal głaszcząc, powoli i delikatnie.

Przez godzinę lizał mnie i pieścił palcami. Nie opierałam się, nie protestowałam, zadowolona, że pozwoliłam mu robić, na co miał ochotę. W pewnym momencie moje ciało wprawiło mnie w zdumienie. Nie mogłam się oprzeć napływowi wrażeń i rozkosz pochłonęła mnie całkowicie.

Łkałam, gdy pierwszy raz doprowadził mnie do orgazmu. Nie z bólu. Z prostego wyzwolenia emocji. Oraz z ulgi. James podarował mi orgazm, ale nie zatraciłam się w nim całkowicie. Nadal wiedziałam, kim jestem. Mogłam mu powiedzieć, że go kocham, to nie byłoby kłamstwo, ale miłość nie zawładnęła mną bez reszty. Nie musiałam się obawiać, że utracę część osobowości i utonę.

Teraz James poruszył się, przestał mnie całować. Odetchnęłam głęboko, ale nadal posapywałam z podniecenia, jęknęłam głośniej, gdy znów zaczął mnie pieścić językiem i palcami. Chciałam więcej. Drugą dłonią objął członek i zaczął go masować.

– Czuję, że jesteś blisko końca. Chcę, żebyś teraz doszła.

Wystarczyłaby jeszcze chwila i kilka liźnięć, bym miała orgazm, ale byłam zachłanna.

– Chcę mieć cię w sobie.

– Wstań i odwróć się.

Zrobiłam, jak kazał. Upłynęło trochę czasu, zanim nauczyłam się reagować na jego bodźce, ale on też sporo nauczył się o mnie. Złapał mnie za biodra, a ja pochyliłam się i podparłam rękami o krawędź wanny.

Wszedł we mnie, głęboko. Z mojego gardła wydobył się krzyk. James poruszał się powoli, precyzyjnie. Mięśnie pochwy miałam napięte, ściśle obejmowały jego członek. Rozkosz promieniowała z łechtaczki na brzuch i uda, aż po koniuszki palców stóp.

Orgazm krążył w środku, czekając na właściwy moment, by wybuchnąć. Wstrzymałam oddech. Wypchnęłam mocniej biodra, a klaśnięcia moich mokrych pośladków o jego podbrzusze dodatkowo mnie pobudzały, aż jęczałam z rozkoszy. Włosy przysłoniły mi twarz. Zamknęłam oczy, żeby nie zdekoncentrować się widokiem pająka walczącego o życie na dnie wanny.

Dłonie Jamesa mocniej zacisnęły się na moich biodrach. Koniuszki palców oparły się o kość mojej miednicy, a kciuki ugniatały krągłość bioder. Jego penis wypełniał szczelnie moje wnętrze. Sięgnęłam ręką, by popieścić napęczniałą łechtaczkę, nie mogłam powstrzymać się od jęczenia.

Nagle zadzwonił telefon.

Otworzyłam oczy i momentalnie poczułam, że zagubiliśmy rytm wspólnego pulsowania. Członek Jamesa uderzył o dno macicy. Przeszył mnie ból, który minął dopiero po głębokim wdechu. Telefon odezwał się ponownie, dzwonek zaczął mnie dekoncentrować.

– Już niedługo, kochanie – mruknął James, odzyskując pulsujący rytm ruchów.

Znowu dzwonek. Spięłam się, ale James przytrzymał mnie, kładąc dłoń na moich plecach. Jego palce zaciskały się na ramionach blisko karku. Drugą rękę wsunął pode mnie i bez litości masował łechtaczkę. Powoli dochodziłam.

Włączyła się automatyczna sekretarka. Nie chciałam słuchać. Byłam bliska łez. Zacisnęłam powieki. Pochyliłam głowę. Zacisnęłam dłonie na krawędzi wanny i wypychałam pośladki do tyłu, otwierając się całkowicie na Jamesa.

– Jamie – odezwał się głos niczym powoli kapiący karmel. – Przepraszam, że dzwonię tak późno, stary, ale zgubiłem zegarek. Nawet nie wiem, która jest godzina.

Wypuściłam powietrze, które wstrzymywałam w płucach. James mruknął, wchodząc we mnie jeszcze mocniej. Wciągnęłam powietrze, walcząc z omdleniem. Moja łechtaczka pulsowała pod dotykiem Jamesa.

– No dobra. Dzwonię, żeby ci powiedzieć, kiedy przylatuję. – Rozległ się chichot, jakby chodziło o jakiś sekret. Mówiący wydawał się albo pijany, albo na haju, albo po prostu zmęczony. Głos był głęboki, miękki, rozleniwiony. Przepełniony seksem. – Właśnie ruszam, stary. Walnę jeszcze kilka drinków i spadam. Zadzwoń na komórkę. Numer znasz.

Za moimi plecami James oddychał głęboko, jęczał. Jego palce drapały mnie po plecach i wysyłały w kosmos orgazmu tak silnego, że przez zamknięte powieki widziałam jasne wybuchy kolorowych błysków.

– I jeszcze jedno, Jamie – dodał głos, opadając tonem jeszcze niżej, jakby chciał podzielić się wielką tajemnicą. – Cieszę się na nasze spotkanie, stary. Kocham cię. No to spadam.

James krzyknął. Ja zadrżałam w konwulsji. Doszliśmy razem, nic nie mówiąc, słuchając głosu Alexa Kennedy'ego z drugiego końca świata.

ROZDZIAŁ DRUGI

– Spóźni się, jak zwykle – powiedziała Patricia, moja siostra, i pociągnęła nosem, przeglądając kartę dań. – Nie czekajmy.

Druga siostra, Mary, spojrzała znad telefonu komórkowego, wstukując SMS-a.

– Pats, wyluzuj. Jeszcze nie jest spóźniona.

Patricia i ja skrzyżowałyśmy spojrzenia. Dzieliła nas niewielka różnica wieku. Czasem wydawało się, że w rodzinie są dwie pary córek, oddzielone dekadą, a nie zaledwie czterema latami różnicy jak u Pat i Mary. Pomiędzy Mary a najmłodszą siostrą, Claire, były dwa lata różnicy. Nie jestem aż tak stara, bym mogła być matką Claire, ale czasem wydawało mi się, że właśnie jestem.

– Dajmy jej kilka minut – zwróciłam się do Patricii. – Co z tego, że trochę się spóźni? Przecież możemy jeszcze chwilkę poczekać?

Spojrzała na mnie nieprzeniknionym wzrokiem i pogrążyła się w lekturze menu. Podobnie jak siostry nie przejmowałam się zmanierowanym stylem zachowania Claire, ale podejście Patricii okazało się niespodzianką. Może była trochę zadufana i despotyczna, ale rzadko złośliwa.

Mary zamknęła klapkę komórki i sięgnęła po dzbanek z sokiem pomarańczowym.

– Czyj to był pomysł, by spotkać się na wspólne śniadanie? Przecież wiecie, że Claire, jeśli nie musi, nie wstaje z łóżka przed południem.

– No tak. – Patricia odłożyła menu. – Przecież świat nie kręci się wokół Claire, prawda? Mam dziś sporo rzeczy do zrobienia. Nie mogę tu siedzieć cały dzień tylko dlatego, że imprezowała do późnej nocy.

Tym razem ja i Mary spojrzałyśmy na siebie. Siostrzane relacje to skomplikowana sprawa. Mary uniosła brwi, zrzucając na mnie odpowiedzialność za uspokojenie Patricii.

– Na pewno pojawi się za kilka minut – oświadczyłam. – Jeśli nie, to zaraz coś zamówimy, dobrze?

Patricia nie wyglądała na uspokojoną. Otworzyła menu i skryła w nim twarz. Bezgłośnym ruchem ust Mary zapytała: „Co z nią?”. Moją jedyną odpowiedzią było wzruszenie ramionami.

Claire faktycznie się spóźniła, ale zaledwie kilka minut. Według jej standardów można było uznać, że przyszła punktualnie. Wpadła do restauracji, jakby należał do niej cały świat. Czarne włosy sterczały wokół głowy, jakby strzelił w nie piorun. Oczy podkreślała obficie zaaplikowana czarna maskara, przez co wyglądały niesamowicie na tle bladej karnacji i pur-

purowych ust. Wsunęła się na siedzenie obok Mary i sięgnęła po szklankę soku, którą ta nalała sobie. W akompaniamencie pobrzękiwania bransoletek uniosła szklankę i całkowicie zignorowała protest siostry.

– Mmm, dobry – oświadczyła, odstawiając szklankę na stół. Uśmiechnęła się szeroko, rozglądając dookoła. – A wy myślałyście pewnie, że się spóźnię.

– Przecież się spóźniłaś – odezwała się Patricia.

Claire nie przejęła się jej słowami.

– Nie wydaje mi się. Jeszcze nic nie zamówiłyście.

Jak za dotknięciem magicznej różdżki pojawił się kelner. Zmysłowy wzrok Claire trochę go spłoszył, ale udało mu się zebrać zamówienia. Kiedy oddalał się od stolika, tylko raz zerknął przez ramię. Claire puściła do niego oko. Patricia westchnęła z wyraźnym niesmakiem.

– No co? – odparła Claire. – Przystojniaczek.

– I co z tego? – Patricia nalała sobie soku i wypiła.

Kurczaki dziobią ziarno w określonej kolejności. Siostry też zamawiają po kolei. Doświadczenie życiowe nauczyło je, że można na mnie liczyć w kwestii doradztwa i mediacji podczas sprzeczek. Uważały, że dzięki moim staraniom nasze siostrzane relacje będą stale słonecznie radosne i przykładne. Z kolei wszystkie wiedziałyśmy, że Claire zawsze nas czymś poruszy i zaskoczy, Patricia przywoła do porządku, a Mary rozbawi i pocieszy. Każda znała miejsce w grupie, ale dziś było coś nie tak.

– Stwierdziłam otwarcie, że umawianie się z tobą przed południem to pomyłka. – Mary sięgnęła po koszyk z ciepłymi croissantami. – O której poszłaś spać?

Claire roześmiała się i też wzięła rogalik. Rozdarła go palcami z polakierowanymi na czarno paznokciami i nie smarując masłem, wsunęła kawałek do ust.

– O żadnej.

– W ogóle nie położyłaś się do łóżka? – zapytała Patricia, krzywiąc usta w grymasie zdziwienia.

– Nie poszłam spać – poprawiła Claire i popiła rogalika sokiem. – Ale poszłam do łóżka.

Mary się roześmiała. Patricia skrzywiła. Mnie to zupełnie nie poruszyło. Przyglądałam się młodszej siostrze i zauważyłam malinkę na jej szyi. Nie miała chłopaka, przynajmniej takiego, którego chciałaby przedstawić rodzinie. Biorąc pod uwagę naszą sytuację rodzinną, nie byłam tym szczególnie zaskoczona.

– Możemy zacząć śniadanie? Mam kilka spraw do załatwienia – ponagliła nas Patricia.

– Nie zgłaszam sprzeciwu – odparła Claire nonszalancko. – Zaczynajmy więc.

Ta zblazowana postawa zirytowała Patricię. A zignorowanie jej irytacji spowodowało, że stała się jeszcze bardziej zgryźliwa. Chociaż obie ścinały się już w przeszłości, to dzisiejsze zachowanie zapowiadało niezły wybuch. By temu zapobiec, wyciągnęłam notatnik i długopis.

– Okay. Po pierwsze, musimy ustalić, gdzie to zorganizujemy. – Przyłożyłam końcówkę długopisu do kartki. W sierpniu była rocznica ślubu rodziców. Trzydziesta. A Patricia wpadła na pomysł, żeby zorganizować rodzicom imprezę. – W ich domu? W moim, a może u Patricii? Albo w restauracji? – proponowałam.

– A może w siedzibie Związku Weteranów? – Claire uśmiechnęła się ironicznie. – Albo na kręgielni?

– Bardzo śmieszne. – Patricia rozdarła croissanta, ale jeszcze go nie ruszyła.

– W twoim domu, Anne. Urządzimy na plaży grilla lub coś w tym stylu. – Telefon Mary zapikał, ale zignorowała go.

– No niby tak ... – Nie kryłam braku entuzjazmu wobec pomysłu.

– Niestety, w moim domu nie da rady – wyjaśniła Patricia. – Jest za mały.

– A mój jest wielki? – zapytałam. Nasz dom był ładny, stał nad wodą, ale nie należał do największych.

– Spodziewasz się tłumów? – kpiła ze mnie Claire i przywołała ręką kelnera, który natychmiast podszedł do stolika. – Przynieś mi mimozę, kochany, dobrze?

– Jezu, Claire – odezwała się Patricia. – Naprawdę musisz?

Beztroska Claire ulotniła się na sekundę.

– Tak, Pats. Muszę.

– A może zorganizujemy imprezę w Ceasar's Crystal Palace? – zaproponowałam pospiesznie, by odsunąć dalsze dyskusje. – Tam jest kilka sal balowych.

– Daj spokój – odparła Mary. – Jedzenie drogie jak cholera, a ja nie mam tyle kasy co niektóre z was. – Najpierw spojrzała znacząco na mnie, potem na Patricię. Claire parsknęła śmiechem. Mary spojrzała także na nią, ruszając porozumiewawczo brwiami.

– Taaa... ja i Mary jesteśmy biedne – oświadczyła Claire i rzuciła spojrzenie kelnerowi, który przyniósł jej drinka. – Dzięki, cukiereczku.

Zaczerwienił się. Pokręciłam głową i przewróciłam oczami. Była po prostu bezwstydna.

– Też uważam, że nie powinnyśmy za dużo wydawać

– powiedziała Patricia rzeczowym tonem, patrząc na rogalika. – Zorganizujmy imprezę u Anne. Kupimy papierowe ozdoby w hurtowni i same przyrządzimy różne desery. Najdroższy będzie grill, ale firma cateringowa dorzuca kukurydzę w kolbach, pieczywo i dodatki.

– No i nie zapomnijcie o gorzałce – wtrąciła Claire.

Zapadła cisza. Telefon Mary zapikał ponownie, i tym razem Mary uniosła klapkę. Patricia nie odezwała się ani słowem. Ja też milczałam. Claire powiodła po nas wzrokiem.

– Chyba nie myślicie poważnie, by robić imprezę bez gorzały. Przynajmniej niech będzie piwo.

– To zależy od Anne. To jej dom – oświadczyła Patricia.

Skierowałam na nią wzrok, ale uniknęła spojrzenia. Mary też patrzyła w inną stronę. Jedynie Claire wytrzymała mój wzrok.

– Możemy zorganizować wszystko, jak nam się podoba – powiedziałam w końcu.

– To impreza rocznicowa mamy i taty – odezwała się Claire. – Chcecie powiedzieć, że organizujemy dla nich party, na którym nie będzie alkoholu?

Od niewygodnej ciszy wybawiło nas pojawienie się zamówionych dań. Po rozstawieniu talerzy zabrałyśmy się do jedzenia. Mary westchnęła, nabijając pieczonego ziemniaka na widelec.

– Możemy zamówić beczkę piwa – stwierdziła.

– I kilka butelek wina – dodała Patricia niechętnie. – Powinien też być szampan do wzniesienia toastu. W końcu to trzydziesta rocznica ślubu i należy im się toast.

Spojrzały na mnie, czekając na decyzję. Widelcem krążyłam nad omletem, którego mój żołądek już nie chciał. Siostry żądały, bym powiedziała tak lub nie i dokonała wyboru. Wcale nie miałam na to ochoty. Nie chciałam za nic odpowiadać.

– Anne – odezwała się Claire. – Przecież wszystkie będziemy na imprezie i wszystkiego dopilnujemy.

Skinęłam raptownie głową, aż zabolała mnie szyja.

– No dobrze. Oczywiście. Piwo, wino, szampan. James może przygotować barek na zewnątrz i będzie serwował drinki. On nawet to lubi.

Przez dłuższą chwilę nie rozmawiałyśmy. Niemal poczułam ulgę sióstr, że nie musiały o niczym decydować, ale może mi się tylko wydawało.

– A co z listą gości? – zapytałam stanowczo jako szefowa projektu.

Miałam nadzieję, że James nie zgodzi się na imprezę w naszym domu, ale oczywiście stwierdził, że to świetny pomysł. Stał właśnie nad grillem, z piwem w jednej ręce i szczypcami do mięsa w drugiej, gdy poruszyłam ten temat. Na fartuchu miał nadrukowany wizerunek kobiety bez głowy, za to w bikini. Jej piersi podnosiły się za każdym razem, gdy James ruszał ramionami.

– Super pomysł. Wynajmiemy namiot na wypadek kiepskiej pogody. No i będzie też trochę cienia.

Zapach grillowanego mięsa powinien pobudzić apetyt, ale miałam żołądek tak ściśnięty, że nic na mnie nie działało.

– Będzie mnóstwo roboty... – wtrąciłam.

– Wynajmiemy kogoś do pomocy. Nie martw się na zapas. – Zręcznie jak zawodowiec, James przerzucił steki na drugą stronę i podniósł pokrywkę kociołka z gotującymi się kolbami kukurydzy. Uśmiechnęłam się, obserwując, jak świetnie radzi sobie z grillem. Chociaż musiałam pisać dokładną instrukcję, jak włączyć mikrofalówkę, na imprezach plenerowych był prawdziwym szefem kuchni.

– To i tak mnóstwo roboty... – upierałam się.

Spojrzał na mnie wzrokiem mówiącym, że wreszcie dotarło do niego, o co mi chodzi.

– Anne, jeśli nie chcesz, żeby to party urządzić u nas, to dlaczego tego nie powiesz otwarcie?

– Siostry mnie przegłosowały. Chcą zrobić grilla i nasz ogród to jedyne miejsce, gdzie wszyscy się pomieszczą. Poza tym, nawet jeśli wynajmiemy namiot i ludzi do pomocy, i tak wyjdzie taniej niż wynajęcie sali i cateringu. No i... u nas jest ładnie.

Rozejrzałam się. Nawet bardziej niż ładnie, pomyślałam. Dom, otoczony sosnami, stał na brzegu jeziora, a kawałek własnej plaży dawał poczucie prywatności i spokoju. Był jednym z pierwszych domów wybudowanych nad jeziorem. Należał do dziadków Jamesa, którzy zapisali mu go w testamencie. Mały, stary, ale zadbany, jasny i, co najważniejsze, nasz własny. Mój mąż budował wystawne wielkie domy dla zamożnych ludzi, ale wolałam ten mały bungalow pełen dobrych duchów.

James przełożył steki na półmisek i przyniósł na stół.

– Zrobimy, jak zechcesz. Decyzja należy do ciebie.

Byłoby mi o wiele łatwiej, gdyby to on zdecydował, postanowił coś, gdyby nie wyraził zgody. Musiałybyśmy urządzić imprezę gdzie indziej. I mogłabym zrzucić winę na niego.

– No trudno. Zrobimy ją tutaj – odparłam i nałożyłam na swój talerz wielki stek.

Mięso było pyszne, kukurydza krucha i słodka. Zrobiłam wcześniej sałatę z truskawkami i sosem winegret, a do tego chrupiące francuskie bułeczki. Uczta była królewska. James opowiadał o nowej budowie, o problemach z pracownikami i rodzinnych planach rodziców na wyjazd wakacyjny.

– Kiedy chcą jechać?

Wzruszył ramionami i nalał sobie kolejny kieliszek czerwonego wina. Nie zapytał, czy też chcę. Przestał o to pytać już dawno temu.

– Nie wiem. Chyba latem – odparł.

– Jak to „chyba"? Czy nie powinni nas najpierw zapytać, jaki termin nam odpowiada? Albo czy w ogóle chcemy z nimi jechać?

Znowu wzruszył ramionami. Pewnie nawet nie pomyślał, żeby im o tym wspomnieć.

– Nie wiem, Anne. Matka coś luźno wspomniała. Chyba na początku lipca.

– Nie możemy pojechać z nimi tego lata. Wiesz, że nie. Powinieneś powiedzieć jej to otwarcie.

– Anne... – James westchnął.

– Obiecałeś, że pojedziemy?

– Nie.

– Ale też nie powiedziałeś, że nie pojedziemy? – To było jego typowe podejście do problemu, nie powinnam się dziwić. Jednak tym razem naprawdę się zirytowałam.

Jadł w milczeniu i pił wino. Odciął kolejny kawałek steku i polał sosem.

Też milczałam. Nie było to łatwe, jednak nauczyłam się przeczekiwać przykre momenty.

– To co, według ciebie, mam powiedzieć? – odezwał się wreszcie.

– Prawdę. To samo, co powiedziałeś mnie. Że nie możemy pojechać na wakacje tego lata, bo masz nową budowę i musisz pracować. I że najprawdopodobniej pojedziemy na wakacje w zimie, na narty. Że nie pojedziemy z nimi, bo nie chcemy!

– Nie powiem tego. – Wytarł usta serwetką, zgniótł ją i rzucił na talerz, gdzie po chwili nasiąkła sosem do mięsa, niczym krwią.

– Coś powinieneś jednak powiedzieć – burknęłam kwaśno. – Zanim zarezerwuje miejsca.

Znowu westchnął i rozparł się w fotelu. Przetarł dłonią twarz.

– Tak, wiem.

Nie chciałam się z nim kłócić. Szczególnie że moje podenerwowanie nie było spowodowane pomysłami jego matki, tylko koniecznością zorganizowania u nas przyjęcia rocznicowego dla moich rodziców. Czułam się zmuszona do zrobienia czegoś, czego nie chciałam zrobić, dla ludzi, którym nie chciałam sprawiać przyjemności.

James sięgnął przez stół i złapał mnie za rękę. Przesunął kciukiem po wnętrzu mojej dłoni.

– Dobrze, powiem jej – powiedział w końcu.

Trzy krótkie słowa, i od razu poczułam się lepiej. Przynajmniej część ciężaru spadła mi z barków. Uścisnęłam jego dłoń. Uśmiechnęliśmy się. James przyciągnął mnie i pocałował.

– Mmm... Dobry sos do steków. – Polizał usta. – Ciekawe, na czym jeszcze tak dobrze by smakował.

– Nawet o tym nie myśl – ostrzegłam go.

Zachichotał i znowu mnie pocałował.

– Musiałbym bardzo dokładnie go wylizać...

– I mogłoby się to zakończyć poważną infekcją – uzupełniłam chłodno.

Posprzątaliśmy ze stołu, wyrzuciliśmy papierowe talerze i resztki. James celowo się przy tym o mnie ocierał i wpadał na mnie, za każdym razem przepraszając z miną niewiniątka. Rozbawiło mnie to i uszczypnęłam go w ramię. W końcu dopadł mnie przy zlewozmywaku. Ręce przycisnął mi do blatu. Biodrami dotknął moich bioder.

– Siemka – powiedział żartobliwie.

– Cześć.

– Co za niezwykłe spotkanie. – Zaczął ocierać się o mnie nabrzmiałym członkiem.

– Musimy przestać tak się spotykać. To naprawdę zbyt wstrząsające – wyszeptałam.

Jeszcze bardziej do mnie przylgnął, wiedząc, że nie umknę. Jego oddech pachniał czosnkiem i cebulką, ale nie odrażająco. Przekręcił głowę, by nasze usta się spotkały, lecz nie pocałował mnie.

– Jesteś wstrząśnięta?

– Jeszcze nie.

– To dobrze.

Tak czasem właśnie mieliśmy. Szybkie i podniecające, ostre i dzikie pieprzenie bez przejmowania się szczegółami, poza ściągnięciem majtek i rozpięciem rozporka. Momentalnie zrobiłam się mokra, a on już po chwili był we mnie. Moje ciało nie stawiało oporu, gdy mnie posuwał, obydwoje jęczeliśmy z rozkoszy.

Objęłam go za szyję. Jedną ręką podtrzymywał mi udo, bym trzymała je pod odpowiednim kątem. Nie sądziłam, że będę miała orgazm, ale tak uciskał moją miednicę, że doprowadził mnie do krótkiego, ostrego wybuchu. Doszedł, gdy skurcze pochwy oplotły jego członek. Głowa opadła mu na moje plecy. Oddychaliśmy ciężko. Ten splot po chwili nas zmęczył, z trudem uwalnialiśmy zesztywniałe mięśnie. Objął mnie i staliśmy tak, aż oddechy się uspokoiły, a pot na twarzach, owiewanych wpadającym przez okno powietrzem, wysechł.

– Kiedy masz następną wizytę u lekarza?

To pytanie wprawiło mnie w zakłopotanie.

– Jeszcze się nie umówiłam.

– A umówisz się? – W jego tonie nie było pretensji, jedynie troska.

– Ostatnio byłam zajęta.

Mógł przypomnieć, że odkąd lokalny ośrodek doradztwa społecznego, w którym pracowałam, stracił fundusze i został zamknięty, nie miałam żadnych zajęć, ale nie zrobił tego. Wzruszył tylko ramionami i przyjął odpowiedź za dobrą monetę, chociaż nie była szczera.

– A o co chodzi? Tak ci spieszno?

Uśmiechnął się.

– Wydawało mi się, że chcesz już zacząć coś poważniejszego. Kto wie, może właśnie zrobiliśmy dziecko? Przed chwilą.

– To by dopiero było, co?

– No jasne. – Objął mnie.

– Zrobić dziecko na stojaka w kuchni...

– Może umiałaby dobrze gotować?

– Albo umiałby. Chłopcy też dobrze gotują. – Prysnęłam w jego stronę mydlinami.

– Miałby to po ojcu – odparł James, wycierając dłonie o koszulę.

– Jasne. – Przewróciłam oczami.

Zanim zdążyliśmy pociągnąć wątek braku zdolności kulinarnych Jamesa, zadzwonił telefon. Odruchowo sięgnęłam po słuchawkę. Wykorzystując mój brak uwagi, James połaskotał mnie.

– Słucham? – odezwałam się ze śmiechem do słuchawki, z trudem łapiąc powietrze.

Przywitało mnie trzeszczenie i milczenie, a dopiero po chwili głos:

– Anne?

Odepchnęłam pełzające po mnie dłonie Jamesa.

– Taaak?

– Cześć, Anne. – Ton głosu był niski i głęboki. Nieznany mi, choć domyśliłam się, z kim rozmawiam.

– Tak, słucham? – powtórzyłam, spoglądając na zegar. Chyba było trochę za późno na telemarketera.

– Mówi Alex. Jak leci?

– Ooo, Alex! Cześć. – Tym razem mój śmiech pokrywał skrępowanie. James uniósł brwi ze zdziwienia. Jeszcze nigdy nie rozmawiałam z Alexem. – Pewnie chcesz pogadać z Jamesem?

– Wcale nie – odpowiedział. – Chcę rozmawiać z tobą.

Właśnie miałam oddać słuchawkę, ale przytrzymałam ją przy uchu.

– Naprawdę?

James sięgał po słuchawkę, jednak cofnął rękę. Jego brwi wyglądały jak rozłożone skrzydła dużego ptaka.

– Jasne. – Śmiech Alexa był jak gęsty syrop. – Jak leci?

– Świetnie.

James wycofał się i skrzywił usta w uśmiechu. Przytrzymałam słuchawkę barkiem i zajęłam się płukaniem umytych naczyń w zlewie. James szturchnął mnie w bok, machnął ręką i przegonił.

– To dobrze. A jak się miewa drań, za którego wyszłaś?

– Też świetnie.

Wyszłam do salonu. Nie jestem gadułą telefoniczną. Zawsze podczas rozmowy muszę coś robić, ale teraz nie miałam ani prania do poskładania, ani kurzu do starcia. Żadnych naczyń do umycia. Zaczęłam chodzić w kółko.

– Chyba nie sprawia kłopotów, co?

Nie wiedziałam za bardzo, co odpowiedzieć, więc uznałam, że Alex mnie podpuszcza.

– Daję sobie z nim radę przy pomocy chłosty i łańcuchów.

Jego niski chichot niemal połaskotał mnie w ucho.

– To super. Musisz go krótko trzymać.

– James wspominał, że wybierasz się do nas z wizytą...

Pojawiło się syczenie w słuchawce i pomyślałam, że coś przerwało połączenie, ale już po chwili znowu usłyszałam jego głos.

– Taki mam plan. O ile się zgodzisz...

– Oczywiście, że tak. Cieszymy się na to spotkanie – powiedziałam nie do końca szczerze. James się cieszył. Ja nigdy nie spotkałam Alexa, nie znałam go, więc nie wiedziałam, co mam o tym wszystkim myśleć. Obcy człowiek w domu to jednak ingerencja w naszą intymność.

– Kłamczucha.

– Słucham? – Nic więcej nie mogłam z siebie wydusić.

Alex roześmiał się do słuchawki.

– Jesteś kłamczuchą.

Nie wiedziałam, co odpowiedzieć.

– Ja...

Znowu się roześmiał.

– To ja też będę kłamał. Jakiś typ spod ciemnej gwiazdy dzwoni nagle nie wiadomo skąd i chce u was pobyć przez kilka tygodni... Sam bym się bał. Szczególnie że połowa z tego, co Jamie o mnie opowiadał, to szczera prawda. Opowiadał ci o mnie?

– Trochę.

– Mimo to pozwalasz mi wpaść z wizytą? Jesteś bardzo odważną kobietą.

Słyszałam opowieści o Aleksie, ale sądziłam, że większość z nich jest ostro podkoloryzowana. Mitologia chłopięcej przyjaźni przefiltrowana przez upływ czasu, który zniekształca ostrość wspomnień.

– Skoro tylko połowa z tego, co mi opowiedział, jest prawdą, to co z resztą?

– Część jest też zapewne prawdą – odparł. – Powiedz szczerze, mogę przyjechać?

– A jesteś typem spod ciemnej gwiazdy?

– Jestem obdartym łotrem. Włóczę się po świecie jak potępieniec.

Roześmiałam się z jego odpowiedzi, dziwiąc się samej sobie. Wiedziałam, że wciągnął mnie we flirt. Zerknęłam w stronę kuchni, gdzie James kończył płukać naczynia. Zupełnie nie zwracał na mnie uwagi, jakby nie był zainteresowany moją rozmową z jego przyjacielem. Ja w takiej sytuacji podsłuchiwałabym.

– Każdy przyjaciel Jamesa może się u nas zatrzymać – odpowiedziałam.

– Naprawdę? Założę się, że Jamie nie ma więcej takich przyjaciół jak ja.

– Takich typów spod ciemnej gwiazdy? Zna kilka szumowin i paru przygłupów, ale takiego łotra jak ty pewnie nie.

Podobał mi się jego śmiech. Był ciepły i miękki. Znowu coś zaszumiało i zatrzeszczało w słuchawce. Usłyszałam stłumione dźwięki muzyki i jakieś głosy. Zastanawiałam się, czy to w tle, czy przebicie z innego połączenia.

– Gdzie teraz jesteś?

– W Niemczech. Wpadłem na kilka dni do przyjaciół. Potem jadę do Amsterdamu i dalej do Londynu. Stamtąd przylecę do Stanów.

– Prawdziwy obieżyświat z ciebie – odparłam, nie kryjąc zazdrości. Ja nigdy nie wyjechałam poza kontynent północnoamerykański.

Znowu śmiech Alexa, zniekształcony przez kolejne trzaski.

– Żyję na walizkach i cierpię z powodu zmiany strefy czasowej. Zabiłbym za kanapkę z chleba tostowego z majonezem i mortadelą.

– Chcesz wzbudzić moje współczucie?

– Jasne.

– Dopilnuję, żeby nie zabrakło ci tutaj białego pieczywa i mortadeli. – Perspektywa goszczenia Alexa przestała nagle być tak niemiła jak wcześniej.

– Anne, jesteś boginią wśród kobiet.

– Cały czas to słyszę.

– Poważnie. Powiedz, co ci przywieźć z Europy.

– Nic nie chcę!

– Czekoladę? Kiełbasę? Melasę? Może być trudno przeszmuglować heroinę, trawkę albo prostytutkę z Amsterdamu. Lepiej wybierz coś legalnego.

– Alex, spokojnie. Nie musisz mi nic przywozić.

– Oczywiście, że muszę. Jeśli nie powiesz, co chcesz, zapytam Jamesa.

– Przywieź melasę. Tylko nie bardzo wiem, co to jest.

Alex zachichotał.

– Syrop z cukru trzcinowego.

– Okay, właśnie tego pragnę.

– No proszę, oto kobieta, która lubi poszaleć. Nic dziwnego, że Jamie się z tobą ożenił.

– Było ku temu więcej powodów – oświadczyłam.

Nagle zdałam sobie sprawę, że stoję w miejscu i plotkuję przez telefon już od wielu minut. Alex tak mnie wciągnął w rozmowę, że nawet nie musiałam zajmować niczym rąk. Spojrzałam w stronę kuchni. James gdzieś zniknął. Usłyszałam dźwięk telewizora z gabineciku.

– Przepraszam, że nie przyjechałem na wasze wesele. Podobno była odlotowa zabawa.

– Kto ci powiedział? James?

Głupie pytanie. Od kogo innego mógłby wiedzieć? Jednak James nigdy nie wspominał, że kontaktował się z Alexem. Opowiadał kilka razy o przyjacielu z gimnazjum, ale ogólnikowo, nie zdradził, co było powodem zerwania przyjaźni. To ja znalazłam adres Alexa w starym notatniku Jamesa i wysłałam zaproszenie. Pomyślałam wtedy, że może nadszedł czas na naprawienie tego, co się kiedyś zepsuło. Alex przesłał przeprosiny, że się nie pojawi, co nie było zaskoczeniem. Jak widać, moje starania nie poszły na marne i wyszło nawet lepiej, niż zamierzałam.

– No tak.

– Było świetnie. Szkoda, że nie mogłeś przyjechać, ale skoro wybierasz się do nas na dłużej, nadrobisz stracony czas.

– James przysłał zdjęcia. Oboje wyglądaliście na szczęśliwych.

– Wysłał ci... zdjęcia? Z naszego ślubu? – Spojrzałam na półeczkę nad kominkiem, na której od sześciu lat stało zdjęcie ślubne. Zawsze zastanawiałam się, jak długo powinno się wystawiać takie pamiątki. Pewnie do momentu, gdy pojawią się zdjęcia dzieci...

– Tak.

Kolejny powód do zdziwienia. Wysłałam zdjęcia ze ślubu do kilku przyjaciółek, które nie mogły przyjechać, ale... tak zwykle robią tylko kobiety.

– To... – zająknęłam się, tracąc wątek. – Kiedy przyjeżdżasz?

– Muszę sprawdzić rezerwacje w liniach lotniczych. Dam znać Jamiemu.

– Okay. Mam go zawołać do telefonu?

– Nie. Wyślę mu mejla.

– Dobrze.

– W porządku. Anne, tu dochodzi druga w nocy. Idę spać. Wkrótce zadzwonię.

– Do widzenia, Alex... – Chciałam jeszcze coś powiedzieć, ale już się rozłączył. Dlaczego tak nagle? Dziwne...

Przecież to chyba nic złego, że był w kontakcie z Jamesem. Przyjaźnie mężczyzn różnią się od kobiecych. James nigdy nie powiedział, że kontaktuje się telefonicznie z Alexem, ale to jeszcze nic nie znaczyło. Po co miałby opowiadać o takiej błahostce? W sumie cieszyłam się, że zapomnieli o dawnych urazach. Miło będzie poznać starego przyjaciela męża – Alexa. Łotra i obieżyświata. Tego, który obiecał mi upominek z Europy. Tego, który mówił o moim mężu Jamie, a nie James.

Tego, o którym James mówił wyłącznie w czasie przeszłym.

Telefon Mary zapikał po raz czwarty w ciągu pół godziny, ale tym razem tylko spojrzała na wyświetlacz, zanim wcisnęła aparat głębiej do torebki.

– Jak długo u was zostanie? – zapytała.

– Nie mam pojęcia. – Podniosłam z półki kryształową ramkę do zdjęć. – A ta?

– Nie – odparła, krzywiąc się.

Odłożyłam ramkę i rozejrzałam się po sklepie.

– Wszystkie są do siebie podobne. Chyba nic tu nie znajdziemy.

– A czyj był ten genialny pomysł, żeby kupić im kryształową ramkę? – zapytała ironicznie Mary. – Okay. Patricii. To dlaczego my się tym zajmujemy?

– Bo Pat nie może przyjść do takiego sklepu z dziećmi. – Rozejrzałam się po półkach, ale wszystkie ramki były podobne. Za drogie i bijące po oczach brzydotą.

– No dobrze. A Sean nie może wieczorem przypilnować pędraków?

Wzruszyłam ramionami, ale coś w tonie Mary kazało mi podnieść wzrok.

– Nie wiem. A dlaczego? Wspominała coś o problemach?

Siostry mają niewerbalny sposób porozumiewania się. Postawa i wyraz twarzy Mary powiedziały wszystko, ale na wypadek, gdybym nie załapała, o co jej chodzi, stwierdziła:

– To dupek.

– No coś ty...

– Nie zauważyłaś, że już nawet o nim nie opowiada? Kiedyś było w kółko: Sean to, Sean tamto... Do tego stała się jeszcze bardziej pruderyjna. Coś jest na rzeczy.

– Niby co? – zapytałam, gdy wyszłyśmy ze sklepu na czerwcowe słońce.

– Nie wiem. – Mary wywróciła oczami.

– Może powinnaś ją spytać?

Siostra znowu spojrzała na mnie, wykrzywiając się.

– A sama ją sobie pytaj.

Widok znajomej czarnej fryzury i, mówiąc delikatnie, dziwacznej garderoby sprawił, że stanęłyśmy jak wryte.

– O matko! – szepnęła Mary. – Chyba bogowie na nią zwymiotowali.

Roześmiałam się.

– Co takiego?

– Tak zwana moda na punka. Matko święta. Ona nigdy nie wydorośleje. Wydawało mi się, że chodzi z facetem ze sklepu z płytami. A ten to kto?

Claire śmiała się i świergotała, idąc z bardzo wysokim, wręcz tyczkowatym młodym mężczyzną z taką ilością metalu na twarzy, że z pewnością nie przeszedłby spokojnie przez bramkę na lotnisku. Miała na sobie rajstopy w biało-czarne paski, czarną koronkową spódniczkę z poszarpanym brzegiem i koszulkę z nadrukiem kapeli punkowej, która kopnęła w kalendarz po przedawkowaniu narkotyków, zanim Claire w ogóle przyszła na świat.

– Ona zdecydowanie ma specyficzny styl – stwierdziłam z przekąsem.

– Taaa... tylko że trudno to nazwać stylem.

Claire pomachała nam z końca parkingu, pożegnała się z nowym adoratorem i ruszyła w naszą stronę.

– Dobry ranek szanownym paniom.

– Jaki ranek? Już popołudnie – oświadczyła Mary.

– Zależy, o której godzinie się wstaje – odgryzła się Claire, bezwstydnie szczerząc się do nas. – Co jest grane?

– Anne nie może wybrać ramki.

– Hej! – zaprotestowałam. Bez Patricii u boku, która stanowiłaby równowagę wiekową, zaraz zostanę zagdakana przez młodsze siostry. – Powinnyśmy wspólnie wybrać prezent!

Claire pomachała ręką w koronkowej rękawiczce bez palców.

– Spoko. Kupcie, co chcecie. Im i tak wszystko jedno.

– Hej, Madonna! – zawołałam rozzłoszczona. – Dzwonił rok tysiąc dziewięćset osiemdziesiąty trzeci. Chce odebrać pożyczone ciuchy.

Mary uśmiechnęła się szyderczo, na co Claire zrobiła kwaśną minę. Triumfowałam w duchu, ale miłe uczucie szybko się skończyło.

– Umieram z głodu – oświadczyła Claire. – Pójdziemy coś zjeść?

– Nie wszystkim burczy w brzuchu – odparła Mary.

– Nie wszystkie musimy przejmować się sadełkiem – zripostowała słodko Claire.

– Hej, dziewczyny – wtrąciłam. – Szkoła się skończyła. Czas dorosnąć!

Claire objęła Mary i spojrzała na mnie niewinnym wzrokiem.

– Co wy, siostrunie, takie spięte?

Kochałam je. Wszystkie. Nie potrafiłabym wyobrazić sobie życia bez nich. Mary uśmiechnęła się kwaśno i zrzuciła rękę Claire, która tylko wzruszyła ramionami i łypnęła do mnie okiem.

– No, dalej, księżniczko... – zagruchała. – Postaw siostrzyczce burgera i frytki.

– A posprzątasz mi za to dom? – zapytałam. – To właśnie równowartość lunchu, prawda?

– No tak. Zanim przyjedzie kochaś Jamesa. Prawie zapomniałam. – Claire wywaliła język. – Nie chcesz, żeby znalazł wasze erotyczne zabaweczki, co?

– Nie wspominałaś, kiedy przyjeżdża – odezwała się Mary.

Całą trójką ruszyłyśmy do bistra po drugiej stronie parkingu. Jedzenie mieli tam przyzwoite i nie było tłumu turystów najeżdżających Sandusky w drodze do parku rozrywki Cedar Point. Też poczułam ssanie w żołądku.

– Nie wiem, kiedy się zjawi – odparłam.

– Jak ma na imię? Alex? – zapytała Claire, przytrzymując drzwi do baru.

– Alex Kennedy.

Kelnerka wskazała nam wygodny boks w głębi lokalu i rozdała karty dań, które znałyśmy na pamięć, bo często tu bywałyśmy.

– To ten, który nie przyjechał na wasze wesele, tak? – Mary posłodziła mrożoną herbatę i wcisnęła do niej cytrynę. Podała mi kilka saszetek cukru, o które nie musiałam jej nawet prosić.

– Był wtedy za granicą. Ale teraz jego firma została wykupiona i wraca do Stanów. Niewiele o nim wiem.

– Co z nim zrobisz, gdy James będzie w pracy? – To zadziwiająco praktyczne pytanie padło z ust Claire pijącej wodę przez słomkę.

– Claire, on jest dorosłym człowiekiem. Podejrzewam, że znajdzie sobie coś ciekawego do roboty.

– No tak. Ale to przecież facet – prychnęła Mary.

– Słuszna uwaga – przyznała Claire. – Lepiej kup cały zapas nachos i skarpetek.

Przewróciłam oczami.

– To przyjaciel Jamesa, nie mój. Nie będę prać jego rzeczy.

– Zobaczymy – rzuciła szyderczo Claire.

– Spójrz na siebie. Kiedy ostatnio robiłaś pranie? Komuś albo sobie? – zrzędziła Mary.

– Jesteście stuknięte – odparła Claire, zupełnie niewzruszona. – Oczywiście, że w szkole piorę moje rzeczy.

– W domu też powinnaś! – Mary się skrzywiła.

– Po co? Przecież mamie sprawia to tyle przyjemności – odparła Claire, a ja byłam przekonana, że wcale nie żartuje.

– Nie martwię się praniem ani zabawianiem Alexa. Z pewnością doskonale sam sobie poradzi.

– Zobaczymy... Mieszkał w Hongkongu, tak? – Claire złożyła ręce i przylepiła sobie do twarzy głupkowaty uśmieszek. – Będzie oczekiwał usług gejszy. Lepiej na niego uważaj.

– Gejsze mieszkają w Japonii, głupolu! – Mary pokręciła głową.

– Co za różnica – prychnęła Claire.

Słuchając, jak siostry przepowiadają mi liczne kłopoty, przestałam się przejmować wizytą Alexa.

– Mieszkał w Singapurze. I wszystko będzie okay, dziewczyny.

– Nie będziesz mogła chodzić po domu w samych gaciach – jęknęła współczująco Claire, jakby to była najgorsza rzecz na świecie. – Jak ty to wytrzymasz?

– Myślisz, że chodzę po domu w samych gaciach?

– Kobieto! To największa frajda, gdy się mieszka samemu!

Roześmiałyśmy się. Telefon Mary znowu zapikał, i wyłuskała go z torebki. Przeczytała wiadomość, nacisnęła kilka klawiszy i schowała komórkę z powrotem do torebki.

– Laluniu! Ciągle dostajesz jakieś wiadomości. Od kogo? – dopytywała się Claire.

– Od Betts. – Mary upiła łyk herbaty.

Claire pochyliła się nad blatem.

– Czy Betts to twoja laska? – zapytała, a Mary otwarła usta ze zdziwienia. Ja też. Claire była jedyna w swoim rodzaju. Nie przejęła się naszą reakcją. – No co? Ciągle wysyła SMS-y, jakby nie mogła bez ciebie wytrzymać. A przecież wszystkie wiemy, że nie bardzo interesujesz się facetami.

– Co??? – Zaskoczona Mary nie potrafiła wykrztusić nic więcej.

Ja też nie wiedziałam, co powiedzieć.

– Claire, dobry Boże...

– To chyba uzasadnione pytanie?

– A skąd wiesz, że nie interesuję się facetami?

– Mary zamrugała szybko powiekami, jej policzki zaróżowiły się z zażenowania.

– Hm... no bo jeszcze z żadnym się nie kochałaś...

– To jeszcze nic nie znaczy – odburknęłam, patrząc z wyrzutem na Claire.

– Oczywiście – oświadczyła Mary – zwłaszcza że... Hello! Właśnie, że się kochałam!

Zamarłyśmy z wrażenia. Totalne zaskoczenie, jak na niemym filmie.

– Nie mów! Co? Kiedy? Z kim? – piszczała Claire.

Mary rozejrzała się dookoła, zanim odpowiedziała.

– Zrobiłam to, okay? Straciłam dziewictwo. Wielka mi rzecz. Przecież wy też straciłyście.

– No tak, ale żadna z nas nie czekała z tym, aż się zmieni w pomarszczoną staruszkę – żartowała Claire.

– Nie jestem pomarszczoną staruszką! – Twarz Mary była czerwona jak burak. – I nie wszystkie musimy być niepohamowanymi dupodajkami.

Claire się skrzywiła.

– Nie przeginaj!

– Nie powiedziałaś, że masz chłopaka – wtrąciłam, żeby zapobiec awanturze.

Obie spojrzały na mnie z identycznym wyrazem pogardy na twarzy.

– Bo nie mam – przyznała Mary.

– A kto powiedział, że trzeba mieć do tego stałego chłopaka? – wsparła ją Claire.

– Po prostu... nieważne.

Mary tylko pokręciła głową, bo pojawiła się kelnerka z zamówieniem. Poczekała, aż znów będziemy same.

– Trafił się taki facet – wyjaśniła.

– Przypadkowy? – Nie spodziewałam się czegoś takiego po Mary, która przebierała się za zakonnicę... i to wcale nie na Halloween. – Chcesz powiedzieć, że straciłaś dziewictwo z kompletnie obcym facetem?

Mary znowu się spłoniła. Claire pisnęła, sięgając po keczup.

– Ostro pogrywasz, siostrzyczko. Gratulacje.

– Uznałam, że wreszcie trzeba to zrobić – wyznała Mary. – Wyskoczyłam na miasto i znalazłam sobie kogoś.

– A... nie bałaś się... chorób? – Aż się wzdrygnęłam. – Albo innych niespodzianek...?

– Na pewno kazała mu założyć prezerwatywę. – Claire pomachała frytką. – Założę się o dziesięć dolców.

– Oczywiście, że kazałam mu założyć prezerwatywę – mruknęła Mary. – Przecież nie jestem idiotką.

– Zaskoczyłaś mnie, to wszystko. – Nie chciałam, żeby w moim głosie wyczuła dezaprobatę. Nie potępiałam jej. Utraciła dziewictwo z obcym facetem, ale mój pierwszy raz wcale nie był lepszy. Ja zrobiłam to z kolegą szkolnym, bo myślałam, że mnie kocha. Mary przynajmniej nie miała romantycznych złudzeń.

– Wyrzuć to z siebie wreszcie. Podobało ci się?

Mary wzruszyła ramionami i spuściła wzrok. Jej telefon znowu błagał o uwagę, ale całkowicie go zignorowała.

– Jasne. Było nieźle.

– Jakoś mnie nie przekonałaś – odezwała się Claire.

Mary się roześmiała.

– Było super. On był super. Chyba... znał się na rzeczy.

– Chyba? Nie jesteś pewna? Skoro masz wątpliwości, to może wcale nie był taki dobry.

– Ciekawe, dlaczego tak często i chętnie udzielasz nam porad seksualnych. – Docisnęłam górną połówkę bułki hamburgera do reszty, aż sos ze środka wyciekł na talerz. Wiedziałam, że pochłonę całą porcję, bez względu na kolejne wskazanie wagi łazienkowej.

– Bo najwięcej się bzykałam. I tyle – oświadczyła Claire i nabrała na widelec surówkę coleslaw.

– I tyle – powtórzyła Mary ze śmiechem. – Nie ma się czym chwalić.

– Nie chwalę się. Mówię o tym otwarcie. Chciałabym tylko wiedzieć, skąd u was takie purytańskie podejście do pieprzenia się.

– Ja nie mam purytańskiego podejścia do pieprzenia się – odparłam ze śmiechem.

– Ciekawe... A co najbardziej sprośnego zrobiłaś? Tak właśnie myślałam – skwitowała Claire moje milczenie.

Triumfująca, zadowolona z siebie młodsza siostra może być bardzo irytująca. Rzuciłam w nią frytką. Zjadła ją z niewzruszoną miną i oblizała palce.

– Pytasz o wyuzdanie – odezwała się Mary. – Rany... Może i nie pozwalamy, by nas wiązano albo okładano pejczem, ale to jeszcze nie dowód, że jesteśmy pruderyjne.

Claire roześmiała się, pukając ją w tył głowy.

– Proszę cię... W dzisiejszych czasach okładanie pejczem jest czymś tak zwyczajnym, jak deser waniliowy.

– No to powiedz, co ty robiłaś najbardziej pokręconego? – zapytałam spokojnym tonem, odwracając kota ogonem.

Claire wzruszyła ramionami.

– Sznyty.

Niemal podskoczyłyśmy z odrazy.

– Claire, to ohyda!

– A widzisz? Mam cię! – odpowiedziała ze śmiechem Claire

– Ohyda – powtórzyła Mary pobladła z wrażenia. – To ludzie coś takiego sobie robią?

– Ludzie robią wszystko – odpowiedziała rzeczowo Claire.

– Nigdy nie pozwolę się nacinać – oświadczyła Mary.

Claire wskazała na nią frytką.

– Nigdy nie wiesz, co zrobisz dla tej właściwej osoby. Nigdy nie mów nigdy.

Mary się żachnęła.

– Nie wyobrażam sobie, że istnieje osoba, której bym na to pozwoliła.

– No to może coś innego – ciągnęła Claire. – Miłość jest pokręcona jak cholera.

– Myślałam, że nie wierzysz w miłość – mruknęła Mary.

– I to jest dowód na to, jak mało o mnie wiesz. Wierzę w miłość.

– Ja też – wtrąciłam.

Wzniosłyśmy toast szklankami.

– Za miłość. Za wszystkie rodzaje miłości!

– Ooo... okazało się, że Anne też jest sprośna – skomentowała Claire.

ROZDZIAŁ TRZECI

– Opowiedz o nim – poprosiłam Jamesa, gdy leżeliśmy w łóżku, odkryci ze względu na upał, zbyt dokuczliwy jak na czerwiec. Wiatrak na suficie mielił powietrze, wciągając świeży powiew znad jeziora, ale nadal było gorąco.

– O kim? – zapytał James śpiącym głosem. Musiał wcześnie wstawać do pracy na budowie.

– O Aleksie.

– Co chcesz wiedzieć?

Patrzyłam w ciemność i wyobrażałam sobie gwiazdy.

– Jaki jest?

James długo milczał, już myślałam, że zasnął. W końcu odwrócił się na plecy.

– To dobry człowiek.

Co miał na myśli? Przekręciłam się na bok. Mogłam go teraz dotknąć, ale zamiast tego wsunęłam rękę pod poduszkę, znajdując tam chłodniejsze miejsce.

– Jest bystry. Jest...

Czekałam na resztę, ale irytowało mnie jego wahanie.

– Śmieszny? Miły?

– Chyba tak...

Westchnęłam.

– Jesteście przyjaciółmi od ósmej klasy?

– Tak. – Już nie był senny, ale chciał, bym tak myślała.

– Chyba możesz powiedzieć więcej niż tylko tyle, że jest bystry i dobry. No, dalej, James. Jaki jest Alex?

– Jest jak jezioro.

– To znaczy?

James poruszył się i przyciągnął kołdrę stopami.

– Alex jest... głęboki, Anne. Ma też płytsze miejsca.

Rozważałam jego słowa w myśli.

– Ciekawy opis.

Nie odpowiedział. Słuchałam jego oddechu. Czułam go na twarzy. Czułam ciepło skóry, kilkanaście centymetrów od mojej. Nie dotykaliśmy się, ale i tak czułam wszystko całą sobą.

– Posłuchaj tego: Alex wydaje się łatwym orzechem do zgryzienia.

– A nie jest?

Oddech Jamesa zdradzał zdenerwowanie.

– Raczej nie.

– Dobrze go znasz, prawda? Przecież przyjaźniliście się przez długi czas.

Roześmiał się, ale nadal był bardzo spięty, co mnie rozczuliło i zastanowiło.

– No, chyba tak.

Wyciągnęłam rękę i pogłaskałam go po głowie. James przysunął się bliżej. Jego ręka znalazła wygodne miejsce na moim biodrze i tam odpoczęła. Przytuliłam się do niego, pierś do piersi.

Przez chwilę milczeliśmy. Wtopiłam się w niego całkowicie. Miał na sobie bokserki, a ja majtki i podkoszulek. Noc jeszcze nie zaczęła chłodzić naszych spoconych ciał.

Poczułam, jak mu twardnieje penis, i się uśmiechnęłam. Czekałam. Po chwili powolnym ruchem zaczął mnie głaskać od góry w dół. Nasz puls przyspieszył.

Przekręciłam głowę. Jego usta bez problemu odnalazły moje. Pocałunek był słodki i czuły, nieśpieszny.

– Nie musisz wcześnie wstawać?

Położył moją dłoń na sztywniejącym członku.

– Już wstaję.

– Właśnie czuję. – Ścisnęłam go. – I co powinnam z tym zrobić?

– Mam kilka pomysłów. – Wepchnął mi penis w dłoń, jego palce ślizgały się po krawędzi mojego podkoszulka i majtek. – Weź go do buzi.

– O, co za subtelność... – odparłam poważnym tonem, ale się uśmiechałam.

– Nigdy nie twierdziłem, że jestem subtelny – zamruczał James. Pochylił się, by głęboko mnie pocałować.

Wstrzymałam oddech. Moja dłoń powędrowała w dół. James jęknął. Uśmiechnęłam się. Odepchnęłam go odrobinę, na tyle, by uwolnić nabrzmiałego penisa z bokserek. Nie musiałam patrzeć, znałam każdy zakamarek. Ujęłam go w palce i pochyliłam się, ustami objęłam delikatną krawędź żołędzi.

James westchnął zadowolony i rozłożył się na plecach. Położył rękę na mojej głowie, ale nie popychał, nie ponaglał, jedynie lekko głaskał. Wczepiał palce we włosy, pociągał za nie. Nie przeszkadzało mi to, nie bolało.

Lizałam go, delektując się słonawo-piżmowym smakiem. Chociaż wieczorem wziął prysznic, ta część jego ciała zawsze pachniała i smakowała inaczej niż na przykład łokieć albo podbródek. Jego członek, podbrzusze i wewnętrzna część ud zachowywały smak, który mogłabym określić jedynie słowem „męski". Był wyjątkowy, jedyny w swoim rodzaju. Z opaską na oczach mogłabym pomylić męża z kimś innym, dotykając nosa albo bicepsów, ale zapach i smak jego krocza był dla mnie zawsze rozpoznawalny.

– Gdybym była w ciemnym pokoju pełnym nagich mężczyzn i musiałabym cię odnaleźć, nie miałabym problemu – wymruczałam, błądząc ustami po jego członku.

– Często masz fantazje, że jesteś w pokoju pełnym gołych facetów? – James wypchnął biodra, by zagłębić się w moich ustach. Zacisnęłam nieco mocniej palce na podstawie członka, by nie włożył go za głęboko.

– Nie.

Zachichotał krótko.

– Nigdy nie miałaś takich fantazji?

– Po co mi cały pokój nagich mężczyzn?

Stękał z rozkoszy, gdy go ssałam. Delikatnie ujęłam w dłonie jego jądra i pogładziłam kciukiem szew na mosznie.

– Mogliby... robić ci... różne rzeczy...

Ssałam go i jednocześnie masowałam, aż głośno zajęczał. Podniosłam głowę, by dać odpocząć ustom, i pieściłam go dłonią, w górę i w dół.

– Nie. Dałabym radę obsłużyć najwyżej dwóch, James. Cała reszta by się zmarnowała.

Znowu objęłam ustami członek, tak głęboko, jak tylko potrafiłam. Pulsował na moim języku. Jedwabisty śluz zapowiadający wytrysk wymieszał się z moją śliną, ułatwiał lizanie i pieszczenie.

James położył rękę na moim biodrze i przekręcił mnie delikatnie wokół osi ciała i członka, którego nie wypuszczałam z ust, aż usiadłam mu na twarzy. Teraz przyszła moja kolej na jęczenie z rozkoszy. James rozchylił mi pośladki i przyciągnął moją cipkę do ust. Lizał leciutko łechtaczkę. W tej pozycji mogłam kontrolować, jak głęboko sięga językiem. Mogłam krążyć nad jego ustami i językiem, ruszać miednicą i opuszczać się na jego twarz, kiedy chciałam.

Uwielbiałam tę pozycję.

Mój orgazm przyszedł szybko. Trudno mi było skoncentrować się na pieszczeniu jego członka ustami, gdy mnie lizał. Trochę nam się pomieszały rytmy i ruchy, ale nie mieliśmy sobie tego za złe. Osiągnęliśmy szczyt prawie jednocześnie. Po wszystkim, gdy położyłam głowę na poduszce, powietrze ochłodziło się na tyle, że postanowiłam się przykryć.

Naciągnęłam kołdrę na nas oboje, choć James już pochrapywał. Zasypiał. Ja leżałam na plecach zmęczona, ale sen nie nadchodził.

– To o co się pokłóciliście? – wyszeptałam w ciemność, która otulała nas ze wszystkich stron.

Zaczął inaczej oddychać. Chyba zasnął. Nie odpowiadał przez dłuższy czas, a ja zapomniałam zapytać ponownie, zapadając w sen.

Wszystko się zmieniło bez ostrzeżenia, jak to zwykle bywa. Rano zajmowałam się sprawami domowymi, a wieczorem byłam hostessą dla rodziny Jamesa. Wszyscy mi zwalili się na głowę: jego rodzice, siostry z mężami i dziećmi. Planowałam podać coś prostego – grillowanego kurczaka ze świeżymi bułeczkami i sałatą, a na deser arbuza i ciasto murzynek.

To ciasto przyprawiło mnie niemal o zawał.

Przepis wydawał się prosty – czekolada dobrej jakości, mąka, jajka, cukier, masło. Miałam mikser i resztę narzędzi potrzebnych do wykonania dzieła, jak określił to James z niebywałą powagą. Nawet posiadałam pewne zdolności kulinarne, choć trudno je nazwać talentem. Jednak ciągle coś się nie udawało. Mikrofala spaliła czekoladę, zamiast ją roztopić. Gorące masło rozpryskiwało się na ogniu i poparzyło mnie, gdy po niepowodzeniu z mikrofalówką postanowiłam roztopić je na kuchence. Jedno jajko zawierało krwistą plamkę zarodka, drugie podwójne żółtko, które może w omlecie byłoby bonusem, ale w tym przypadku zepsuło przepis.

Spojrzałam na zegar i okazało się, że godzina, którą przeznaczyłam na pieczenie, bardzo się wydłuża. Zdenerwowałam się. Nie lubię się spóźniać. Nie lubię być nieprzygotowana. Nie lubię być poniżej poziomu doskonałości.

Otworzyłam wszystkie okna i włączyłam wiatraki na suficie, bo wolę przeciąg i świeże powietrze niż szum klimatyzatora. W kuchni pachniało jedzeniem – smażonym tłuszczem i świeżo upieczonym chlebem, ale było gorąco. Pobrudziłam czekoladą białą bluzkę i dżinsową spódniczkę. Moje włosy, które bywały zmierzwione zaraz po ułożeniu, teraz opadały na plecy gęstwiną poskręcanych pukli. Po plecach spływały mi kropelki potu.

Zapomniałam kupić gotowy sos do sałaty, więc musiałam wymieszać wszystkie składniki własnoręcznie. Planowałam, że wymoczę się w wannie w ramach nagrody za zorganizowanie wyżerki dla rodzinnej hordy. Miałam gdzieś, że nie ogolę nóg, po prostu cieszyłam się na półgodzinną kąpiel w wodzie z olejkiem lawendowym, w kompletnej ciszy. Cóż, sukcesem będzie, jeśli uda mi się wziąć szybki prysznic i zmienić ubranie. Niestety, wyglądało na to, że pewnie tylko wytrę twarz mokrym ręcznikiem i będę liczyła na cud.

No tak. Murzynek. Zostało mi jedno opakowanie doskonałej czekolady. Jeśli znowu coś spartaczę, na deser będziemy jedli stęchłe markizy. Położyłam czekoladę na blacie i wlałam roztopione masło do miski. Wszystko ze spokojem, po kolei, od nowa.

Mieszałam czekoladę ostrożnie. Przeczytałam jeszcze raz przepis. Odstawiłam stopioną czekoladę z ognia, by dodać stopione masło i jajka, zgodnie z poleceniami w przepisie.

– Cześć, Anne.

Trzepaczka do mieszania wypadła mi z rąk na podłogę. Serce stanęło, przestałam oddychać, nawet umysł przestał działać, przynajmniej na chwilę. Poczułam się jak zatrzymany pilotem film, włączony po chwili na przewijanie do przodu. Otrząsnęłam się i wróciłam do życia.

Krzyknęłam. Jaki wstyd. Odwracając głowę, odstawiłam miskę trzymaną w kurczowym uścisku. Opadła na blat z lekkim brzękiem.

Gdy zobaczyłam Alexa Kennedy'ego, serce waliło mi jak opętane, czułam pulsowanie w uszach i ucisk w gardle. Stał w drzwiach do kuchni oparty jedną ręką o futrynę. Pochylił się lekko do przodu, balansując na jednej nodze, z drugą ugiętą, jakbym złapała go w trakcie robienia kolejnego kroku. Był ubrany w biały T-shirt i wytarte dżinsy biodrówki z czarnym skórzanym paskiem. Wyglądał jak James Dean, tylko zamiast czerwonej kurtki z materiału miał czarną skórzaną marynarkę przewieszoną przez rękę wetkniętą do kieszeni spodni. Ciemne okulary przeciwsłoneczne zasłaniały mu prawie pół twarzy.

To był idealny moment na zrobienie mu zdjęcia – wyglądał, jakby wyskoczył z filmu. Przez chwilę staliśmy i patrzyliśmy na siebie, jakbyśmy czekali na komendę niewidzialnego reżysera: Akcja! Alex poruszył się pierwszy. Zdjął rękę z futryny, drugą wyciągnął z kieszeni i złapał marynarkę, zanim upadła na ziemię. Wszedł swobodnym krokiem do kuchni, jakby zawsze tu mieszkał.

– Cześć! – powiedział i rozejrzał się dookoła sponad zsuniętych na nos ciemnych okularów, zanim jego wzrok powrócił do mnie. – Anne.

To nie było pytanie. James przecież mówił, że Alex jest inteligentny. Kimże innym mogłabym być? Nie przedstawił się, co można by uznać za arogancję i brak kultury, ale widać uznał mnie za inteligentną osobę.

– Alex. – Obeszłam wyspę kuchenną. Miałam zabrudzone dłonie, więc nie wyciągnęłam ich na powitanie. – Co za niespodzianka. Nie spodziewałam się ciebie tak szybko.

Uśmiechnął się. Oczywistym banałem byłoby stwierdzenie, że zaparło mi dech w piersiach, ale wszystkie banały wyrażały kiedyś prawdę, bo w przeciwnym przypadku nie rozumielibyśmy ich znaczeń. Jego pełne, miękkie usta skrzywiły się lekko. Zdjął okulary, odsłaniając ciemne oczy, których spojrzenie można by określić jako tęskne. Leniwe, głębokie i ospałe. Te oczy przekazywały coś ważnego, ale nie potrafiłam tego odszyfrować.

– No tak, przepraszam, że się nie zapowiedziałem. Zadzwoniłem na komórkę Jamiego, powiedział, żebym przyjeżdżał. Mówił, że cię uprzedzi, ale jak widzę, nie udało mu się. – Jego głos również był ospały i głęboki. Jakby zamroczony.

– Nie uprzedził mnie. – Uśmiechnęłam się.

– A to drań! – odparł Alex. Przewiesił marynarkę przez oparcie wysokiego stołka i wsunął kciuki w kieszenie dżinsów. – Coś tu ładnie pachnie.

– Piekę chleb. – Złapałam za ściereczkę do naczyń, wytarłam szybko ręce i zaczęłam doprowadzać się do porządku. Poprawiłam włosy, obciągnęłam bluzkę i spojrzałam w lusterko, czy mam czystą twarz.

Obserwował mnie z uśmiechem.

– I do tego robisz coś z czekoladą, jak widzę...

– Murzynka. – Zaczerwieniłam się, choć nie miałam ku temu najmniejszego powodu, poza, oczywiście, stanem kuchni i własnym wyglądem.

– Skąd wiedziałaś, że uwielbiam murzynka? – Zamruczał jak łakomy kot.

– Nie wiedziałam. Ale kto nie lubi?

– Masz rację. – Zaśmiał się. Znowu rozejrzał się po kuchni, jakby chciał zapamiętać wszystkie szczegóły.

Mój wzrok podążał za jego spojrzeniem, gdy przyglądał się obrazkom na ścianie i tapecie lekko odstającej w narożniku. I wytartemu do białości linoleum, zwłaszcza w miejscach, gdzie przesuwały się nogi krzeseł.

– Szykujemy się do remontu – powiedziałam, jakbym musiała przepraszać za daleki od doskonałości stan kuchni.

Ponownie spojrzał na mnie. Był w pewien sposób przytłaczający, ale także trochę znajomy. Alex skupiał wzrok w podobny sposób co James. Przypominał lwa czającego się w trawach sawanny na zdobycz, na której może wreszcie zawiesić wzrok.

– Ładnie. Sporo zrobiliście.

– Byłeś tu już kiedyś? – Pokręciłam głową, zniesmaczona pytaniem. – Oczywiście, że byłeś.

– Jeszcze w czasach, gdy żyli dziadkowie Jamiego. Dawno temu. Teraz jest ładniej. – Rozciągnął usta w powolnym uśmiechu. – I ładniej pachnie.

Nie było żadnego powodu, bym czuła się przy nim onieśmielona. Przecież zachowywał się uprzejmie. Chciałam odwzajemnić uśmiech i nawet spróbowałam, ale... z trudem zdobyłam się jedynie na dziwny grymas. Taki, jakim obdarzasz kogoś, kto w metrze poczęstował cię miętówką. Zastanawiasz się wtedy, czy to zwykła uprzejmość, czy też masz nieświeży oddech. Czy Alex starał się być uprzejmy, czy mówił szczerze?

Nie miałam zielonego pojęcia.

– Oby mi się wreszcie udało. Kiepsko mi idzie – przyznałam, spoglądając na miskę.

Alex przekręcił głowę na bok i spojrzał na bałagan na wyspie kuchennej.

– Co się stało? – zapytał.

– Tym razem chciałam zrobić wszystko zupełnie od zera, a nie ciasto z proszku. Chyba zgubił mnie przerost ambicji.

– Coś ty! Ciasto pieczone ze świeżych produktów zawsze jest lepsze. – Alex podszedł do wyspy, zbliżając się jednocześnie do mnie. Zajrzał do miski. Teraz, gdy nie czułam jego przytłaczającego wzroku, mogłam wreszcie sama na niego popatrzeć. – Widzę, że mieszasz masło z jajkami. Co jeszcze dodajesz?

Obszedł wyspę i stanął obok mnie. Nie wydał mi się bardzo wysoki, ale dopiero gdy przy mnie stanął, okazało się, że sięgam mu do brody. James był niższy, mogłam go pocałować bez wspinania się na palce. Alex obrzucił mnie spojrzeniem, którego nie potrafiłam zinterpretować.

– Anne?

– Tak... tam jest wszystko. – Wskazałam palcem na książkę z przepisami. – Roztopić czekoladę. Roztopić masło. Wymieszać. Dodać cukier i wanilię...

Zamilkłam, gdy spostrzegłam, że przygląda mi się badawczo. Odpowiedziałam nieśmiałym uśmiechem. Chyba zrobiło mu się miło. Pochylił się lekko w moją stronę. Odezwał się niskim głosem, jakby zdradzał sekret.

– Chcesz poznać trik?

– Związany z ciastem?

Uśmiechnął się szeroko. Myślałam, że zaprzeczy, że ma w zanadrzu coś słodszego niż czekolada. Pochyliłam się lekko w jego stronę.

– Stopione masło roztopi czekoladę. Na bardzo małym ogniu.

– Serio? – Patrzyłam w dół na książkę kucharską, bo znowu zaczerwieniłam się po uszy. Pomyślałam, że muszę wyglądać głupkowato. Próbowałam zachować spokój, udawać obojętność.

– Mam ci pokazać? – Wyprostował się, widząc moje wahanie. Jego uśmiech trochę przygasł, jakby pragnął zwiększyć dystans. Nadal był przyjazny, ale w mniej oczywisty sposób. – Nie obiecuję, że zdobędziemy nagrodę, ale...

– Jasne, pokaż – odparłam zdecydowanym tonem. – Rodzina Jamesa pojawi się już niebawem, i nie chcę się martwić, co podać na deser, gdy zaczną się zjeżdżać.

– No tak. Wejdą ci na głowę. Rozumiem. – Alex sięgnął po miskę i wlał tężejącą mieszankę masła i jajek z powrotem do garnka. Zmniejszył gaz i zaczął wszystko dokładnie mieszać. – Podaj czekoladę – powiedział, jakby był przyzwyczajony do wydawania rozkazów, a ja natychmiast posłusznie wykonałam polecenie. Rozerwałam torebkę i podałam mu. Nie spoglądając na mnie, potrząsał torebką i wsypywał czekoladę do masła, płatek po płatku. – Anne, chodź, zobacz.

Przysunęłam się i dostrzegłam, że w maśle pojawiają się już ciemnobrązowe smugi czekolady, i mikstura staje się coraz ciemniejsza.

– Pięknie – mruknęłam, chociaż wolałabym milczeć.

Spojrzał na mnie, ale nie zaborczo, nie jak na zwierzynę łowną.

– Reszta jest już gotowa?

– Tak.

Zebrałam pozostałe składniki ciasta. Wspólnie je wymieszaliśmy w misce. Surowe ciasto wspaniale pachniało i idealnie wypełniło formę do pieczenia.

– Świetnie nam wyszło! – oświadczyłam, wsuwając ciasto do piekarnika. – Dzięki za pomoc.

– Zobaczysz, wyjdzie świetnie. – Alex oparł się łokciami o wyspę kuchenną.

– Mam nadzieję.

– Nawet jeśli nie sięgnie ideału, to murzynek jest zawsze pyszny.

– Zależy od tego, co jest z nim nie tak. Jeśli jest za suchy lub za kruchy, nie wygląda zbyt apetycznie, ale dobrze smakuje. A jeśli zapomnisz o jakimś składniku, ciasto wygląda doskonale, ale smakuje beznadziejnie.

– To prawda.

– Poprzedni wyglądał świetnie, dopóki się nie spalił.

– Ten się nie spali.

– A jeśli nie będzie pyszny? – Zachichotałam.

– Tego nigdy nie wiemy, prawda?

Znowu drażnił się ze mną, oceniał i sprawdzał. Próbował coś wyciągnąć, chciał mnie rozgryźć.

– Lepiej spróbujmy teraz. – Wyciągnęłam do niego miskę. – Ty pierwszy.

Alex uniósł brwi i zacisnął usta, ale odepchnął się od wyspy i wyciągnął rękę.

– Na wypadek gdyby było paskudne?

– Dobra gospodyni zawsze daje gościom pierwszą porcję – oświadczyłam słodkim głosem.

– Doskonała gospodyni dba, by wszystko było doskonałe, zanim poczęstuje gości. – Alex odbił piłeczkę, ale przesunął palcem poniżej krawędzi miski, nabrał ciasta i w teatralny wręcz sposób wsunął do ust. Przymknął powieki, ssał palec, aż wklęsły mu policzki, a potem wyciągnął go z dźwiękiem, jaki towarzyszy odkorkowywaniu butelki.

Milczał.

– I co? – zapytałam po chwili.

– Doskonałe. – Wyszczerzył zęby w szerokim uśmiechu.

To stwierdzenie było dla mnie jak nagroda. Teraz ja przeciągnęłam palcem po wnętrzu miski i spróbowałam ciasta koniuszkiem języka.

– Tchórz!

– Świetne. – Oblizałam cały palec. – Mmm, doskonałe.

– Murzynek dla królowej.

– Raczej dla matki Jamesa – odpowiedziałam i natychmiast zasłoniłam usta, udając, że żałuję tych słów.

– Nawet dla niej.

Uśmiechnęłam się do Alexa i porozumieliśmy się oczami. Oboje dobrze poznaliśmy matkę Jamesa.

– No tak... – odparłam, przerywając ciszę. – Muszę wziąć prysznic i się przebrać. Przy okazji pokażę ci pokój. Jest wysprzątany i czeka na ciebie. Przyniosę jeszcze ręczniki.

– Nie musisz się tym teraz kłopotać.

– To żaden kłopot, Alex.

– Świetnie – odparł głosem na pograniczu szeptu i westchnienia.

Żadne z nas się nie poruszyło.

Nagle zdałam sobie sprawę, że palce mi zdrętwiały od ściskania miski. Wstawiłam ją do zlewu i rozluźniłam dłonie. Palce miałam ubrudzone czekoladowym ciastem. Zaczęłam wymachiwać nimi w powietrzu.

– Ale bałagan. – Oblizałam palce. Najpierw wskazujący, potem środkowy i kciuk. – Cała jestem w czekoladzie.

– Masz jeszcze trochę... tutaj.

Kciuk Alexa starł drobinę z kącika moich ust. Poczułam czekoladę, poczułam jego smak.

W takiej właśnie sytuacji zastał nas James. To był niewinny gest, który nic nie znaczył, ale ja odskoczyłam jak oparzona. Alex nawet się nie poruszył.

– Jamie! – wykrzyknął. – Witaj, stary, do kurwy nędzy!

Po powitaniu ściskali się i poklepywali po plecach, wymieniając wulgarne pozdrowienia, oznakę zażyłości. Dwóch mężczyzn, którzy na moich oczach zaczęli zachowywać się, jakby znowu mieli po czternaście lat. Pohukiwali i szturchali się, przyjmując dzikie pozy. Alex złapał Jamesa za szyję, przygiął do ziemi i mierzwił mu włosy kłykciami. James wywinął się z uścisku, z czerwoną twarzą i śmiejącymi się oczami.

Zostawiłam ich samych. Poszłam do łazienki i odkręciłam wodę. Lodowato zimna woda spływała po głowie do celowo rozchylonych ust, by spłukać smak starego przyjaciela mojego męża.

Teściowa często wyglądała, jakby wyczuwała w pobliżu nieprzyjemny zapach, ale wrodzona uprzejmość nie pozwalała poinformować o tym otoczenia. Przyzwyczaiłam się, że ten wyraz twarzy przeznaczony był zwykle dla mnie – złożone w ryjek usta i delikatnie falujące nozdrza. Podejrzewałam, że tym razem też tak jest, ale pani Kinney skupiła wzrok na kimś za moimi plecami.

Ukłoniłam się i uśmiechnęłam, ale nie zamierzałam wysłuchiwać komentarzy na temat obiadu: jak go ugotowałam, ile komu nałożyć, gdzie kto powinien siedzieć. Kiedy więc teściowa zająknęła się, po czym zamilkła, jak nakręcana lalka, której mechanizm zardzewiał, odwróciłam się, by podążyć za jej wzrokiem.

– Witam, pani Kinney.

Alex też się wykąpał i przebrał w czarne spodnie i jedwabną koszulę. Uśmiechając się, podszedł po uścisk i pocałunek w policzek, którym obowiązkowo nas obdarzała. Nie cierpiałam tego obściskiwania.

– Witaj, Alex. – Przywitanie było sztywne jak jej plecy, ale nadstawiła twarz do powitalnego pocałunku. – Długo cię nie widzieliśmy.

Dawała jasno do zrozumienia, że wcale za nim nie tęskniła. Jednak Alex nie poczuł się urażony. Uścisnął dłoń mojego teścia i pomachał Margaret i Molly.

– James nie wspominał, że wracasz do kraju – ciągnęła teściowa, jakby coś, o czym nie powiedział jej James, nie miało prawa się zdarzyć.

– No tak. Zabawię tu trochę. Sprzedałem firmę i musiałem gdzieś wylądować. Zatrzymam się tu na kilka tygodni.

Doskonale umiał z nią postępować. Zazdrościłam mu tego. Jego pozbawiona napięcia odpowiedź przekazująca tylko tyle, ile chciał, dowodziła, że wiedział, co próbowała z niego wyciągnąć. A zatem jest jeszcze inteligentniejszy, niż przypuszczałam.

Teściowa spojrzała na Jamesa, który bujał na rękach jedną z siostrzenic.

– Będziesz mieszkał tutaj? U Jamesa i Anne?

– Tak. – Alex wyszczerzył zęby w szerokim uśmiechu. Z rękami w kieszeniach kołysał się na piętach.

– To... miło z ich strony – odpowiedziała zaskoczona, rzucając mi spojrzenie.

– Damy sobie radę – odparłam ciepło. – Cieszę się, że James i Alex odświeżą przyjaźń. A ja przynajmniej lepiej poznam najlepszego przyjaciela mojego męża.

Uśmiechnęłam się przewrotnie i zamilkłam. Musiała to przełknąć, a także zaakceptować jego wyjaśnienia, co uczyniła skinięciem głowy. Wzięła do ręki żaroodporne naczynie z przygotowaną zapiekanką.

– Włożę do piekarnika – zaproponowała.

– Oczywiście. Jak sobie życzysz. – Machnęłam ręką, wiedząc, że i tak zrobi, co zechce.

Weszła do środka, a ja zostałam sama z Alexem.

– Co trzeba zrobić, żeby Evelyn się odpieprzyła?

Alex uśmiechnął się z wyższością.

– Ha, ha... a ja myślałem, że ona mnie wręcz uwielbia.

– Pewnie tak, o ile okazując to, wygląda, jakby wdepnęła w psią kupę...

– Pewnych rzeczy nie sposób zmienić. – Zachichotał.

– Wszystko może się kiedyś zmienić.

Najwyraźniej nie stosunek mojej teściowej do Alexa. Unikała rozmowy z nim do końca wieczora, choć nie wyzbyła się tego znaczącego wyrazu twarzy, który mówił: Cholera, wlazłam w gówno.

Natomiast Alex był uprzejmy, kulturalny, zrelaksowany. Fakt, że Evelyn tak chłodno traktowała przyjaciela ukochanego synka, dawał wiele do myślenia.

– No to mamy tu Alexa Kennedy'ego – zaczęła Molly, przynosząc puste talerze, które upchałam do wiekowej, trzeszczącej zmywarki używanej tylko wtedy, gdy mieliśmy gości. Po kolacji wszyscy zostali na patio. Naczynia mogły poczekać, ale potrzebowałam jakiegoś zajęcia, żebym nie musiała zabawiać gości rozmową o wszystkim i niczym. – Znasz porzekadło o kukułczym jaju?

Skończyłam wkładać talerze do zmywarki, wsypałam proszek.

– Uważasz, że Alex jest takim kukułczym jajem?

Lubiłam Molly, a raczej ją tolerowałam. Była starsza o siedem lat i nie łączyło nas zbyt wiele poza osobą jej brata. I nie irytowała mnie jak teściowa i zadufana w sobie Margaret.

Wzruszyła ramionami i nałożyła wieczka na plastikowe pojemniki z resztkami.

– Każda matka zawsze ostrzega córkę przed jednym chłopakiem, z którym nie należy się zadawać. Alex jest właśnie typem takiego chłopaka.

– Tak jest w liceum – odparłam, dociskając wieczka. Spojrzałam w stronę patio, na którym wybuchł głośny śmiech Alexa i Jamesa.

– No, nie wiem – ciągnęła Molly. – Co o nim myślisz?

– To nie mój przyjaciel, tylko Jamesa. Zatrzymał się u nas na kilka tygodni i jeśli James go lubi...

Jej ostry śmiech zatrzymał mnie w pół słowa.

– Alex Kennedy wielokrotnie ściągał mojego brata na złą drogę, Anne. Czy sądzisz, że ktoś taki może się zmienić na lepsze?

– Daj spokój, Molly. Wszyscy jesteśmy już dorośli. No i co z tego, że wpadali w kłopoty, kiedy byli dzieciakami? Przecież nikogo nie zabili, prawda?

– No... nie. Raczej nie. – Ton głosu wskazywał, że wcale by się nie zdziwiła, gdyby Alex okazał się mordercą.

Och, nigdy nie pomyślałaby tak o Jamesie, ukochanym bracie i synu ich mamuni. Doskonale zdawałam sobie sprawę, że bez względu na to, w co wplątali się w szkole, winą zawsze obarczano Alexa, nigdy Jamesa. Uważałam, że rodzinka Kinneyów wcale nie pomogła Jamesowi, sadowiąc go na tak wysokim stołku, by patrzył na świat z góry. James miał spore pokłady pewności siebie, i to było dobre. Nie umiał natomiast przyznać się do winy, co już takie dobre nie było.

– No to powiedz mi, co złego zmajstrowali w młodości.

Molly namoczyła i wycisnęła ściereczkę do naczyń, zamierzając wytrzeć wyspę, chociaż już to zrobiłam. Nie wkurzyłam się tak bardzo jak wtedy, gdy robiła to jej matka, która działała z rozmysłem. Molly po prostu zawsze poprawiała wszystko po wszystkich, nawet gdy nie było to potrzebne.

– Alex nie pochodzi z najlepszej rodziny.

Nie zareagowałam. Jeśli chce się poznać czyjeś prawdziwe odczucia, najlepiej nie zadawać żadnych pytań. Molly wytarła ścierką niewidoczny brud.

– Jego rodzina to bagno. Siostry puszczały się ze wszystkimi. Jedna czy nawet dwie z nich zaszły w ciążę w liceum. Matka i ojciec to alkoholicy. Cała rodzinka to po prostu najgorszy plebs.

Chyba udało mi się zachować względny spokój. W końcu nie mówiła o moich siostrach ani rodzicach. Ani o mnie.

Już miałam powiedzieć, ile miała szczęścia, że nikt nie oceniał jej w ten sposób, przez pryzmat rodziców, ale ugryzłam się w język.

– Musi być w nim coś dobrego, skoro James się z nim zaprzyjaźnił. Prawda? A przecież nie musimy wcale być tacy jak nasi rodzice.

Widziałam, że chciała powiedzieć więcej.

– On pił i palił. I to nie tylko papierosy, jeśli wiesz, o co mi chodzi.

– Młodzież przecież tak się zachowuje, Molly. Nawet ta tak zwana „dobra".

– On malował sobie oczy.

Uniosłam brwi ze zdziwienia. Ach, więc o to chodziło. To było najgorsze przestępstwo. Gorsze od picia i palenia trawki, a nawet od kiepskiego pochodzenia. Oto prawdziwy powód, dla którego nie lubiono Alexa Kennedy'ego.

– Malował oczy... – Nie potrafiłam powstrzymać się przed powtórzeniem jej słów, jakby to była kompletna niedorzeczność. Bo... rzeczywiście była.

– Tak – syknęła Molly, spoglądając na patio. – Malował oczy czarną kredką. A czasem nawet...

Czekałam na resztę, widząc, jak ze sobą walczy, zastanawiając się, czy dokończyć zdanie.

– ...malował usta błyszczykiem – dokończyła. – I farbował włosy na czarno i układał żelem na irokeza. I nosił koszule ze spinką pod kołnierzykiem i marynarki...

Próbowałam wyobrazić go sobie jako wcielenie Roberta Smitha z The Cure albo Ducky'ego z Pretty in Pink.

– Och, Molly. Przecież w latach osiemdziesiątych wiele dzieciaków tak się ubierało.

Znowu wzruszyła ramionami. Cokolwiek bym powiedziała, i tak nie zmieniłaby zdania.

– James tak się nie ubierał. Przynajmniej dopóki nie zaprzyjaźnił się z Alexem.

Widziałam zdjęcia Jamesa z tamtych lat. Koścista i pałąkowata figura w ciuchach w paski i kratkę, na nogach adidasy. Nie zauważyłam, by używał kredki do oczu lub błyszczyka, jednak potrafiłam wyobrazić sobie, że nosił makijaż. Mógłby podkreślić błękit oczu.

– Cóż mogę dodać... – powiedziała Molly. – Alex nie zmienił się zbytnio od tego czasu.

– Będę pilnowała moich kosmetyków.

Tym razem zareagowała na mój sarkazm.

– Chcę tylko powiedzieć, że Alex sprawiał kłopoty i przypuszczalnie nie zmienił się na lepsze. To wszystko. Możesz z tym zrobić, co chcesz.

– Dzięki. Będę to miała na uwadze – odparłam.

Oczywiście nie zamierzałam przejmować się jej słowami. Im bardziej wszyscy nienawidzili Alexa, tym bardziej pragnęłam go polubić.

– Bardzo się ucieszyliśmy, gdy przestali się kumplować – dodała Molly.

– Podobno się pokłócili.

Jeśli chcesz, by ktoś ci coś zdradził, pozwól mu mówić.

Molly bardzo chciała opowiedzieć mi, co się wtedy stało, ale nie wiedziała.

– Tak. James nie zdradził, o co im poszło. Alex odwiedził go wtedy w college'u. On oczywiście nie poszedł na studia.

Nie skomentowałam tej informacji, bo przecież brak dyplomu nie jest chorobą.

– Alex pojechał na uniwersytet stanowy w Ohio odwiedzić Jamesa i potwornie się pokłócili. James przyjechał wtedy do domu na cały tydzień. Wyobrażasz sobie? Potem wrócił na uczelnię i nigdy nie dowiedzieliśmy się, co zaszło.

Nie mogłam pozwolić, by zobaczyła, że kpiący uśmieszek rozciągnął mi usta od ucha do ucha, więc odwróciłam się do lodówki i schowałam pojemniki z resztkami sałatek. To musiało być coś gorszego od kredki do oczu. Coś wstydliwego, o czym James nie miał odwagi rozmawiać z rodziną.

Jakiś sekret.

Sekret, który ukrywał również przede mną.

ROZDZIAŁ CZWARTY

Poszłam spać przed facetami, ale obudziłam się, gdy James wsunął się pod kołdrę. Trącił mnie lekko dwa razy, ale udałam, że śpię, i po chwili usłyszałam chrapanie. Spałam spokojnie, dopóki nie przyszedł do łóżka, a teraz leżałam, nasłuchując nocnych odgłosów domu – trzeszczenia, skrzypienia i tykania zegara. Tej nocy doszły do tego inne, niesłyszane do tej pory dźwięki – szuranie stóp na korytarzu, spuszczanie wody w toalecie, zamykanie drzwi. I potem znowu odgłosy snu, które wypełniały powietrze. Pozwoliłam, by James mnie przyciągnął, i zasnęłam otulona jego ramionami.

Wstał i wyszedł do pracy, zanim się obudziłam. Leżałam jeszcze przez chwilę, przeciągając się i rozmyślając. Alex był już na patio, pił kawę. Patrzył na jezioro, poranny wiatr targał przydługą, opadającą na czoło grzywkę. Wyobraziłam go sobie w ciuchach z lat osiemdziesiątych i się uśmiechnęłam.

– Dzień dobry. Myślałam, że jeszcze śpisz. – Wyszłam na patio z kubkiem kawy. Była niezła, lepsza od tej, którą parzę.

Zaczęłam przyzwyczajać się do tego przeciągłego spojrzenia. Zaczęłam przyzwyczajać się do niego.

– Jestem cały rozbity od tych podróży. Zmiany czasu, klimatu, sama wiesz. Poza tym zawsze byłem rannym ptaszkiem.

Uśmiechnął się do mnie w taki sposób, że nie mogłam nie odwzajemnić uśmiechu. Oparliśmy się o barierkę i wspólnie spoglądaliśmy na jezioro. Nie czułam, że oczekuje ode mnie, bym rozpoczęła rozmowę. Milczał. Podobało mi się to.

Skończył pić kawę, uniósł kubek i powiedział:

– Więc dziś jesteśmy tu tylko ja i ty.

Skinęłam głową. Nie bałam się już tego tak jak poprzedniego dnia. Może to zabrzmi śmiesznie, ale po ostrzeżeniach Molly poczułam zamiast strachu spokój.

– Macie cały czas Skeetera? – zapytał Alex.

– Jasne. – Skeeter to była mała żaglówka, która należała do dziadków Jamesa.

– Zepchniemy go na wodę? Popłyniemy do mariny, do parku rozrywki po drugiej stronie jeziora, zjemy lunch w Bay Harbor, zabawimy się w turystów. Ja stawiam. Co ty na to? Ze sto lat nie byłem już na kolejce górskiej.

– Nie umiem żeglować.

– Ja umiem.

– Nie przepadam za żeglowaniem... – zaczęłam, ale prosząca, uwodząca, a zarazem trochę urażona postawa Alexa powstrzymała mnie przed dokończeniem zdania.

– Nie lubisz żeglować? – zapytał, spoglądając znowu na wodę. – Mieszkasz nad jeziorem i nie lubisz żeglować...

– Tak.

– Masz chorobę morską?

– Nie.

– Nie umiesz pływać?

– Umiem.

Milczeliśmy przez chwilę, po czym Alex się uśmiechnął i powiedział:

– Zaopiekuję się tobą. Nie musisz się niczego obawiać, naprawdę.

– Jesteś doświadczonym żeglarzem?

– Czy nazywano by mnie bez powodu kapitanem Alexem?

– A kto mówi na ciebie kapitan Alex?

– Syrenki.

– Aha...

– Anne, będzie w porządku – przekonywał mnie poważnym tonem.

Wahałam się jeszcze przez chwilę, spojrzałam na wodę, potem w niebo. Był piękny dzień, po błękitnym niebie płynęły pierzaste baranki. Sztormy pojawiały się niezapowiedziane, ale żegluga do mariny przy Cedar Point trwała zaledwie dwadzieścia minut.

– No dobra.

– Super.

Przybiliśmy do przystani. Alex udowodnił, że faktycznie jest dobrym żeglarzem, a ja w Cedar Point byłam ostatnio rok temu. Jak każdego sezonu, odmalowane i odnowione kolejki górskie błyszczały jak nowe.

Mieliśmy szczęście, bo nie było wielkich tłumów. Głównie dzieciaki na wycieczkach klasowych, skupione w grupkach, więc spore obszary parku były niezatłoczone.

– Świetnie się tu kiedyś bawiliśmy – oświadczył Alex, gdy spacerowaliśmy po jednej z obsadzonych drzewami alejek. – Dostałem tu pierwszą pracę, zarobiłem pierwsze pieniądze. Właśnie tu zrozumiałem, że mógłbym wyrwać się z Sandusky na dobre.

– Serio? A dlaczego?

– Bo przekonałem się, że istnieją inne miejsca pracy niż fabryka części samochodowych. Park zatrudnia sporo studentów. Słuchałem ich planów na życie i zapragnąłem pójść do college'u.

Wiedziałam od Molly, że jednak nie poszedł na uczelnię.

– Niestety, nie zrealizowałem tego marzenia – dodał po chwili.

– I jesteś tu z powrotem. – Nie zamierzałam zgrywać mądralińskiej, jedynie wskazałam na cykliczność życia.

– Owszem, ale przynajmniej wiem, że świat nie kończy się na tym miejscu.

– Nadal myślisz o Sandusky jak o domu? – zapytałam.

Szliśmy w kierunku urządzenia, które kiedyś było najwyższą, najszybszą i najbardziej stromą kolejką górską w parku. Magnum XL-200. Nadal była to niezwykła konstrukcja. Lubiłam jeździć w pierwszym wagoniku.

– Coś musi być domem, prawda? – odparł Alex.

Kolejka do wejścia nie była tak długa jak w szczycie

letniego sezonu, gdy nieraz trzeba było czekać godzinami. I tak musieliśmy postać, co dało nam sporo czasu na rozmowę.

– Po prostu wydawało mi się, że nie byłeś wielkim fanem tego miejsca, i tyle. – Przesuwaliśmy się wzdłuż barierek, które miały doprowadzić nas do przedniego wagonika.

– Mam też dobre wspomnienia. Kto powiedział, że dom to miejsce, do którego zawsze wracasz i jesteś radośnie witany?

– Robert Frost?

Roześmiał się.

– Dlatego właśnie Sandusky nadal jest moim domem. Wróciłem i ktoś mnie przywitał.

Mężczyzna obsługujący kolejkę machnął, byśmy zajęli miejsca. Usiedliśmy w pierwszym wagoniku i zapięliśmy zabezpieczenia. Może Magnum nie jest już najszybszą ani najwyższą kolejką, może nie ma tylu stromych podjazdów i zakrętów, ale nadal robi duże wrażenie. Wysoka na sześćdziesiąt dwa metry, zjazd to pięćdziesiąt dziewięć metrów spadania. Jazda trwa dwie minuty, dwie minuty prawdziwego szaleństwa.

Wjazd nie oszałamia prędkością, za to na szczycie widok na park rozrywki zapiera dech w piersiach. Wiatr rozwiewał Alexowi włosy, słońce było tak ostre, że musiałam mrużyć oczy. Wcześniej zdjęłam ciemne okulary, by zabezpieczyć je na czas jazdy. Spojrzeliśmy na siebie i wymieniliśmy się uśmiechami.

– Wyciągnij ręce do góry – powiedział Alex.

Na szczycie kolejki zawsze zastanawiałam się, po co to robię. Kocham spadanie i wirowanie. Żołądek podchodzi do gardła, wzrasta poziom adrenaliny. Jednak tam na górze, mając świat u stóp, zawsze męczyło mnie pytanie, dlaczego świadomie funduję sobie taką porcję strachu.

Wydawało nam się, że kolejka stała na górze przez wieki, zanim powoli zaczęła przetaczać się po krawędzi, rozpoczynając szalony zjazd pod kątem sześćdziesięciu stopni. Przycisnęłam ramiona do barków i otworzyłam usta do krzyku.

Alex złapał mnie za rękę.

Spadaliśmy.

Lecieliśmy.

Wrzeszczałam, śmiejąc się, aż zabrakło mi powietrza w płucach. Przejazd kolejką można było porównać do wystrzelenia w kosmos – wznoszenie, opadanie, nagłe skręty i spirale pokonywane z olbrzymią prędkością. Po dwóch minutach było po wszystkim. Pasażerowie drżeli pod wpływem doznań i poprawiali rozwiane wiatrem włosy. Miałam sucho w ustach. Alex puścił moją rękę.

Wyszłam z wagonika na drżących nogach i poszłam za Alexem po schodach do wyjścia. Przytrzymał furtkę, odwrócił się i patrząc na mnie, szedł tyłem.

– Magnum to najlepsza cholerna kolejka górska na świecie – oświadczył. – Może teraz budują wyższe, ale na pewno nie tak niezwykłe.

– James nie lubi kolejek górskich. Mówi, że miał ich dosyć w dzieciństwie. – To była prawda, ale moje słowa otarły się o brak lojalności i nawet nie wiem, dlaczego je wypowiedziałam.

– Nie. On nigdy ich nie lubił. – Alex pokręcił głową i zatoczył palcem koło w powietrzu. – Potrafił po dwadzieścia razy kręcić się na szybkich i olbrzymich karuzelach, ale nigdy nie chciał przejechać się kolejką.

– Ma wyjątkowe poczucie równowagi. Nawet gdy zsiądzie z bardzo szybkiej karuzeli, idzie prosto i nie zbiera mu się na wymioty.

– Gorzej ze wznoszeniem i opadaniem. Jak ty to znosisz?

– Lubię kolejki i karuzele.

Spacerowaliśmy krętą alejką wzdłuż pawilonów z jedzeniem, strzelnicami i różnymi grami, gdzie obsługujący zachęcali, by powalczyć o pluszowe zabawki. Zapach popcornu i frytek wiercił w nosie, aż zaburczało mi w żołądku.

– Bardziej lubisz kolejki górskie, co? – Alex obdarzył mnie zniewalającym spojrzeniem.

– Zazwyczaj – odparłam kokieteryjnie.

– Ja też – zaśmiał się.

Stanęliśmy przed tablicą informującą o rejsach stateczkiem stylizowanym na parowiec. Rejs odbywał się po wodach parku wśród zaaranżowanych i animowanych scen przyrodniczych, o których opowiadali „kapitanowie". Kiedyś nosili prawdziwe mundury z bordowymi kamizelkami i epoletami, ale teraz, niestety, ubrani byli w zwykłe uniformy obsługi parku, co mnie bardzo rozczarowało.

– O! Wycieczka parowcem. Dawno nie płynęłam! – wykrzyknęłam, zatrzymując się przed wejściem.

– Dobra. To chodźmy!

– Nie musimy. Jest jeszcze mnóstwo innych atrakcji.

– I co z tego? Mamy dużo czasu.

Rejs był tak uroczy, jak pamiętałam. Ochoczo śmialiśmy się z głupkowatych żartów przewodnika. Woda w kanale, którym płynęliśmy, miała zielonkawy kolor.

– Wydawało mi się, że te stateczki płyną po jakimś

torze – mruknęłam, gdy kapitan podkręcił obroty, by uniknąć mielizny.

– Gdy tu pracowałem, jeden z kapitanów o mało nie zatopił łodzi.

– W jaki sposób? To możliwe?

– Uderzył w skałę. Zawsze można zrobić dziurę w burcie, jak się w coś za mocno uderzy. – Alex skinął głową w stronę doku, gdzie dwaj inni kapitanowie czekali, by zacumować stateczek do nabrzeża.

Skupiłam wzrok na Aleksie.

– To byłeś ty?

Zaniemówił ze zdumienia, po czym się roześmiał.

– Nie. Ja sprzątałem toalety.

Nie udało mi się ukryć zdziwienia.

– Zawsze myślałam...

Równość klasowa w Ameryce to dyskusyjna sprawa. Zasadniczo jesteśmy wszyscy równi, ale niektórzy są równiejsi. Nikt nigdy nie przyznałby otwarcie, że obsługa sprzątająca toalety nie musi być tak atrakcyjna zewnętrznie jak obsługa kolejek i karuzeli albo pracownicy restauracji.

– Widzisz, gdzie kończą ludzie o niewłaściwym stosunku do rzeczywistości? – zapytał i wzruszył ramionami.

Gdy wysiadaliśmy z łodzi, podziękowałam młodemu kapitanowi nadal trochę zawstydzonemu bliskim spotkaniem z mielizną. Za plecami usłyszałam, jak dostaje reprymendę od kolegów.

– Jak długo sprzątałeś toalety? – zapytałam.

– Dwa sezony. Później przesunęli mnie do działu konserwacji.

– To długo tu pracowałeś?

– Do dwudziestego pierwszego roku życia. W knajpie spotkałem faceta, który zatrudniał ludzi do fabryki za granicą. Wcisnął mnie do działu transportu i dystrybucji. Dwa lata później otworzyłem własny biznes.

– A teraz... – chciałam się z nim podroczyć – jesteś milionerem.

– Od czyszczenia sraczy do pełnej niezależności finansowej – przyznał Alex głosem, w którym nie wyczuwało się przechwałki, może tylko uzasadnioną dumę z osiągniętego sukcesu. – Od kupy gówna do kupy szmalu.

Chciało mi się pić, więc kupiliśmy lemoniadę ze świeżo wyciśniętych cytryn. Była kwaskowata i zimna. Pyszna. Wspaniała jak lato.

James opowiadał mi, że gdy był w college'u, potwornie się pokłócił z Alexem. Mieli wtedy po dwadzieścia jeden lat. To musiało być po pijaku. Gorzała pomaga nawiązywać znajomości, ale potrafi też niszczyć przyjaźnie.

– I od tego czasu nie byłeś w Stanach? – zapytałam.

Alex potrząsnął kostką lodu w szklance, zanim pociągnął łyk, i powiedział:

– Nie.

Wyjechał z kraju, gdy miał dwadzieścia jeden lat na zaproszenie faceta poznanego w knajpie, po dramatycznej kłótni z najlepszym przyjacielem, której przyczyn żadna ze stron nie chciała zdradzić. A może zagalopowałam się w domysłach i ta awantura wcale nie miała tak poważnych konsekwencji. Ot, niefortunny zbieg okoliczności, którego woleli nie komentować.

Zastanawiałam się, czy nie zapytać Alexa, co dokładnie wtedy zaszło, ale po namyśle zrezygnowałam.

Prośba o szczegóły tamtych wydarzeń oznaczałaby przyznanie się do kompletnej niewiedzy. Co to za żona, która nie zna historii największej przyjaźni męża? Jak Alex oceniłby moje małżeństwo?

– Miło nam ciebie gościć – powiedziałam.

To chyba była właściwa formułka wypowiedziana we właściwym czasie. Alex rzucił mi jedno z tych powolnych spojrzeń i uśmiechnął się ironicznie.

– Obiecałem, że zaproszę cię na lunch do jakiejś fajnej knajpki, ale mam ochotę na dobrego burgera i nachos...

Tak, to lepszy pomysł niż posiłek w pretensjonalnej restauracji. Zresztą nie byłam odpowiednio ubrana. Kupiliśmy jedzenie i usiedliśmy przy stoliku na powietrzu.

Alexowi lepiej wychodziło słuchanie niż opowiadanie. Potrafił wyciągnąć ze mnie informacje, których nikomu innemu bym nie udzieliła. Był szczery i naprawdę rozbrajający. Wiedział, jak zadawać pytania, które zostałyby uznane co najmniej za kłopotliwe, gdyby zadał je ktoś inny. Łatwo jest być interesującą osobą dla kogoś, kto jest tobą zainteresowany. Zorientowałam się, że brnę w tematy, których już dawno nie poruszałam.

– Chciałam po prostu pomagać ludziom – odpowiedziałam, gdy zapytał mnie, dlaczego nie podjęłam pracy po zamknięciu ośrodka pomocy społecznej. – Nie zamierzam siedzieć na kasie w supermarkecie ani pracować przy fabrycznej taśmie, dokręcając wieczka do słoików. A poza tym, jeśli pojawią się dzieci...

– Chcesz mieć dzieci? – zapytał, odchylając się w krześle.

– Na razie to tylko plany.

– Nie o to pytałem.

Nagle zaczął wiać wiatr i zrobiło się chłodniej. Niebo pociemniało. Łoskot kolejek górskich przytłumił odległe uderzenie pioruna.

– Idzie burza.

– Chyba tak. – Spojrzał na mnie. Musiałam mieć zmartwiony wyraz twarzy. – Chcesz już iść.

To nie było pytanie. On po prostu wiedział. Zamierzałam zaprotestować, ale się rozmyśliłam.

– Tak. Nie lubię żeglować podczas sztormu.

Wróciliśmy do mariny. Powierzchnia wody pociemniała i zaczęła się marszczyć. Niebo jeszcze nie zasnuło się czarnymi chmurami, ale białe baranki dawno odpłynęły.

Alex szybko i sprawnie, ale bez zbędnego pośpiechu, odcumował żaglówkę i skierował dziobem w stronę domu. Chwyciłam się burty Skeetera. Nie miałam na sobie kamizelki ratunkowej, żeby ją włożyć, musiałabym puścić burtę, a paraliżował mnie strach.

Mozolnie płynęliśmy pod wiatr. Krople wody smagały twarze. Patrząc na niebo, już bez okularów przeciwsłonecznych, zastanawiałam się, czy złapie nas deszcz i burza z piorunami.

Dostrzegłam niebiesko-białą błyskawicę i usłyszałam słaby odgłos grzmotu. Poczułam ucisk w żołądku. Byliśmy w połowie drogi między Cedar Point a domem.

Przecież umiałam pływać i gdyby żaglówka zatonęła, dałabym sobie radę w wodzie. Jednak tonęli nawet ci, którzy potrafili pływać, nawet ci, którzy zdobywali medale na zawodach pływackich. Bo nie byli przygotowani do walki o życie, bo zbytnio ryzykowali, bo byli głupcami... Nie potrafiłam oderwać palców od burty, by sięgnąć po wypłowiałą pomarańczową kamizelkę ratunkową.

Alex zaklął pod nosem, gdy potężny podmuch wiatru targnął żaglem. Krzyknął, bym złapała za jakąś linę i rozwiązała węzeł, ale nie rozumiałam, o co mu chodzi. Nie mam bladego pojęcia o żeglowaniu. Nigdy się tego nie nauczyłam.

Żaglówka podskakiwała na falach i opadała. Czasami fala unosiła nas wyżej, niż się spodziewaliśmy, by po chwili rzucić w dół, co sprawiało, że mój żołądek unosił się do gardła. I tak płynęliśmy. Do góry. I w dół. Taka niekończąca się kolejka górska, bez hamulców i zabezpieczeń.

Przetaczająca się przez jezioro nawałnica wyglądała jak opadające w dół czarnego ekranu sznurkowe firanki cyfr i symboli, zupełnie jak z tytułowej sceny *Matrixa*.

Skeeter był małą żaglówką i mocno zabujało, gdy Alex przykucnął koło mnie. Wdychałam ciężko powietrze, a serce waliło mi, jakby chciało wyskoczyć z piersi. Palce miałam zbielałe od ściskania burty.

– Nie bój się! Jesteśmy prawie w domu! – Alex próbował przekrzyczeć szum wiatru.

Burza rozpętała się na dobre, gdy byliśmy zaledwie parę metrów od brzegu. Alex wyskoczył, by przycumować żaglówkę do małego pomostu, który zbudowali jeszcze dziadkowie Jamesa. Wiatr szarpał żaglem we wszystkie strony. Mokre płótno przylepiło mi się do twarzy. Aż stęknęłam, czując nagły chłód.

Pomogłam Alexowi przywiązać liny i zabezpieczyć Skeetera. Fale były wysokie, ale ledwie sięgały plaży. W końcu to nie był ocean.

Deszcz uderzył w ziemię wielkimi kroplami. Spadały mi na głowę, ramiona, zalewały oczy i uszy. Pobiegliśmy do domu. Za drzwiami było już cicho i spokojnie. Usłyszałam ciężki oddech i dopiero po chwili zrozumiałam, że to mój.

– Cała się trzęsiesz! – Alex podał mi ściereczkę do naczyń, którą ściągnął z blatu.

Pomyślałam, że wystarczy zaledwie do wytarcia twarzy.

– Mój ojciec... – zaczęłam i urwałam. Szczękałam zębami, wydając dźwięk jak przy potrząsaniu w kubeczku kośćmi do gry. Alex ociekał wodą, ale czekał, aż dokończę. – Mój ojciec wziął mnie kiedyś na żaglówkę. Mieliśmy popłynąć na ryby. Nagle niebo pociemniało i nadeszła burza. Nie wypłynęliśmy zbyt daleko. Nie umiałam żeglować. A on...

Mój ojciec, gdy nie był w pracy, prawie stale pił. Na łódce napełniał kubek „mrożoną herbatą" z butelki, którą trzymał w czerwono-białej lodówce turystycznej. Mówił, że to przez słońce tak chce mu się pić. Miałam wtedy dziesięć lat i spróbowałam napoju z kubka. Nigdy nie rozumiałam, jak można ugasić pragnienie takim świństwem.

Buty Alexa zaskrzypiały na terakocie, gdy się do mnie zbliżał. Jego ręka na moim ramieniu zdawała się cięższa, niż powinna. Pewnie chciał w ten sposób okazać zrozumienie, ale ten gest był zbyt intymny. Wcale nie pragnęłam współczucia.

– Oczywiście nie utonęliśmy – dodałam i po chwili westchnęłam ciężko.

– Byłaś przerażona. I wspominając to wydarzenie, nadal czujesz to samo.

– Miałam dziesięć lat i nic nie rozumiałam. Przecież ojciec nie chciał zrobić mi krzywdy.

Delikatnie, lecz zdecydowanie, Alex masował mi barki, usuwając napięcie. Znalazł połączenie nerwo-wo-mięśniowe i nacisnął je, a cała spirala nieprzyjemnych wspomnień spinająca mi mięśnie znikła jak za dotknięciem magicznej różdżki. Nie poruszyłam się, staliśmy tak złączeni koniuszkami jego palców.

Nagła błyskawica i następujące po niej uderzenie pioruna przestraszyły mnie, aż podskoczyłam, tracąc równowagę. Alex podtrzymał mnie za łokieć i przedramię. Nie przewróciłam się.

Zgasł zegar mikrofalówki, by po chwili znowu się rozświetlić. Niestety po następnym wyładowaniu zupełnie zabrakło prądu. Noc jeszcze nie zapadła, ale kuchnię już wypełniła przedwieczorna szarówka.

– Był pijany – wyznałam w końcu.

Palce Alexa znowu ścisnęły mój bark. Nigdy wcześniej nie powiedziałam tego na głos. Nie powiedziałam o tym nawet Jamesowi, człowiekowi, z którym postanowiłam iść przez życie.

– Ojciec nie potrafił skierować żaglówki w stronę domu. Woda sięgała nam już do kolan, myślałam, że umrę. Miałam wtedy dziesięć lat – powtórzyłam, jakby to była najważniejsza informacja.

Alex nie odpowiedział, tylko zbliżył się do mnie. Woda kapała z mokrej koszuli na moje ręce.

– Rodziny są do bani – odezwał się po chwili.

Przywrócono zasilanie. Odsunęliśmy się od siebie. Do powrotu Jamesa zdążyłam ugotować obiad. Podczas posiłku James i Alex śmiali się i żartowali, a ja udawałam, że mój przylepiony do twarzy uśmiech jest prawdziwy.

Matka drżała ze zdenerwowania. Nie wiedziałam, czy na nią krzyczeć, czy dać spokój. Zmusiłam ją do dokonania wyboru i podjęcia decyzji, a wtedy zawsze wpadała w nerwowy dygot. Powietrze na strychu było gorące, miałam wrażenie, że wciągam do płuc parzącą parę.

– Mamo, wybierz wreszcie ze dwa i chodźmy stąd. Albo weź całe pudełko i wybierzemy coś na dole.

– Nie, nie, nie... – powtarzała matka, a jej palce krążyły nad dokładnie opisanymi pudełkami z fotografiami jak spłoszone ptaki. – Jeszcze momencik, tyle tu ładnych zdjęć...

Ugryzłam się w język, by nie palnąć czegoś dosadnego w odpowiedzi, i rzuciłam okiem na to, co trzymała w ręce. Rodzice byli fotogeniczni i mieli mnóstwo ładnych zdjęć. Nawet w tandetnych, kremowo-brązowych ubraniach ślubnych z lat siedemdziesiątych wyglądali nieźle.

– Może to? – Podniosła dużą fotografię. Miała na niej włosy nastroszone jak Farrah Fawcett, a ojciec bokobrody jak stary kozioł. A i tak wyglądali pięknie.

– Doskonałe.

– No... nie jestem pewna. – Znowu wpadła w amok przerzucania zdjęć, które różniły się jedynie szerokością uśmiechu widocznego na jej twarzy. – To też jest ładne...

Moja cierpliwość się wyczerpała. Upał i brak snu zeszłej nocy zrobiły swoje. Znowu śniło mi się, że mam kieszenie wypełnione kamieniami i wpadam w głębinę.

– Mamo! Wybierz coś wreszcie!

– Wybierz za mnie – odparła. – Jesteś w tym dobra.

Złapałam pierwszą z brzegu fotografię i położyłam ją na kupce zdjęć wybranych przez Patricię do kolażu, który zamierzała zrobić.

– No dobrze, ale...

Zebrałam fotografie i wsunęłam do szarej koperty.

– Mamo, muszę stąd wyjść, bo zemdleję. Biorę tę i koniec!

Nie czekając na odpowiedź, pochyliłam się i zeszłam po składanych schodach. Po upale panującym na stryszku na piętrze poczułam się jak na Antarktydzie. Przez moment oczy zaszły mi mgłą, oddychałam głęboko, by powstrzymać mdłości. Mogłam winić za to powietrze na strychu, ale zawsze czułam silny ucisk w żołądku, gdy stałam w tym miejscu. Schody na piętro wypadały w samym środku kondygnacji. W domu rodziców nie było holu na piętrze, a jedynie niewielki kwadratowy korytarz z drzwiami do trzech sypialni i łazienki. I jak zwykle latem, wszystkie drzwi były szeroko otwarte, żeby przeciąg obniżył temperaturę w pomieszczeniach.

Mary przyjechała do rodziców na lato i zajęła pokój, w którym mieszkałam kiedyś z Pat. Claire miała pokój, który dzieliła kiedyś z Mary. Nadal korzystały ze wspólnej łazienki, ale to nie to samo co dawniej, gdy toczyłyśmy boje, która pierwsza skorzysta z prysznica.

Jak zwykle drzwi do sypialni rodziców były zamknięte, by zatrzymać w środku chłodne powietrze z okiennego klimatyzatora. Zamykali je również, gdy byłyśmy dziećmi, by odizolować nas od tatusia, którego często „bolała głowa" i musiał „odpocząć". Niestety, i tak słyszałyśmy krzyki i kłótnie rodziców.

– Anne? – Zaczerwieniona twarz matki pojawiła się tuż przede mną. Miała kręcone włosy, krótsze od moich, dzięki czemu błękit oczu wydawał się jeszcze intensywniejszy. Przestała się farbować jakiś czas temu i przy skroniach pojawiły się siwe pasemka. Nie potrzebowałam machiny czasu, by wiedzieć, jak będę wyglądać, gdy zacznę się starzeć. Wystarczyło spojrzeć na matkę.

Świat znowu zafalował; przełknęłam ślinę. Dopadły mnie mdłości, nie pomagały głębokie wdechy, zresztą nagle powietrze utraciło całą chłodną rześkość.

– Usiądź, dziecko. – Matka może i była zakładniczką własnych wyborów i nie potrafiła wybrać zdjęcia, ale w kryzysowych sytuacjach działała szybko i stanowczo. W domu pełnym rudych dziewczyn o jasnej karnacji często przydarzały się omdlenia. – Pochyl głowę aż do kolan – nakazała.

Zrobiłam, jak mi poradziła. Doskonale wiedziałam, czym grożą ostrzegawcze brzęczenie w głowie i mroczki przed oczami. Wdychałam powietrze nosem i wypuszczałam ustami w regularnych odstępach. Mama położyła mi na karku mokry ręczniczek. Po kilku minutach zaczęłam czuć uciskające mi plecy barierki schodów, więc było już dobrze. Dostałam kubek orzeźwiającego zimnego imbirowego toniku.

– Czy chciałabyś mi o czymś powiedzieć? – zapytała matka, a w jej oczach zapłonęły iskierki.

Pokręciłam lekko głową, ostrożnie, by znów nie dopadły mnie mdłości.

– To przez żar na strychu, mamo. No i nie jadłam śniadania.

– Skoro tak mówisz...

Matka nie naprzykrzała mi się w sprawie potomstwa w taki sposób, jak robiła to teściowa. Uwielbiała wnuki, Tristana i Callie, dzieci Patricii. Nie była jednak zwariowaną babcią, która nosi w torbie zafoliowane zdjęcia maluchów, umieszcza ich podobizny na koszulce czy paraduje w T-shircie z nadrukiem „Superbabcia".

– Nie jestem w ciąży, mamo – odparłam, popijając tonik.

– Zdarzały się dziwniejsze rzeczy.

Mnie też, ale nigdy ich nie zauważała. A nawet jeśli, nigdy nie skomentowała moich porannych mdłości i omdleń albo nagłych napadów histerii i cichych dni.

– To z przegrzania i głodu – powiedziałam.

– Chodź na dół. Zjemy późny lunch. Już prawie czwarta. O której musisz być w domu? – zapytała.

Nie musiałam być w domu o żadnej godzinie. Alex wyszedł wcześnie rano, wspominając, że musi spotkać się z jakimiś ludźmi, a James był w pracy. Spodziewałam się go około szóstej, ale przecież nie musiałam być w domu, by witać go w drzwiach.

– Powinnam się zbierać. Połknę kanapkę i lecę. Zjem coś większego, gdy Alex i James wrócą do domu.

Matka zawsze czekała na powrót ojca z pracy. Oszukiwała się, że w ten sposób ograniczy jego picie. Obarczała go licznymi domowymi obowiązkami, by odciągnąć od butelki. Próżny trud. Mimo ponoszonej klęski niezmiennie powtarzała takie zachowanie, aż stało się nawykiem.

Nie chciałam być w domu rodziców, gdy wróci ojciec. Nie lubiłam jowialnych uścisków i mojego zdenerwowania, gdy liczyłam ilość pochłoniętych szklaneczek „mrożonej herbaty", w której za każdym razem było coraz mniej herbaty, a więcej whisky. Dawno temu schowałyśmy z Patricią ojcu herbatę, myśląc, że dzięki temu zniknie również tajemniczy składnik napoju. Byłyśmy w błędzie.

– Przyjaciel Jamesa jeszcze u was mieszka? Jak długo zostanie?

– Nie mam pojęcia – odparłam.

Poszłam za nią do kuchni, która nie zmieniła się za bardzo od mojego dzieciństwa. Ta sama tapeta w goździki, te same żółte zasłony w oknach. Wielokrotnie rozmawiałam z mamą o małym remoncie, ale podejrzewałam, że będzie miała kłopot z wybraniem koloru farby, nowych zasłon, a nawet nowej rękawicy do gorących garnków. W sumie, co mnie obchodzi, że ma ten sam wystrój kuchni od lat? Wyprowadziłam się, gdy miałam osiemnaście lat, i jeśli tylko Bóg pozwoli, nie będę musiała tu wrócić.

– Miły z niego człowiek? Da się lubić? – Mama wyjęła talerzyki, chleb, mielonkę, musztardę i słoik pikli.

– Miły facet, ale to nie mój przyjaciel, tylko Jamesa.

– Co z tego? Też możesz się z nim zaprzyjaźnić.

Mama zaprzyjaźniła się ze wszystkimi kumplami ojca, pozwalając im spotykać się w domu na pokerze, przy grillu albo na wspólnym oglądaniu futbolu w telewizji. Zaanektowała także ich żony, ale spotykała się z nimi tylko wtedy, gdy towarzyszyły mężom. Nie umawiały się na lunche, zakupy czy babskie wypady do kina. Jeśli miała ochotę na którąś z tych rozrywek, wybierała towarzystwo siostry, mojej ciotki Kate. Resztę czasu poświęcała na to, by zatrzymać męża w domu. Wtedy przynajmniej nie rozjeżdżał psów innych ludzi... albo ich dzieci.

– On mieszka u nas chwilowo – wyjaśniłam. – Dopóki nie ruszy z jakimś nowym biznesem.

– A czym się zajmuje?

– Wiem tylko tyle, że miał firmę transportową w Singapurze.

Mama skończyła robić kanapki i sięgnęła po papierośnicę. Większość palaczy ma ulubioną markę, ale ona zawsze kupowała najtańsze papierosy. Nie chciałam prosić, by przy mnie nie paliła, odsunęłam tylko talerz z kanapką jak najdalej od dymu.

– W Singapurze... To daleko stąd... – Skinęła głową, zapaliła papierosa i się zaciągnęła. – Jak długo James go zna?

– Od ósmej klasy – odparłam. Nagle poczułam się głodna jak wilk i rzuciłam się na jedzenie.

Nie ma to jak rodzinny dom... Czyż to nie stara prawda? Mnie dom zawsze będzie kojarzył się z zapachem papierosów, taniego lakieru do włosów i tłuszczu do pieczenia. Nagle się wzruszyłam, emocje falowały we mnie w górę i w dół jak na kolejce górskiej poprzedniego dnia.

Na szczęście mama nie zauważyła mojego nastroju. Miałyśmy duże doświadczenie w unikaniu rozmów na smutne tematy. Może to był kolejny nawyk, może próbowała zagłuszyć gadaniem skrywane pociąganie nosem. Zaczęła opowiadać o jakimś filmie, który ostatnio widziała, i o hafcie krzyżykowym, którego próbowała się nauczyć. Opanowałam się, skupiając na skończeniu kanapki. Chciałam jak najszybciej wracać do domu.

Nie zdążyłam. Trzasnęły frontowe drzwi, tak samo jak tysiące razy, gdy byłam dzieckiem. Usłyszałam ciężkie kroki.

– Jeeeestem! – krzyknął ojciec od progu.

– Ojciec wrócił – wyjaśniła niepotrzebnie mama.

Wstałam. Ojciec wszedł do kuchni. Oczy już miał zaczerwienione, na twarzy szeroki uśmiech, krople potu na czole. Wyciągnął do mnie ręce, a ja nie miałam wyboru i musiałam poddać się uściskom. Śmierdział potem i alkoholem, jakby wydalał porami czystą gorzałę. Nie dziwiło mnie to.

– Jak się miewa moja mała córeczka? – mówiąc to, ojciec, Bill Byrne, o mały włos nie przywalił mi czołem w głowę.

– Świetnie, tato.

– Trzymasz się z dala od kłopotów?

– Tak, tatku – odpowiedziałam skwapliwie.

– Dobra nasza. Co na obiad? – zwrócił się do mamy. Na jej twarzy odmalowało się poczucie winy.

– Jesteś głodny? – Zaczęła sprzątać talerzyki, jakby niszczyła dowody przestępstwa. Zawsze gotowała mu dwudaniowy obiad, nawet gdy sama nie zamierzała nic jeść.

– A jakże! – Chciał ją objąć, ale odepchnęła go, chichocząc. – Anne, zostaniesz na obiedzie?

– Nie, tato. Muszę iść do siebie.

– Bill, daj spokój. James na nią czeka. Poza tym mają gościa. Alexa... Jak on się nazywa, kochanie?

– Kennedy.

– Chyba nie synalek Johna Kennedy'ego, co? – zapytał ojciec dociekliwie.

– Nie, tato. Nie sądzę.

– Nie chodzi mi o prezydenta Stanów Zjednoczonych, tylko o Johna Kennedy'ego, który ożenił się z Lindą.

– Nie mam pojęcia, czy to ich syn.
– No dobra. Wszystko jedno. A co on u was robi?
– To przyjaciel Jamesa – wyjaśniła matka, wyciągając składniki obiadu z zamrażalnika. – Przyjechał w odwiedziny. Właśnie wrócił z Singapuru.
– Tak, to musi być dzieciak Johna – mruknął ojciec zadowolony z siebie, jakby rozwikłał wyjątkowo trudną zagadkę. – Alex.
– Tak. Znasz jego ojca?
Wzruszył ramionami.
– Spotykam go od czasu do czasu.
Wiedziałam, co to znaczy. Spotykali się w knajpach.
– To przyjaciel Jamesa – powtórzyłam takim tonem, jakbym robiła to po raz setny. – Zatrzymał się u nas na jakiś czas.
– Musisz do niego wrócić. Rozumiem. No to jedź już. Jedź. – Ojciec machnął ręką.
Otworzył kuchenną szafkę i wyjął szklankę. Z innej szafki wyciągnął butelkę. Kochałam rodziców, ale nie chciałam patrzeć, jak ojciec pije. Pożegnałam się, zabrałam zdjęcia z młodości i zostawiłam oboje z tym, czym stało się ich życie później.

ROZDZIAŁ PIĄTY

Gdy wróciłam do domu, Alexa jeszcze nie było. Za to terenówka Jamesa stała już na podjeździe. Pewnie niedawno wrócił, bo nawet nie zdążył wziąć prysznica. Zastałam go w kuchni z głową w lodówce, więc wykorzystałam szansę i ścisnęłam go za pośladki.

– Hej, ty... – Okręcił się na pięcie, na moment jego uśmiech przygasł, po czym złapał mnie za talię. – Co robisz?

– To ciebie powinnam o to zapytać. Co robisz w domu tak wcześnie? – Objęłam go za szyję i nadstawiłam usta do pocałunku.

– Czekałem na paru podwykonawców, ale odwołali spotkanie, więc wróciłem. – Przywarł do moich ust. – Cześć.

Roześmiałam się.

– Cześć.

Jego dłonie zsunęły się z talii na pośladki.

– Jestem głodny.

– Mieliśmy wyskoczyć wieczorem na kolację... – Koniuszkiem języka połaskotał mnie w szyję, i zachichotałam. – Zjedz coś małego.

– Już wiem, co chciałbym przekąsić. – Wsunął dłoń między moje uda i pociągnął do góry. – Trochę tego i trochę tamtego...

Kiedy indziej natychmiast rozłożyłabym nogi i rozchyliła usta, tak jak sobie życzył. Dziś jednak odepchnęłam go ze śmiechem.

– Jak chcesz coś przekąsić, sięgnij do lodówki. A jeśli chcesz coś innego, to...

– Chcę. – Znowu przyciągnął mnie do siebie. Przez materiał dżinsów poczułam sztywny członek.

Nie zamierzałam się poddać.

– James, przestań!

Wreszcie zrozumiał. Nie wypuścił mnie z objęć, próbował wyczuć mój nastrój.

– Co się stało? – zapytał.

– Nic się nie stało, ale nie możemy bzykać się w kuchni! Nie pamiętasz, że mamy gościa, który w każdej chwili może się pojawić?

Otworzyłam lodówkę. Wyjęłam puszkę dietetycznej coli. Gdy ją otwierałam, James znowu chwycił mnie i przytulił od tyłu. Na pośladkach czułam jego erekcję.

– To będzie nawet bardziej podniecające – szepnął. – Przecież usłyszymy go na podjeździe. No, dalej, mała. Miałem na to ochotę przez cały dzień.

– Nie! – Próbowałam być stanowcza, ale ręce znowu zaczęły błądzić po moim ciele. Jedną dłonią ściskał mi pierś, a drugą głaskał po biodrach. – James, nie!

Zapomnij! Wcale go nie usłyszymy. I wszedłby prosto na nas. To byłoby okropne.

– Dlaczego? – zapytał tym uwodzicielskim głosem, wobec którego stawałam się całkowicie bezwolna.

– To byłoby... co najmniej nieprzyzwoite. – Wcale nie wygrywałam w tej dyskusji. Jego ręce poruszały się po mnie zbyt sprawnie. Za bardzo chciałam go zadowolić.

– Alex nie miałby nic przeciwko temu. Możesz mi wierzyć.

Odwróciłam się, stając z nim twarzą w twarz, i odstawiłam colę na bok.

– On może nie, ale ja tak!

James przyjrzał mi się z uwagą. Potrafiłam odczytywać uczucia z jego twarzy, bo nigdy przede mną ich nie ukrywał. Wyraz twarzy wydawał się znajomy, jednak tym razem nic mi nie mówił.

– Pomyśl o tym – mruknął. Mówiąc to, odwrócił mnie i oparł moje dłonie na wyspie kuchennej. Zsunął ręce na biodra i przytrzymał, rozsunął mi nogi stopą i kolanem. – Pomyśl o tym, jak się pieprzymy tu i teraz.

Marmur blatu chłodził mi rozpłaszczone palce. James przyciskał mnie od tyłu.

– Wystarczy, że zdejmiesz spodnie i majtki – ciągnął, gdy ręką wędrował po moich nogach. – Pogłaszczę cię i zobaczysz, jak dobrze się poczujesz.

Czułam się dobrze. Ogarniała mnie rozkosz. Spojrzałam przez drzwi kuchenne w stronę małego podjazdu.

– Dobrze poczujemy się też w łazience – powiedziałam. – I nie będziemy musieli przejmować się Alexem.

– Daj spokój, nie podnieca cię to nawet trochę? Myślenie o tym, że on może wejść w każdej chwili?

– Potarł moje krocze nieco silniej. Moje ciało zaczęło reagować na pieszczoty. Zrobiłam się mokra. – Pomyśl o tym, jak cię tutaj pieprzę od tyłu i nagle wchodzi...

– I co??? – Odwróciłam się twarzą do niego, skutecznie uniemożliwiając dalsze pieszczoty. – I co dalej niby miałoby się wydarzyć w twojej fantazji? Będzie przebrany za dostawcę pizzy, ja mu obciągnę, a ty będziesz mnie walił od tyłu, co?

Powiedziałam to głośniej, niż zamierzałam, i James natychmiast się cofnął. Byłam zirytowana, podniecona i jednocześnie wściekła. Dzikie fantazje erotyczne nie były nam obce – często opowiadaliśmy sobie nawet te najbardziej dziwaczne. Jednak nigdy nie wprowadzaliśmy ich w życie.

James nie odezwał się ani słowem. Patrzyłam na niego w skupieniu.

– James?

Uśmiechnął się głupawo.

– Masz coś do powiedzenia? – naciskałam.

Spojrzał ponad moim ramieniem, okręciłam się natychmiast, pewna, że zobaczę Alexa w przebraniu dostawcy pizzy. W drzwiach nie było nikogo. Nadal czułam wściekłość. Klepnęłam go w ramię i ruszyłam w stronę korytarza.

– Daj spokój, Anne...

Nie wiedziałam, po co idę do sypialni, może po prostu chciałam się tam przed nim schować. Musiał zrozumieć, że jestem na niego zła. Przynajmniej takie emocje manifestowałam. Jednak nie dlatego zaczęłam chodzić po pokoju z kąta w kąt. Dręczyły mnie sprzeczne uczucia, plątanina wspomnień sztormu na jeziorze i wizyty u rodziców. Tak wygląda moje życie. A może dokucza mi napięcie przedmiesiączkowe? W każdym razie nie chodziło wyłącznie o złość.

– Anne, nie przesadzaj... – James stanął w drzwiach, patrząc na mnie. – Nie sądziłem, że tak gwałtownie zareagujesz.

Skupiłam wzrok na koszu z czystym praniem czekającym na złożenie.

– A co myślałeś?

Wszedł do pokoju, zdjął koszulę i rzucił do pojemnika z brudami. Rozpiął pasek i wyciągnął ze szlufek, rozpiął spodnie. Składałam T-shirty w perfekcyjne kwadraty, ale bacznie śledziłam każdy jego ruch.

– Myślałem, że... no wiesz... że to cię podnieci.

– Ekshibicjonizm miałby mnie podniecić? – Udawałam zaszokowaną, ale chyba nieudolnie.

James zsunął dżinsy i stanął przede mną w samych bokserkach.

– Nigdy nie miałaś takiej fantazji?

– Jakiej? – zapytałam, sztywniejąc. – Że będziemy się kochać na oczach obcego człowieka? Nie!

– Przecież kochaliśmy się w twoim pokoju w akademiku przy współlokatorce – przypomniał mi.

– To było co innego. Nie mieliśmy dokąd iść. I zdarzyło się tylko raz.

Kochaliśmy się wtedy pod kołdrą, starając się nie jęczeć zbyt głośno, uważaliśmy, żeby łóżko nie trzeszczało w wiele mówiący sposób. Głowa Jamesa była wtedy między moimi nogami, a ja prężyłam się z rozkoszy, tłumiąc jęki.

– Jesteśmy na to za starzy – dodałam.

Położył dłonie na moich biodrach. Boże, jak ja go kochałam, całego. Kochałam skórę napiętą na żebrach.

Kępki ciemnych włosów pod pachami i wokół członka. Uwielbiałam gładkość skóry, gęste brwi i błyszczące błękitne oczy. Czasem potrafił być wkurzający, ale i tak kochałam go nad życie.

– Nie gadaj, że to cię nie podnieca. – James zawsze wyrażał się z wielką pewnością w głosie. Zawsze przekonany o swej racji i nieomylności. – A pamiętasz wtedy w kinie, gdy siedzieliśmy w ostatnim rzędzie i byłaś ubrana w spódniczkę?

Odwróciłam się z powrotem do prania. Wzięłam do ręki szorty, by je wygładzić i złożyć. Poczułam ciepło na policzkach na to wspomnienie.

– Podobało ci się wtedy – powiedział.

Jego lekkie pocieranie mnie przez majtki sprawiało, że dosłownie się wiłam. Trwało to półtorej godziny, przez cały film. Nie wsunął palców pod majtki, tylko koniuszkami palców zataczał kółeczka wokół mojej łechtaczki tak, że szybowałam aż pod niebo. Orgazm nadszedł, gdy na ekranie leciały napisy końcowe, zanim zapaliły się światła. Nie mogłam oddychać z rozkoszy. Do dziś nie wiem, o czym był tamten film.

– Wtedy mi się podobało, ale nie chcę, by twój przyjaciel przyłapał nas na uprawianiu seksu.

James objął mnie. Powinnam czuć od niego zapach potu i brudu, ale był czysty.

– Anne, to przecież facet. Nie byłby zawstydzony, tylko podniecony.

Próbowałam się uśmiechnąć, uzmysławiając sobie, że oto usłyszałam całą prawdę o męskiej naturze.

– Przecież to twój przyjaciel!

– No tak... – odparł po chwili milczenia.

Spojrzałam na niego.

– Tobie na serio podoba się ten pomysł... Że on na nas patrzy...

Nie chodziło mu o to, by przyglądał nam się ktokolwiek. Żaden obcy czy listonosz. Tylko Alex.

Pogładził palcem moje brwi.

– Zapomnijmy o tym. Masz rację. To głupota.

– Nie powiedziałam, że to głupota. – Oparłam dłonie o jego piersi. – Chcę tylko wiedzieć, czy jesteś ze mną szczery.

Wzruszył ramionami w sposób, który powiedział mi więcej niż słowa. Poczułam skurcz w żołądku.

– O co chodzi z tym Alexem? – Wyszeptałam pytanie na tyle głośno, by nie mógł udać, że nie usłyszał.

Usłyszał. Nie odpowiedział, ale usłyszał. Spojrzeliśmy na siebie. Nie spodobał mi się ten nagły dystans między nami i to w chwili, gdy powinniśmy być bardzo blisko.

Potem usłyszeliśmy odgłos otwieranych drzwi i odwróciliśmy głowy w tamtym kierunku. James poszedł przywitać się z Alexem.

Dom Patricii był zawsze wysprzątany. Widziałam kiedyś, jak odkurza wykładzinę w taki sposób, żeby szczotką odkurzacza zrobić wzór w jodełkę. Brud z fug między płytkami podłogowymi w kuchni usuwała szczoteczką do zębów, na kolanach. Często żartowałyśmy z naszych zachowań, ale nigdy nikt nie zakpił z zamiłowania Pat do czystości.

Mimo uzależnienia od ciągłego sprzątania potrafiła sprawić, by dom był wygodny. Rządziły dzieciaki. Robiły bałagan, ale niczego nie niszczyły. Dom lśnił czystością, ale był pełen życia i ciepły.

Kiedy więc weszłam do domu siostry i zobaczyłam poduszki pozrzucane z kanapy i fragmenty puzzli na podłodze, nie byłam zbytnio zaskoczona. Jednak gdy w kuchni zauważyłam stos brudnych naczyń w zlewozmywaku oraz okruchy na blacie kuchennym, bardzo mnie to zastanowiło.

– Mam nadzieję, że przyniosłaś zdjęcia – odezwała się Patricia za moimi plecami. Wzięła kubek z kawą i usiadła przy stole kuchennym, również pełnym okruchów, na które nawet nie zerknęła. Z piętra dobiegały krzyki bawiących się dzieci.

– Przyniosłam. – Podałam jej kopertę i usiadłam po drugiej stronie stołu. – Wybrałam naprawdę ładne.

Patricia wzięła kopertę, wysypała zdjęcia na stół i zaczęła je sortować według rozmiaru. Obserwując, jak zgrabnie to robi, zastanawiałam się, czy to talent organizacyjny sprawił, że była dobrą matką, czy też dopiero macierzyństwo wyrobiło w niej te zdolności. Nie potrafiłam sobie przypomnieć, czy w dzieciństwie też była taka poukładana i dokładna.

– Pats, czy próbowałaś kiedyś przypomnieć sobie coś z dzieciństwa i nie potrafiłaś?

– Co na przykład? – Wzięła do rąk nasze zdjęcie, na którym byłyśmy brzdącami ubranymi jak jednakowe żółte pajacyki. – Pamiętam te ubranka.

– Pamiętasz, bo widzisz zdjęcie, czy naprawdę pamiętasz?

– Może jedno i drugie. Skąd mam wiedzieć... A czemu pytasz?

Sięgnęłam po kilka zdjęć. Na jednym byli rodzice na jakimś przyjęciu, oboje z papierosami, a ojciec dodatkowo z wysoką szklaneczką bursztynowego płynu. Na innym Claire, jeszcze jako niemowlę, a trzy siostry otaczały kołyskę z wikliny, wpatrując się w malucha jak w cenną nagrodę w konkursie. Na tym zdjęciu miałam osiem lat. Pamiętałam wiele rzeczy z tamtego okresu, ale akurat nie ten moment uchwycony na zdjęciu.

– Tak się tylko zastanawiam...

– Dlaczego chcesz to wiedzieć?

Układała zdjęcia na stole, jakby stawiała pasjansa.

– Pats... – zwróciłam się do niej spokojnym tonem, czekając, aż podniesie wzrok. – Wszystko u ciebie w porządku?

– W porządku. A czemu pytasz?

Rozejrzałam się znacząco po kuchni.

– Jesteś jakaś spięta.

Jej wzrok podążył za moim.

– No tak. Sorry za ten bałagan. Zwolniłam gosposię.

Czekałam, aż zachichocze, ale nawet nie skrzywiła ust w uśmiechu.

– Nie chodzi o bałagan.

Nie chodziło mi o porównywanie jej domu z moim ani nawet z domem rodziców, gdzie każdego dnia panował totalny chaos. Mając zbyt wiele różnych wyborów, matka najczęściej nie decydowała się na żaden. W efekcie nie kończyła porządnie żadnego z domowych obowiązków. Dopiero w college'u sama doszłam do tego, że jeśli poukłada się ubrania od razu po wyjęciu z suszarki, zamiast trzymać je w koszu z czystym praniem przez tydzień, to nie trzeba nosić pogniecionych koszulek.

– Chodźmy na górę do pracowni. Tam mam taśmę dwustronną i wszystko, co będzie potrzebne – powiedziała Patricia.

Na piętrze usłyszałam dobiegające z telewizora odgłosy kreskówek. Wsunęłam głowę przez drzwi dodatkowego pokoju nad garażem. Tristan i Callie leżeli na poduszkach na podłodze z oczami wlepionymi w ekran. Rozpoznałam znajomą piosenkę.

– Hej, Scooby Doo! – zawołałam od progu.

Dwie buźki skierowały się w moją stronę.

– Ciocia Anne!

Sześciolatek Tristan poderwał się na nogi i leciał, by mnie uściskać. O dwa lata starsza siostra mniej ochoczo manifestowała uczucia. Już dorastała i nie paliła się do powitalnych czułości.

– Po co przyszłaś, ciociu? – Tristan przylepił się jak pijawka i zarzucił na mnie nogi, więc musiałam wziąć go na ręce, bo inaczej straciłabym równowagę.

– Przyszłam coś zrobić z waszą mamą. A czemu nie bawicie się na dworze? – zapytałam, zanim postawiłam Tristana na podłogę.

– Bo jest za gorąco i mama pozwoliła nam oglądać telewizję – odpowiedziała Callie. Znowu urosła o dwa centymetry od mojej ostatniej wizyty.

Może i miałam problemy z pamiętaniem szczegółów z dzieciństwa, ale za to doskonale pamiętałam, kiedy po raz pierwszy wzięłam siostrzenicę na ręce. To właśnie ja zawiozłam Patricię na porodówkę, gdy odeszły jej wody podczas mycia podłogi. Sean dołączył do nas w szpitalu. Callie urodziła się dwadzieścia minut później. Pozwolono mi wziąć ją na ręce, gdy miała zaledwie dwie godziny.

– No chodź, Callie, i ukochaj ciocię. – Przycisnęłam ją, jakbym już nigdy nie chciała puścić. – Ależ jesteś duża!

Tristan tańczył wokół mnie i okładał dla zabawy piąstkami. Potem rzucił się na poduchę, by znowu oglądać kreskówki. Spojrzałam na telewizor, który jakby zmalał...

– Co się stało z telewizorem z dużym ekranem? – zapytałam zdziwiona.

Dzieciaki oglądały bajki na starym dwudziestopięciocalowym telewizorze z porysowaną obudową. Obraz był rozmazany w narożnikach, a spód odbiornika oklejony taśmą.

– Mama i tata oddali go do sklepu – wyznała Callie.

– Naprawdę? A dlaczego?

– Anne! – zawołała Patricia z korytarza. – No chodź już!

Dzieci nie przejmowały się zniknięciem dużego telewizora. Zostawiłam je z kreskówkami i poszłam do Patricii.

Zwykle wszystko w pracowni było równiutko poukładane, jak na półkach w muzeum, ale teraz wyglądała, jakby przeszło tędy tornado. Patricia odsunęła na bok kawałki materiału i rozłożyła zdjęcia. Zamknęła maszynę do szycia i odstawiła na podłogę.

– Co szyłaś? – zapytałam, rozglądając się wokół.

– Ozdobną kapę na łóżko.

Wyjęła z szafki teczki z nalepkami i papierem kolorowym.

Odziedziczyła zdolności artystyczne po mamie. Potrafiła szyć, robić na drutach, piec ciasta, w dodatku zawsze kończyła, co zaczęła. W dzieciństwie wklejała do zeszytów wycinki, zdjęcia i prowadziła kronikę. Mnie co prawda starczyło zapału i cierpliwości na umieszczenie zdjęć w albumie, ale już nie chciało mi się ich opisywać. Patricia miała za to kilka półek albumów poświęconych różnym tematom.

– Miałyśmy zrobić kolaż zdjęciowy na brystolu.

Wyciągnęła mały album.

– Pomyślałam, że lepsza będzie księga ze zdjęciami i pustymi kartkami na komentarze od gości, coś w stylu albumu rodzinnego. Zostawimy też miejsce na zdjęcia z imprezy. – To była niezła myśl, ale też trochę przerażająca. – No co? Nie podoba ci się pomysł?

– Jest świetny, Pats, ale bardzo ambitny.

– Mogę wszystko zrobić sama.

– Wystarczy ci czasu? No wiesz...

– Wystarczy.

Wyczułam, że jest spięta, dlatego odpuściłam.

– Okay, ale jeśli będziesz potrzebowała pomocy, to...

– Nie ma sprawy. Żadna z was nie robiła nigdy takiego albumu. Ja to uwielbiam, dam radę. Dzięki za zdjęcia.

– Spotkałaś się ostatnio z rodzicami? – zapytałam. Skinęła głową znad pudełek po butach, w których miała pisaki i specjalne nożyczki wykrawające różne rodzaje krawędzi.

– Mama wpadła w zeszłym tygodniu, by zająć się dziećmi. Rozmawiałam z nią przez telefon. Czemu pytasz?

– Widziałaś się z ojcem?

– Nie.

Nie uwierzyłam. Patricia zabierała dzieci w odwiedziny do dziadków, ale nigdy ich tam nie zostawiała. Mama zawsze zajmowała się dziećmi w jej domu. Nigdy nie poruszaliśmy tej kwestii. To był temat tabu, podobnie jak „mrożona herbatka" ojca.

Zaczęłam przeglądać stos fotografii, które zabrałam ze strychu rodziców. Uniosłam wyblakłe zdjęcie z polaroida, na którym ja i Patricia siedziałyśmy na kolanach ojca i szczerzyłyśmy się do obiektywu. Miałam oczy mamy, ale uśmiech po ojcu, tak samo jak siostra.

– Patrzę na te zdjęcia i nic nie pamiętam. A ty? – zapytałam.

– Byłyśmy takie małe. Wyglądasz na cztery lata, więc ja muszę mieć dwa. Kto może cokolwiek pamiętać z tak wczesnego dzieciństwa?

Nie to miałam na myśli, ale nie potrafiłam znaleźć słów, żeby wyjaśnić, o co mi chodziło. Musiałabym wejść na grząski grunt. Przyjrzałam się zdjęciu ponownie.

– Wyglądamy na szczęśliwe.

Siostra nie odpowiedziała. Zabrała mi zdjęcie i odłożyła na kupkę. Z teczki wyjęła nalepki w kształcie baloników. Zupełnie nie zwracała na mnie uwagi.

– Patrzę na te fotografie i wiem, że to wydarzyło się naprawdę, bo na nich jestem, ale... – Głos uwiązł mi w gardle. Wyczerpała mnie niemożność przekazania uczuć i myśli. – Nie pamiętam tych wydarzeń.

Nie pamiętałam, jak siedziałam na kolanach u ojca, a on czytał bajki, ani tego, jak wspólnie na Boże Narodzenie składaliśmy kolejkę, która co roku okrążała choinkę. Nie pamiętałam naszej sesji fotograficznej, gdy wszystkie byłyśmy ubrane w swetry z naszymi imionami, które mama zrobiła na drutach.

– Na tym zdjęciu byłam chyba w wieku Callie – odezwałam się, wskazując kolejną fotografię. – Wcale tego nie pamiętam. Pamiętam tylko, że w tym swetrze strasznie swędziała mnie skóra i miał za długie rękawy. Tylko tyle.

Spojrzała na mnie posępnym wzrokiem.

– Przestań o tym myśleć, Anne. Po prostu przestań, dobrze? Mamy zdjęcia. Jesteśmy na nich, ty też. Pamięć to delikatna sprawa. Istnieją powody, dla których ludzie nie pamiętają pewnych wydarzeń. W naszych mózgach nie ma wystarczająco dużo miejsca na wszystkie śmieci z przeszłości.

– Tak tylko gadam. Szkoda, że zapominamy, ale szkoda też, że pamiętamy. Pamiętam na przykład, jak Chris Howard zwymiotował na mnie w szkolnym autobusie w drugiej klasie. To jest właśnie wspomnienie, bez którego mogłabym żyć.

Wybuchłyśmy śmiechem, chociaż słychać w nim było pewne napięcie. Pomogłam Patricii przygotować wszystkie drobiazgi. Szybko zrozumiałam, że bardziej jej przeszkadzam, niż pomagam.

Pożegnałam się, uściskałam siostrzenicę i siostrzeńca i wyszłam. Czy dzieci będą pamiętały, jak zabierałam je na lody albo jak graliśmy w chińczyka? Czy te wspomnienia też z czasem wyblakną?

Nie chodziło o czarną dziurę w moim umyśle. Pamiętałam szkołę i odwiedziny u dziadków w Pittsburghu. Pamiętałam widok trzech rzek łączących się w jedną, krajobraz rozpościerający się ze wzgórz Duquesne, i nie tylko dlatego, że widziałam zdjęcia z tej wycieczki. Pamiętałam ulubione zabawki, książki i programy telewizyjne. Strzępy wydarzeń z wczesnego dzieciństwa, zanim skończyłam dziesięć lat... Jednak tak wiele wspomnień znikło, rozmyło się. Może Patricia miała rację, może rzeczywiście ludzki mózg jest za mały, by pomieścić i zachować wszystkie szczegóły.

Nasze życie zmieniło się, gdy miałam dziesięć lat, Patricia osiem, Mary cztery, a Claire dwa. W środku nocy często budził nas dzwoniący telefon. Awantury, które zwykle słyszałyśmy za zamkniętymi drzwiami sypialni rodziców, wybuchały także podczas obiadów. Mama bez przyczyny zaczynała płakać, co mnie przerażało. Było inaczej i nawet w wieku dziesięciu lat rozumiałam, że to ma związek z nocnymi telefonami i łzami matki. Wiedziałam jedynie, że nie wolno nam o tym mówić, o tym tajemniczym „czymś", które niszczyło naszą rodzinę. To było paskudne lato, pamiętam je, jakby dopiero co minęło.

Ojciec zawsze był wesołkowaty, ale stał się parodią „wesołego tatki". Potrafił położyć się na podłogę i mocować z córkami, bez względu na to, czy miały na to ochotę, czy nie. Jednego dnia przyniósł do domu wielki pojemnik na wpół stopionych lodów, bo zatrzymał się po drodze na drinka. Budził nas w sobotę o świcie, by wyciągnąć na ryby, albo trzymał do późna w ogrodzie, żeby łapać świetliki. Wcześniej też dużo pił, to było widoczne nawet na zdjęciach, ale tego lata zawsze trzymał w ręce szklaneczkę z „mrożoną herbatą" ostro doprawioną whisky. Mary i Claire były za małe, by to zauważyć, jednak Patricia i ja potrafiłyśmy już liczyć. Im więcej wypraw do kuchennej szafki robił nasz tata, tym stawał się głośniejszy, a mama cichsza.

Nie chciałam iść z ojcem na łódkę, tyle że mnie nie słuchał. Nie lubiłam łowić ryb, nabijać robaków na haczyk, nie znosiłam kołysania łodzi. Nienawidziłam siedzieć na otwartym słońcu, które zawsze znajdowało skrawek ciała, którego nie udało mi się zakryć. Chciałam zostać w domu i czytać książkę, ale ojciec mnie obudził i zmusił, bym się ubrała i poszła z nim.

Do momentu wyprawy z Alexem nie opowiadałam nikomu o tym, że podczas burzy ojciec o mało nie wywrócił łodzi do góry nogami.

Dwa dni po wydarzeniu na jeziorze matka zniknęła z domu. Zabrała Claire, która miała wtedy dwa lata i potrzebowała matczynej opieki. Pojechała do ciotki Kate, która zapadła na tajemniczą chorobę. Nikt z dorosłych nie chciał wyjawić jej nazwy. Były wakacje, więc zajmowałam się siostrami, gdy ojciec był w pracy. Wspominając ten czas, zastanawiam się, jak matka mogła zostawić trzy córki na tak długo, ale prawdopodobnie nie miała wyboru. Przecież nie porzuciła nas na pastwę losu, miałyśmy kochanego tatusia. Gdybym opowiedziała, co stało się na łodzi, pewnie by nie wyjechała. Jednak do dzisiaj milczałam. Zresztą ojciec nigdy nie zrobiłby nam świadomie krzywdy, po prostu nie był w stanie nas przypilnować.

Zawsze miał zmienne nastroje, ale gdy nie było mamy, która go temperowała i umiała uspokoić, rozszalał się jak gałęzie na wietrze. Emocje falowały w górę i w dół. Jednego dnia gadał z nami przez cały dzień, robił nam popcorn i frytki na obiad, godzinami grał z nami w gry planszowe. Następnego zaraz po powrocie z pracy zamykał się w pokoju z pełną butelką i wychodził, dopiero gdy była pusta. To tak jakbyśmy miały dwóch ojców, obydwu równie przerażających.

Patricia zapytała mnie, dlaczego przejmuję się wspominaniem przeszłości. Chciałam pamiętać dobre rzeczy. Czułam się, jakby moje życie rozpoczęło się dopiero tamtego lata, a wszystko, co zrobiłam od tamtej pory, każda decyzja, którą podjęłam, bez względu na końcowy efekt, była wynikiem tamtych wydarzeń. Teraz podświadomie pragnęłam zmiany, tylko że sama nie wiedziałam, o co mi chodzi. Chciałam pamiętać dobre rzeczy, by nie myśleć o tych złych, żeby przestały mi ciążyć i wpływać na moje działania. Nie chciałam dokonywać wyborów opartych na przekonaniu, że komukolwiek zaufam, i tak się sparzę. Za to chciałam przestać myśleć, że nie zasługuję na nic dobrego. Przestać śnić o tym, jak tonę.

W ciągu następnych kilku dni rzadko widywałam Alexa. Wychodził z domu, zanim się obudziłam, i wracał, kiedy już spałam. Wiedziałam, że jest w kontakcie z Jamesem, ale nigdy o nic nie pytałam. Był to delikatny temat, jakby istniały odpowiedzi na pytania, których nie chciałam zadać, nawet jeśli James byłby skłonny na nie odpowiedzieć.

Prawie już przyzwyczaiłam się do myśli, że znów mam cały dom dla siebie, gdy Alex wrócił jednego popołudnia wcześniej i zastał mnie na patio. Zamiast sprzątać czy przygotowywać coś na rocznicowe przyjęcie rodziców, zrobiłam domową lemoniadę i wyszłam poczytać w słońcu, zanim zrobi się za gorąco.

– Cześć. – Zatrzymał się w wejściu na patio. Rozluźnił krawat, ale nadal wyglądał elegancko.

– Cześć. – Osłoniłam oczy od słońca. – Dawno się nie widzieliśmy.

Roześmiał się.

– Miałem dużo spotkań z inwestorami.

– W Sandusky?

Znowu się roześmiał i zrzucił marynarkę. Jego koszula w kolorze łososiowym nie była nawet zbytnio wygnieciona. Zazdrościłam mężczyznom tego, że nie musieli martwić się o fryzury i makijaż, żeby dobrze wyglądać. No i nie musieli nosić pończoch.

– Nie. W Cleveland. Codziennie jeździłem do Cleveland.

To wyjaśniało, dlaczego tak rzadko go widywałam.

– Zrobiłam lemoniadę. Mogę ci przygotować lunch, jeśli jesteś głodny.

– Co za obsługa. – Zmrużył oczy przed słońcem. – Nie powinnaś się tak przepracowywać.

– No tak, nie udało mi się jeszcze zatrudnić żadnego kolesia do pomocy w domu.

Alex rozpiął koszulę i wyciągnął ze spodni. Zdjął pantofle. Wiedziałam, że lubi chodzić z nagim torsem.

– Mam pomysł – odparł, ściągając skarpetki. – Powinnaś zamieścić ogłoszenie w gazecie: „Dam pracę: potrzebna męska pomoc domowa w domku nad jeziorem. Do obowiązków będzie należało mycie okien, szorowanie podłóg i masaż shiatsu".

– Nie ma takich pomocy domowych.

Rozprostował plecy, zrobił kilka skrętów w talii, aż strzeliło mu w kręgosłupie.

– Najwyraźniej nikt nie zrobił ci nigdy dobrego masażu. Jezu, ale jestem spięty. Strasznie się rozpuściłem w tym Singapurze. Chodziłem na masaż raz w tygodniu.

– A robili ci go grubi, łysi faceci w białych podkoszulkach? – Patrzyłam na niego, gdy rozciągał mięśnie, zafascynowana jego sylwetką. Zastanawiałam się, czy zdejmie koszulę. Zastanawiałam się też, dlaczego mnie to kręci.

– Nie. Małe, wspaniałe kobietki o niesamowicie sprawnych dłoniach. – Ruszał brwiami i parodiował damski głos z chińskim akcentem: – Ach, pan Kennedy, pan kcie dziciaj happy end?

Zakryłam usta, udając zgorszenie.

– Skorzystałeś?!

Jego enigmatyczny uśmiech niczego mi nie powiedział, a może jedynie tyle, że kłamał.

– A ty byś nie skorzystała? – Oparł ręce o poręcz patio i rozciągnął mięśnie pleców.

– Nie sądzę. – Upiłam łyk lemoniady, nie dlatego, że byłam spragniona, po prostu musiałam zrobić coś z rękami.

– Za to wynajęłabyś męską pomoc domową, żeby robił pranie i mył łazienkę. Zastanawiające. – Otrząsnął się jak pies, który właśnie wyszedł z wody. – Kurczę, jak mnie bolą plecy. Pomasujesz mi barki?

Usiadł u stóp leżaka i ściągnął koszulę.

– Czy ktokolwiek już ci odmówił? – zapytałam, odstawiając szklankę.

Spojrzał przez ramię.

– Nie.

Zacisnęłam i rozprostowałam palce, szykując się do masażu. Przez chwilę trzymałam dłonie nad jego łopatkami. Nie musiałam dotykać, by go czuć.

Patrzył na mnie. Nie było żadnego powodu, bym robiła, czego chciał, ale zachowywał się, jakbym nie mogła odmówić. Może rzeczywiście nie potrafiłam, a może nie chciałam.

Miał skórę ogrzaną słońcem. Moje palce były chłodne od szklanki z lemoniadą. Syknął, kiedy go dotknęłam, choć nie sądzę, by z powodu zimna.

– Masz duże stwardnienia. – Ugniatałam każde, gdy na nie trafiłam.

– Tak mi mówiono – mruknął i roześmialiśmy się oboje.

– I do tego brudne myśli – odparłam, nie przerywając masażu.

Jęczał przeciągle.

– To też mi mówiono. O kurczę, jak dobrze!

– Jamesa często bolą plecy.

Znowu jęknął i pochylił głowę, bym mogła rozmasować mu kark.

– Ooo, właśnie tam. Taaak, ja pierniczę!

Przysunęłam się bliżej niego, trzymałam kolana po obu stronach jego bioder. Czułam jego zapach. Słoneczny. Kwiatowy. Odrobinę egzotyczny. Pochyliłam się i przymknęłam oczy, rozmasowując mu kark.

– Hellooo!

To wyśpiewane powitanie natychmiast mnie zmroziło. Zacisnęłam palce na ciele Alexa, który jęknął z bólu. Jednocześnie podnieśliśmy oczy na teściową stojącą w kuchennych drzwiach.

Objęła nas wzrokiem, ważąc, oceniając i wydając wyrok skazujący. Alex wstał, pokręcił karkiem i się przeciągnął.

– Dzięki, Anne – odezwał się. – Witam, pani Kinney.

– Cześć, Alex. – Oskarżycielski wzrok padł na mnie. – Anne, powinnam najpierw zadzwonić.

– Nie żartuj, Evelyn. Chcesz trochę lemoniady?

– Nie, dziękuję. – Spojrzała na Alexa, który usadził się na wolnym leżaku, podniósł do ust moją szklankę z lemoniadą i uśmiechnął się lekceważąco. – Przywiozłam ci czasopisma.

Czytałam gdzieś, że nie powinno się odmawiać, jeśli ktoś chce dać ci coś za darmo. Nawet jeśli niczego nie potrzebujesz, bo przy następnej okazji nie zaproponuje tego, czego bardzo pragniesz. Nigdy nie chciałam żadnych starych czasopism od teściowej, niepotrzebnych ramek do zdjęć czy używanych swetrów. Mimo to uśmiechałam się i stałam jak kołek.

– Wielkie dzięki. Nowych ciekawostek, porad dotyczących domu i ogrodu nigdy dosyć – powiedziałam.

Alex parsknął pod nosem, a ja posłałam mu kwaśne spojrzenie. To, którym obdarzyła mnie teściowa, było niewiele słodsze.

– Położyłam na stole w kuchni – rzuciła.

– Dzięki. – Nie wykonałam najmniejszego ruchu, aby wbiec do środka i natychmiast zachłannie przeglądać gazety, chociaż zdawałam sobie sprawę, że właśnie tego oczekuje. Im bardziej chciała, bym coś zrobiła, tym większą perwersyjną radość sprawiało mi udawanie, że nie domyślam się, o co chodzi. Nie była subtelna, ja nie byłam tępa. Taka zawoalowana próba sił.

– James wróci dzisiaj później z pracy – odezwałam się. – Czy chcesz zaczekać, czy może...?

Przerwałam pytanie, dając jej możliwość dokończenia zdania. Z pewnością chciała usłyszeć zaproszenie, by została, posiedziała przy kawie i poplotkowała, bo tak właśnie zachowywałam się w przeszłości. Dziś nie miałam ochoty się podlizywać. To byłoby jawne oszukiwanie siebie.

Pewnie zostałaby, gdyby nie Alex. Zacisnęła usta i pokręciła głową.

– Nie. Zadzwonię później.

– Okay. – Nie ruszyłam się, żeby odprowadzić ją do wyjścia, choć domyślałam się, że tego oczekiwała.

Zawsze podkreślała, że rodzina to nie goście, co było pretekstem, by szarogęsić się w moim domu. Nie przeszkadzało mi to, chociaż w jej oczekiwaniach brakło konsekwencji. Nie chciała być traktowana jak gość, ale wymagała, by odprowadzać ją do drzwi. Dzisiaj miałaby szansę ponarzekać na Alexa. Na początku małżeństwa Evelyn wciągnęła mnie w rozgrywki pod hasłem „dziel i rządź". Wstawała i kierowała się do drzwi, a ja ją odprowadzałam. Tam, odizolowana od pozostałych, nawet od Jamesa, byłam wystawiona na mizdrzenie się albo nieprzyjemności. Teraz zmądrzałam i nie ukrywam, że psucie jej zabawy napawało mnie dumą i poczuciem złośliwej satysfakcji. Jeśli chciała narzekać na moich gości, musiała znaleźć innego słuchacza.

Gdy odgłos samochodu się rozpłynął, Alex usiadł i klasnął w dłonie. Raz, drugi, trzeci.

– Brawo!

– Za co? – Spojrzałam na niego.

– Doskonale to rozegrałaś. Brawo!

– Nic nie rozgrywałam.

Pokręcił głową.

– Nie bądź taka skromna. Evelyn to twarda sztuka. Doskonale sobie poradziłaś.

Zawsze jestem nieco podejrzliwa, gdy ktoś daje mi medal za doskonałość, wszystko jedno w jakiej dziedzinie.

– Serio?

– Nie byłaś nieuprzejma, ale stanowcza. Nie pozwoliłaś sobą manipulować.

– W jakim celu miałaby mną manipulować?

– Nie mam zakichanego pojęcia, ale jestem pewien, że nie osiągnęła tego, co chciała.

– Dobrze ją znasz.

– Jasne. Nic się nie zmieniła.

– Zabawne, to samo Molly powiedziała o tobie.

– Tak? – Spodziewałam się szyderczego spojrzenia, ale dostrzegłam w jego wzroku niezadowolenie. A może tylko mi się wydawało?

– Opowiedz mi, jaki był James w młodości – poprosiłam.

– Jamie? Prawie taki sam jak teraz. Dobry człowiek. – Alex zmienił ustawienie leżaka, żeby mógł mnie lepiej widzieć.

– To samo powiedział o tobie.

– No to któryś z nas musi się mylić.

Powinnam była ugryźć się w język, ale mimo to się odezwałam:

– Słyszałam, że podkreślałeś oczy czarną kredką.

– Czasami nadal to robię.

– Evelyn cię nie lubi.

– Zapewniam cię, że odwzajemniam to uczucie. – Kolejny błysk niezadowolenia w oczach.

Czekałam, aż wyjaśni mi, dlaczego się nie lubią. Z mojego miejsca jego szeroko rozstawione, ciemne oczy wydawały się przezroczyste. Błyszczały nie tylko w blasku słońca.

– Anne.

– Słucham?

– Jesteś głodna?

– Trochę. Czemu pytasz?

Uśmiechnął się. Spojrzał na mnie. Poczułam gorąco.

– Bo patrzysz na mnie, jakbyś chciała mnie zjeść łyżeczką.

Zaśmiałam się i odwróciłam głowę, by ukryć prawdę, którą mógł zobaczyć w moich oczach. Alex się nie śmiał. Rozciągnął się na leżaku, prostując ręce nad głową. Wyobraziłam sobie, że go dosiadam i pochylam się, by polizać gładką skórę ramion i barków.

– Lepiej przyniosę trochę lemoniady – odparłam i uciekłam do domu.

ROZDZIAŁ SZÓSTY

Na ścianach poczekalni wisiały fotografie noworodków i kobiet w ciąży, półki były zapchane czasopismami pełnych słów „mama", „tata" i „rodzina". Siedziałam z torebką przyciśniętą do brzucha, broniąc się przed ciekawskimi spojrzeniami pozostałych pacjentek z dumą wypinających brzuchy. Wiele kobiet przyszło z dziećmi, które kręciły się po poczekalni i bez powodu wpadały w płacz. Wydawały się jednocześnie rozkoszne i odpychające.

– Pani Kinney?

Podniosłam głowę. Sześć lat po ślubie nadal byłam zaskoczona, że ktoś mnie tak nazywa. Pielęgniarka się uśmiechnęła.

– Doktor Heinz czeka na panią.

Zebrałam rzeczy i ruszyłam za nią wzdłuż korytarza do jasno oświetlonego pokoju, którego ściany także ozdobiono fotografiami dzieci. Rozebrałam się, założyłam szlafrok z fizeliny i usiadłam na przykrytej papierowym prześcieradłem leżance.

Gdy czekałam na lekarkę, miałam aż za dużo czasu na rozmyślania. Przyglądałam się słoikom pełnym szpatułek i bawełnianych wacików, ostrym i błyszczącym instrumentom medycznym rozłożonym na stoliku, które wyglądały jak narzędzia tortur. Naprzeciwko mnie wisiał plakat pokazujący symptomy zarażenia się pospolitymi chorobami wenerycznymi. Spoglądały na mnie ropiejące kobiece organy rodne. Ostre pukanie do drzwi, anonsujące wejście lekarki, uratowało mnie przed niepotrzebną wiedzą na temat wszelkich wydzielin i schorzeń.

Lubiłam doktor Heinz, zaledwie przekroczyła trzydziestkę, więc była prawie moją rówieśniczką. Poza tym miała otwarty i rozsądny stosunek do seksu, rodzenia dzieci i środków antykoncepcyjnych. Gdybym do niej trafiła, gdy byłam młodsza, z pewnością dokonałabym innych wyborów życiowych. A zresztą... było, minęło. Po co snuć takie rozważania?

– Jak się czujesz, Anne? – Doktor Heinz miała na sobie tradycyjny biały kitel, pod którym szalały różnorodne wzory i kolory, co gwarantowałoby jej natychmiastowe aresztowanie, gdyby tylko istniała policja do spraw mody.

– Świetnie. – Wyprostowałam się, świadoma, że pod jednorazowym szlafrokiem jestem zupełnie naga.

– Dobrze. – Kręciła się po gabinecie i, przygotowując lateksowe rękawiczki, lubrykant i instrumenty medyczne, rozmawiała ze mną o celu wizyty. Wreszcie usadowiła się pomiędzy moimi nogami na taboreciku na kółkach, a jej twarz znalazła się na wysokości mojego krocza.

– Coś nowego?

– Nie.

Wciągnęłam powietrze i czekałam na badanie. Doktor Heinz była delikatna, ale to i tak nie pomagało. Skoncentrowałam się na rozluźnieniu mięśni. Była dobrym ginekologiem. Poczekała, aż wypuszczę powietrze, i dopiero wtedy włożyła palce do pochwy.

– Co z bólem?

– Zmniejszył się.

Wysunęła palce.

– Trochę się zmniejszył czy znacząco?

– Znacząco. – Znowu się spięłam, w oczekiwaniu na wsunięcie wziernika.

– Odczuwasz ból podczas stosunku?

– Nie. – Poczułam w środku chłód metalu.

Kiedyś, po wizycie na pogotowiu ratunkowym, gdy mężowi zszyto ranę we wstydliwym miejscu na tyłku, James narzekał, że ktoś obcy miał dostęp do jego intymnych miejsc. Jego tekst: „Nawet nie postawił mi za to śniadania", stał się anegdotą. Śmiałam się, bo nie miał pojęcia, co to jest prawdziwe upokorzenie. Jedynie badanie prostaty może dać mężczyźnie namiastkę tego, co kobieta przeżywa podczas wizyty u ginekologa.

– Poczujesz małe draśnięcie.

Syknęłam, bardziej w oczekiwaniu na draśnięcie niż z powodu rzeczywistego bólu. Zaraz po pobraniu próbki zawstydziłam się swoim zachowaniem. Doktor Heinz poklepała mnie uspokajająco w stopę, włożyła materiał do próbówki, a tę do plastikowego woreczka, w którym zostanie odesłana do laboratorium.

– Masz regularne miesiączki? – zapytała. – Jedna ręka nad głowę.

Zawsze miałam ochotę chichotać, gdy badała mi piersi, szukając guzów i zgrubień. Nie dlatego, że mnie łaskotało, ale ponieważ wydawało się takie dziwaczne. Chłodne, ubrane w lateks palce ugniatały moje ciało przy wtórze szelestu jednorazowego szlafroka. Śmiech z pewnością pomógłby rozluźnić napięcie, ale nigdy nie udało mi się zaśmiać.

– Nadal nieregularne, ale mniej bolesne. Udaje mi się przetrwać dzięki kąpielom i ibuprofenowi.

Rozszerzyła usta w uśmiechu.

– To dobrze. Lubię dobre wiadomości. Możesz usiąść prosto.

Przyszła kolej na rutynowe badania. Po osłuchaniu serca i płuc doktor wyszła z gabinetu, bym mogła bez skrępowania się ubrać. Wróciła po kilku minutach, przyjaźnie uśmiechnięta, z podkładką pod dokumenty.

– No dobrze. Nie odczuwasz bólu podczas stosunków, świetnie. Łatwiej znosisz okres, ale nadal jest nieregularny. To może być efekt uboczny środków antykoncepcyjnych, chociaż niekoniecznie... – Przewertowała kartki mojej dokumentacji medycznej. – Tu jest napisane, że często miałaś nieregularne okresy albo wręcz brak menstruacji. To typowe objawy endometriozy. Czy poza dyskomfortem nieregularnych okresów odczuwasz inne dolegliwości?

Pokręciłam głową.

– Nie. Wolałabym, żeby były regularne, ale poza tym nic się nie dzieje.

Zapisała moją odpowiedź w dokumentacji i podniosła głowę.

– Masz jakieś pytania, Anne? Czy chciałabyś dowiedzieć się więcej o leczeniu endometriozy, o bólu albo o zastrzykach antykoncepcyjnych? A może o sensie życia? Albo jak zrobić smaczne klopsiki?

Roześmiałyśmy się.

– Nie, dzięki. Klopsiki dobrze mi wychodzą.

– Fiuuu! – Przetarła czoło, udając, że kamień spadł jej z serca. – Bałam się, że zapytasz mnie jednak o sens istnienia i musiałabym wymyślić coś na poczekaniu.

– Nie. – Zawahałam się. Nie zadałam jednak pytań, które powinnam zadać. – Dziękuję, pani doktor.

– Spoko. – Uśmiechnęła się. – To co? Zrobimy zastrzyk, dobrze? I będziesz mogła iść do domu.

Zastrzyk nawet nie zabolał. To nic w porównaniu z bólem odczuwanym podczas porodu, pomyślałam, gdy doktor przecierała mi skórę wacikiem nasączonym alkoholem i wbijała igłę strzykawki z koktajlem chemicznym, który przez następne trzy miesiące powstrzyma plemniki Jamesa przed wniknięciem do moich jajeczek. Po zastrzyku pożegnałam się i przechodząc przez szpaler wypchniętych brzuchów, wyszłam z przychodni.

Czerwiec to piękny miesiąc. Słońce nie świeci tak intensywnie jak w lipcu ani tak ostro jak w sierpniu. Kwitną kwiaty. Ludzie biorą śluby. Rozpoczynają się wakacje dla dzieci. Czuło się, jakby z czerwcem rozpoczynało się nowe życie.

W gabinecie doktor Heinz miałam szansę rozpocząć nowe życie. Nie zrobiłam tego. Miałam kolejne trzy miesiące na zastanowienie się, czy chcę zajść w ciążę. I kolejne trzy miesiące okłamywania męża.

James był cierpliwy i wyrozumiały. Wiedział, że moja choroba powoduje ból podczas menstruacji i stosunku. Przynosił mi tabletki przeciwbólowe i trzymał za rękę, gdy oblewałam się potem. To właśnie on zwrócił mi uwagę, że nie chodzi o zwykły ból towarzyszący menstruacji. Wychowałam się wśród czterech kobiet, ciągle któraś na coś narzekała i jęczała. James nalegał, żebym poszła do ginekologa, gdy dolegliwości się nasiliły.

Ucieszyłam się, kiedy lekarka stwierdziła, że może pomóc i moje cierpienie nie jest, jak sobie wmawiałam, karą za dawne grzechy. Wiele kobiet miało to samo schorzenie, u niektórych ból był trudny do zniesienia. Mogłam uważać się za szczęściarę. Drobny chirurgiczny zabieg ambulatoryjny i leczenie farmaceutyczne znacząco pomogły. Od wielu lat nie czułam się tak świetnie.

To był dobry moment na dziecko. James miał świetną pracę. Moja kariera stanęła w miejscu. Mogłabym to zmienić, ale po co wracać do pracy, jeśli i tak za parę miesięcy zajdę w ciążę? Wspaniały zbieg okoliczności. Mogłam zostać mamą, nie musiałabym pracować. O czymś takim nie śmiałam kiedyś marzyć.

Wszystkie kawałki układanki znalazły się na właściwym miejscu. Każdemu, kto by mnie zapytał, odpowiedziałabym, że nie chciałam okłamywać Jamesa w żadnej sprawie, a szczególnie w sprawie decyzji o posiadaniu dzieci. Jednak to stwierdzenie samo w sobie było kłamstwem. Nie kłamałabym, gdybym nie chciała. Powiedziałabym prawdę, że ciągle biorę środki antykoncepcyjne i nie jestem pewna, czy chcę zajść w ciążę.

Przede wszystkim nie widziałam, czy w ogóle zdołam zajść w ciążę.

Endometrioza może powodować bezpłodność, ale nie musi. Podobnie poronienie, które miałam wcześniej. Przytrafiło mi się jedno i drugie, ale James wiedział tylko o tym pierwszym.

Nie byłam pewna, czy mogę zajść w ciążę, ale bałam się poznać prawdę. Decyzja o posiadaniu dziecka to niezbywalne prawo kobiety. Zależy jednak również od przychylności sił wyższych, więc nie wiedziałam, czy nie wkurzyłam Pana Boga, pokazując mu w sprawie prokreacji kciuk skierowany w dół.

Wychodząc z gabinetu doktor Heinz, zamierzałam pojechać prosto do domu, gdzie czekały sterty prania do złożenia, a mop i odkurzacz wręcz nie mogły się mnie doczekać. Planowałam też wyrwać chwasty w ogródku i zapłacić kilka rachunków.

No i był jeszcze gość w domu.

James i Alex zasiedzieli się wczoraj do późna. Zostawiłam ich samych ze wspomnieniami, a głośny śmiech wybijał mnie ze snu. James wsunął się do łóżka pomiędzy szczebiotem ptaków a świtem, gdy można jeszcze przekonać organizm, że wcale nie imprezowało się całą noc. Śmierdział piwem i papierosami. Obudziło mnie chrapanie. Leżałam, nie mogąc zasnąć.

Chociaż zarwał noc, wstał wcześnie i wyszedł do pracy, jakby nigdy nic. W domu panowała cisza, gdy wychodziłam załatwiać swoje sprawy. Drzwi do pokoju Alexa były zamknięte, nie dobiegały stamtąd żadne odgłosy.

Alex nie był moim przyjacielem, a mimo to James nie przejmował się zostawieniem mu świeżo zaparzonej kawy w ekspresie, ręczników czy pościeli na zmianę. Nie zamierzałam zajmować się praniem rzeczy Alexa. Zostawiłam jasne instrukcje, jak korzystać z pralki i gdzie jest proszek. Zrobiłam to, co powinna zrobić dobra gospodyni. Zaplanowałam wizytę w sklepie spożywczym, musiałam kupić steki i kukurydzę na wieczornego grilla. Celowo wypełniłam cały dzień różnymi zajęciami, by być poza domem.

W naszym domu często bywali goście. Chociaż był mniejszy od większości budynków przy Cedar Point Road, mieliśmy trzy sypialnie i wykończoną piwnicę, którą też można było zaadaptować na pokój. A co najważniejsze – własny kawałek jeziora, małą piaszczystą plażę i żaglówkę. Do parku rozrywki Cedar Point jechało się od nas zaledwie kilka minut. Często żartowaliśmy z Jamesem, że nasza popularność znacząco wzrastała latem, gdy przyjaciele wpadali w odwiedziny, by skorzystać z mnóstwa turystycznych atrakcji hrabstwa Erie.

Różnice pomiędzy zwykłymi wizytami a obecną były na tyle duże, że urastały do rangi problemu. Po pierwsze, tamci goście byli naszymi wspólnymi przyjaciółmi, nie tylko Jamesa. Po drugie, wtedy miałam stały etat, a łatwiej strawić gości, gdy widuje się ich tylko przez kilka wieczornych godzin. Liczyłam, że Alex pojedzie na kolejne spotkania, które zabiorą mu cały dzień.

Problem był w tym, że nie wiedziałam, co o nim myśleć. Nie chodziło o to, co mówił lub robił, czy też czego nie powiedział i nie zrobił. Jechał cały czas po bandzie i wycofywał się w odpowiednim momencie. Zniosłabym, gdyby tylko flirtował ze mną, ale to było chyba coś innego. W dodatku nie wiedziałam co.

Zmusiłam się, by w ramach relaksu pójść do salonu mebli ogrodowych, których wcale nie potrzebowaliśmy. Przetestowałam bambusowe fotele i stoły. Podobały mi się, były wygodne i trwałe. Obejrzałam zestawy przyborów do grillowania. Takie piękne i błyszczące, zapakowane w specjalne walizeczki.

Wmówiłam sobie, że nie mam nic przeciwko pobytowi Alexa w naszym domu. Było to jednak kolejne kłamstwo, z którego zdałam sobie sprawę pewnego ranka, gdy długo się zastanawiałam, czy mogę pójść do kuchni w koszuli nocnej.

– Witam! Jestem Chip! Widzę, że interesuje się pani zestawem Exotica!

Te radosne okrzyki pochodziły od młodego sprzedawcy, który rzucił się na mnie, gdy oglądałam drogie meble z drewna tekowego, które i tak były za duże na nasze patio. W jego oczach widziałam świecące się dolarówki. Zanim zdążyłam zaprotestować, już opowiadał o korzyściach płynących z posiadania tych mebli, podkreślając odporność na termity.

– Nie mamy problemów z termitami – odpowiedziałam.

– Ten zestaw jest także odporny na warunki atmosferyczne! – zawołał i prawie mnie szturchnął łokciem w charakterystyczny sposób, przypominając mi jednego z bohaterów skeczu Monty Pythona. Roześmiałam się. On też. – No widzi pani? Czyż nie mam racji?

– Jasne. Teraz jest ładna pogoda, ale...

– Ale ten zestaw wytrzyma wszystko, czym matka natura może nas zaskoczyć. Czy ma pani duży ogród?

– Nie bardzo. Nasza działka nie należy do dużych.

– Och. – Dolarówki w jego oczach przygasły.

Aż zrobiło mi się go żal. Wcale nie chciałam, by uwierzył, że zamierzam kupić kosmicznie drogi ogrodowy stół z fotelami. Współczucie nakazało mi jeszcze coś powiedzieć.

– Mamy dom nad brzegiem jeziora, a działka jest piaszczysta i kamienista.

– Och!

Bingo! To chyba było to, co Chip chciał usłyszeć. Domy nad samym jeziorem musiały kojarzyć mu się z dobrą sprzedażą. Poczułam się tak podle, że pozwoliłam mu się wygadać i opowiedzieć w szczegółach o każdym meblu w salonie. Gdy skończył, wybrałam bujaną ławkę i zestaw przyborów do grillowania, których nie potrzebowaliśmy.

Uciekłam od Chipa i jego radosnych pożegnań dźwięczących mi w uszach i stuknęłam się w myślach w głowę. James nie będzie miał pretensji, że wydałam pieniądze. Prawdopodobnie nawet bardzo spodoba mu się zakup. Zawsze cieszył się z nowych rzeczy. Moje samobiczowanie było spowodowane tym, że pozwoliłam się namówić na kupno czegoś, czego nie chciałam i wcale nie potrzebowałam, a zrobiłam to, by nie czuć się winną czyjegoś smutku.

Do tego tym kimś była zupełnie obca osoba! Sprzedawca, którego już nigdy nie zobaczę na oczy! Chętnie bym się spoliczkowała. Chciałam wejść z powrotem do sklepu i odwołać złożone zamówienie, ale zobaczyłam przez okno, jak Chip popisuje się tańcem radości przed kolegami, i zrobiło mi się głupio. Westchnęłam ciężko i wsiadłam do samochodu.

Co gorsza, wyprawa do salonu mebli ogrodowych sprawiła, że chciałam już wrócić do domu. Zrezygnowana, pojechałam do supermarketu i znowu wydawałam pieniądze, tym razem na rzeczy, które miałam kupić i których potrzebowałam. Zawahałam się przed alejką z alkoholami, bo zwykle tam nie wchodziłam.

Dziś jednak, ze względu na gościa, wzięłam butelkę merlota, ulubionego wina Jamesa. Do wózka dołożyłam sześciopak ciemnego piwa. James pewnie wykończył z Alexem cały zapas z lodówki.

Przesunęłam wzrokiem po rzędach butelek z kolorowymi etykietami z obrazkami piratów, kuszących kobiet i lazurowych mórz. Butelki mówiły: „ucieknij", mruczały: „seks", szeptały: „ciesz się życiem". Nici z imprezy, gdy na stole nie ma Bacardi.

No cóż, nie planowałam imprezy, tylko obiad dla trzech osób, więc piwo i wino powinny wystarczyć. Odwróciłam się plecami do butelek i ich zwodniczych śpiewów i wróciłam do domu.

Gdy mnie nie było, Alex wyszedł i zdążył wrócić. Jego samochód, zaparkowany wcześniej na ukos przed garażem, stał teraz prosto. Zaparkowałam na podjeździe, żeby mieć bliżej, złapałam dwie torby z zakupami i weszłam przez drzwi kuchenne. Stanęłam w progu niczym gość. Z salonu dochodziły dźwięki spokojnej muzyki. Ozdobna świeca, którą dostałam od matki, a która leżała zapomniana od kilku miesięcy w kuchennej szafce, paliła się na stole podsuniętym do okien z widokiem na jezioro Erie. Na kuchence w garnkach bulgotały potrawy, na wyspie kuchennej stały półmiski z krakersami, serem, warzywami i dipem.

Gdy weszłam, Alex się odwrócił. W ręce trzymał łyżkę. Miał na sobie wytarte dżinsy biodrówki i rozpiętą koszulę. Spod nogawek dżinsów wystawały bose stopy. Jego włosy były wilgotne, jakby właśnie wziął prysznic i przeczesał je tylko palcami. Miały niezwykły kasztanowy kolor z ciemniejszymi i jaśniejszymi pasemkami.

– Anne – odezwał się po chwili, podczas której tylko gapiłam się na niego w milczeniu. – Pomóc ci z zakupami?

Spojrzałam na torby trzymane w rękach.

– Byłoby miło. Reszta jest w samochodzie.

Odłożył łyżkę na specjalną podstawkę chroniącą blat przed pobrudzeniem. Nigdy z niej nie korzystałam. Alex wytarł ręce w ściereczkę do naczyń.

– Przyniosę wszystko, a ty zostań i napij się wina – powiedział.

Przecisnął się obok mnie, zanim zdążyłam choćby skinąć głową w geście podziękowania. Postawiłam torby na stole kuchennym. Alex odnalazł kieliszki do wina, które dostaliśmy w prezencie ślubnym. W obu połyskiwał rubinowy napój.

Spojrzałam na kuchenkę. Pieczarki i cebulka dusiły się w sosie czosnkowym na bazie masła i wina. W drugim garnku gotował się ryż. W trzecim podgrzewały się kolby kukurydzy. Spojrzałam przez okno na patio. Z grilla wydobywał się dym. Wszystko pachniało cudownie.

– Widzę, że pichcisz – rzuciłam, gdy wrócił do kuchni z zakupami.

– To nic wielkiego – odparł, stawiając torby na stole. Wziął w ręce kieliszki z winem i podał mi jeden. – Pomyślałem, że na coś się przydam i ugotuję obiad.

– Nie musiałeś.

Jego uśmiech wypełnił mnie ciepłem.

– Ale chciałem.

– Pięknie pachnie. Znalazłeś wszystko, czego potrzebowałeś?

– Jasne. Muszę przyznać, że to miasto sporo się

zmieniło. O mało się nie zgubiłem, szukając supermarketu. Nie podejrzewałem nawet, że otworzą tu delikatesy.

– To zależy, jaki standard wystarcza, by uznać sklep za delikatesy – zauważyłam.

Boże, ten uśmiech, westchnęłam w myśli. Powolny, leniwy, obiecujący godziny przyjemności. Ciekawe, ile nóg już rozchylił tym uśmiechem?

– A ty masz wysokie standardy? – Upił wina i spojrzał na mój kieliszek. – Nie lubisz czerwonego? Kupiłem też różowe.

– Nie, dziękuję. Ja po prostu nie przepadam za winem. – Potrząsnęłam głową.

– To może chcesz piwo? Kupiłem skrzynkę Black and Tan. Coś ci muszę powiedzieć, Anne. Singapur jest uroczym miejscem, ale absolutnie nic nie pobije przydrożnych barów piwnych w Ohio.

– Nie chcę piwa.

Sięgnął do jednej z toreb z moimi zakupami.

– Widzę, że ty też kupiłaś wino i piwo. Nie napijesz się?

– Nie, nie piję alkoholu.

Alex dopił wino i odstawił kieliszek na blat.

– Ciekawe.

Postawiłam kieliszek koło zlewozmywaka, ale nie odważyłam się wylać zawartości.

– Co w tym ciekawego? – spytałam.

Pokrywka garnka z duszącymi się pieczarkami i cebulą zaczęła podskakiwać na unoszącej się parze. Odsunęliśmy się od ognia. Kuchnia, jak i cały dom, nie była przestronna, więc stare przysłowie „Gdzie kucharek sześć..." pasowało do sytuacji jak ulał. Dwie osoby przy kuchence to już tłok. Postronny obserwator uznałby rozgrywającą się scenę za dziwaczny balet. Alex rzucił się, by podnieść pokrywkę, ja wygięłam się, żeby mu to ułatwić. Jedną ręką zdjął pokrywkę i zmniejszył gaz, drugą podtrzymał mnie za plecy, ale nie żeby odepchnąć albo pogłaskać. Raczej żeby uchronić przed upadkiem.

– Mam nadzieję, że jesteś głodna – powiedział.

– Wręcz umieram z głodu. – Burczenie w żołądku potwierdziło moje słowa.

– Świetnie.

Spojrzeliśmy na siebie. Kąciki jego ust zadrgały. Nie byłam pewna, czy podoba mi się, jak na mnie patrzy. Nie byłam też pewna, czy mi się nie podoba.

– Nieźle sobie radzisz w kuchni. – Zerknęłam na kuchenkę, potem znowu na niego.

Alex położył dłoń na sercu i lekko zbliżył się do mnie, tak że poczułam zapach wody kolońskiej. Tej samej, co poprzedniego dnia – korzennej i egzotycznej. Męskiej, a jednak kwiatowej. Spod opadających na czoło włosów rzucił mi czarujące spojrzenie, z którego mocy doskonale zdawał sobie sprawę.

– Nie myśl, że kawalerskie życie to tylko pizza i piwo. Jak nie masz nikogo, kto dla ciebie gotuje, to radzisz sobie sam.

– Może podszkoliłbyś trochę Jamesa? – odparłam, chowając zakupy do lodówki.

– Jamie nigdy nie musiał gotować. Mama i starsze siostry wystarczająco o niego dbały, a teraz ma żonę.

– No tak.

– A ty o niego też dobrze dbasz. – Uśmiechnął się od ucha do ucha.

Nie potrafiłam ocenić, czy prawił komplementy, czy chciał mnie obrazić.

– Wzajemnie o siebie dbamy – skwitowałam.

Zamieszał w garnku z grzybami i cebulą.

– Biedny Alex nie ma nikogo, kto by o niego dbał. Dlatego nauczyłem się gotować, żeby co wieczór nie chodzić po dania na wynos.

– I dobrze ci to wychodzi.

– W takim razie mój diabelski plan się powiódł – odparł. – Bła-ha-ha.

Najśmieszniejsze było, że nie wiedziałam, czy żartuje, czy nie. Nie dał mi nawet chwili, bym mogła to ocenić. Wyprostował się, położył dłoń na moim ramieniu i zaprowadził na patio, usadził w wygodnym fotelu i nakazał wysoko oprzeć nogi. Śmiałam się, lekko zażenowana, ale tylko wykrzywił usta w uśmiechu.

– Dziś zapewniam pełną obsługę. Siedź, przyniosę coś, co na pewno wypijesz.

Przewrócił steki i zniknął w kuchni. Wrócił po chwili ze szklanką mrożonej herbaty, półmiskiem serów, krakersów i postawił wszystko na małym stoliczku koło fotela.

– Mogłabym tak mieć codziennie – powiedziałam.

Wzięłam mrożoną herbatę. Chociaż słońce jeszcze nie zachodziło, znad jeziora ciągnął chłód. Chyba czeka nas zimna noc, dobrze byłoby rozpalić w kominku, pomyślałam. Po sprawdzeniu steków i wyłączeniu gazowego grilla Alex wyciągnął się w fotelu naprzeciwko mnie, krzyżując swobodnie nogi. Jego koszula rozsunęła się na boki i odsłoniła pierś i brzuch. Nie mogłam zrozumieć, jak może nosić takie niskie biodrówki.

– Nie będzie ci przeszkadzało, jeśli zapalę? – zapytał.

– Nie.

Moi rodzice od zawsze palili papierosy i nadal palą. Smród tytoniu wnikał w ich ubrania, oddech, włosy, skórę. Alex nie śmierdział tytoniem, był za to przesiąknięty wodą kolońską, czosnkiem, masłem i winem.

Zapalił i zaciągnął się głęboko. Nigdy nie nauczyłam się palić, ale umiałam docenić widok seksownego faceta z papierosem.

– O której godzinie nasz kochany Jamie wraca dziś do domu? Steki są gotowe i cała reszta też.

– Zwykle około szóstej, czasem trochę później, jeśli coś mu wypadnie.

Alex zrobił zdziwioną minę.

– Ooo... Coś ekstra, taaak?

Rozśmieszył mnie sposób, w jaki to powiedział. Często się przy nim śmiałam... Teraz tylko zadrgały mu lekko kąciki ust.

Trzymałam szklankę z mrożoną herbatą przed ustami, gdy nagle poczułam się, jakby ktoś walnął mnie w głowę. Szelmowski uśmieszek i charakterystyczne ułożenie ust Alexa... Tak uśmiechał się James, gdy chciał być seksowny. Ten grymas różnił się od jego normalnego uśmiechu jak dzień od nocy, wyglądał jak podróbka. Już wiedziałam czemu!

Ukradł go Alexowi.

Ta świadomość wywołała naprzemienne fale gorąca i zimna spływające po kręgosłupie. Przełknęłam z trudem łyk herbaty, prawie się zakrztusiłam. Byłam kompletnie zaskoczona. Zamrugałam oczami, by powstrzymać łzy.

Obserwowałam Alexa, gdy zaciągał się i wypuszczał dym. Patrzył na drugi brzeg jeziora, w stronę błyszczących świateł parku rozrywki.

– Pracowałaś tam kiedykolwiek? – zapytał.

– Nie. Mieszkałam przy Mercy Street, po drugiej stronie miasta, i nie miałam samochodu.

– Ja też nie. Dojeżdżałem rowerem.

– Dorastałeś w mieście...

James i siostry mieszkali w domu na jednym z ładniejszych osiedli podmiejskich. Rodzice nadal tam mieszkają, a siostry wraz z mężami w bliskiej okolicy.

– Tak. Matka i ojciec wciąż tam mieszkają.

Właśnie nakładałam na krakersa plasterek goudy, ale słysząc to, podniosłam wzrok.

– Naprawdę?

Uśmiechnął się znad papierosa, nadal patrzył na park. Po chwili spojrzał na mnie przymrużonymi oczami, w których dostrzegłam szelmowski błysk.

– Taaa...

A jednak był tutaj. Z Jamesem. Ze mną.

Mogło istnieć tysiąc powodów, dla których nie zamieszkał w rodzinnym domu. Nawet nie musiałam się zbytnio wysilać, by zgadnąć, o który chodziło. Jego słowa „rodziny są do bani" tłumaczyły wszystko. Musiałam wyglądać na zdziwioną, bo Alex uśmiechnął się lekko i zazgrzytał zębami.

– Między mną a moim starym nigdy nie układało się dobrze.

– Przykro mi.

Wzruszył ramionami i zgasił papierosa o pustą puszkę po coli.

– Nie widziałem się z nim, odkąd wyjechałem do Azji. Mama dzwoni do mnie od czasu do czasu.

– Z mamą dobrze ci się układa?

– A tobie z twoją?

Zdziwiłam się jego tonem na pograniczu kpiny.

– Dobrze mi się układa z obojgiem rodziców.

– A z rodzicami Jamiego?

– Z nimi też.

– Ach, ach, ach. – Alex pogroził mi palcem. – Nieładnie tak kłamać, Anne.

– Znasz ich dłużej ode mnie.

– To prawda. – Kliknął srebrną zapalniczką, ale nie zapalił papierosa. Płomyk zachybotał i zgasł. Zapalił go jeszcze raz. – To nie ja związałem się z synalkiem Evelyn.

– Ma dobre intencje.

– No jasne. – Alex wstał i podszedł do poręczy balustrady. Popatrzył na jezioro. – Oni wszyscy mają dobre intencje.

Usłyszałam chrzęst kół na podjeździe. To był James. Kamień spadł mi z serca, bo rozmowa z Alexem skręcała w dziwnym kierunku. Wstałam, żeby przywitać się z mężem. James przeszedł przez kuchnię jak tornado, zgarniając po drodze małe marchewki. Pchnął drzwi z siatką przeciwko owadom tak, że obiły się o ścianę domu.

– Kochanie, wróciłem!

Nie patrzył na mnie, gdy to mówił.

Alex odwrócił się i wywrócił oczami.

– W samą porę, skurwielu. Zdychamy z głodu.

– Wybacz, stary! Nie każdy jest równie bogatym fiutem jak ty.

James złapał mnie za szyję w sposób, jakiego nie cierpiałam, bo mierzwił mi włosy i ciągnął mnie do dołu. Pocałował mnie w policzek. Teraz pachniałam marchewkami.

– No proszę cię, ty kutasie! – zaczął Alex. – Zapracowywałem się na śmierć w tej firmie. Mam teraz miesiąc albo dwa wolnego, ale to nie znaczy, że jestem fiutem.

– Jasne – odparł James. – Byłeś nim znacznie wcześniej!

Alex chrząknął i zbliżył się do nas. Tworzyliśmy trójkąt – dwóch przystojnych facetów i ja. Która kobieta nie chciałaby wziąć udziału w takiej imprezce?

– Kurczę, wspaniałe zapachy! – wykrzyknął James i pocałował mnie w skroń. – Co tam macie? Steki?

– Alex wszystko przyrządził – wyjaśniłam.

James podniósł pokrywę grilla i zahuczał na widok trzech wielkich, soczystych steków.

– Stary... Dobra robota!

Alex wsunął zapalniczkę do kieszeni dżinsów.

– Lepiej zacznijmy już jeść, dupku.

Dupek. Skurwiel. Fiut. Kobiety używały wulgarnych słów jedynie w gronie najlepszych przyjaciół, a mężczyźni z łatwością, jakby to były imiona ich pluszowych misiów z dzieciństwa.

Jedliśmy na patio, stykając się kolanami wokół małego, chybotliwego stolika. Nie smakowałoby lepiej, nawet gdybyśmy mieli ekskluzywny tekowy zestaw ogrodowy. Faceci rozmawiali. Gadali jak najęci. Głównie milczałam, słuchałam, szukając klucza do ich przyjaźni.

Co było spoiwem? Co sprawiało, że tak długo przetrwała? Dlaczego na wiele lat obumarła, a teraz odżyła?

– Jasna cholera! – wykrzyknął z podziwem James, gdy Alex wniósł biszkopt z pianką śmietankową i owocami. – Spójrzcie na to mistrzostwo świata!

Alex przygotował deser w szklanej salaterce na nóżkach, którą, podobnie jak kieliszki do wina, dostaliśmy w prezencie ślubnym. Nie mogłam uwierzyć, że nigdy nie wpadłam na pomysł, by tak wykorzystać to naczynie.

– Pierdol się, stary! – Alex pokazał Jamesowi środkowy palec tuż przed nosem.

James odepchnął jego dłoń.

– I pierdol konia, na którym przyjechałeś.

Alex usiadł i włożył łopatkę do salaterki.

– Sami sobie nakładajcie.

Pochwyciłam jego spojrzenie. Nie wydawał się poirytowany podziwem Jamesa. Obaj pili wino do obiadu, a teraz jeszcze Alex otworzył piwo. Wręczył mi łopatkę do nakładania ciasta.

– Anne pierwsza.

– Jestem pełna... – zaprotestowałam, ale ani James, ani Alex nie chcieli tego słuchać, więc dla świętego spokoju ustąpiłam.

– Alex, obiad był przepyszny. Wielkie dzięki – powiedziałam.

Machnął leniwie ręką, skupiając uwagę na Jamesie.

– Drobiazg.

– Uważam, że powinieneś udzielić Jamesowi kilku lekcji. Ledwie potrafi zalać płatki śniadaniowe.

– Bo mamunia robiła mu kanapki i szykowała lunch, dopóki nie wyjechał do college'u – oświadczył Alex bez cienia złośliwości. – Moja zbyt często była w stanie, w którym nie dałaby rady nic ugotować.

Nastąpił kolejny krępujący moment, ale chyba tylko dla mnie. Nieważne, jak źle wyglądało życie domowe Alexa, obaj wiedzieli o tym wszystko i przyjmowali jako oczywistość.

– Daleko zaszedłeś od grillowanych kanapek z serem i mortadelą, stary. To było popisowe danie Alexa.

Obaj roześmiali się. Skrzywiłam się z obrzydzenia.

– Jadłam zupę pomidorową ze stopionym serem, ale grillowany ser z mortadelą? Okropność!

– W domu Jamiego jedliśmy kanapki z masłem orzechowym i dżemem, a do tego chrupki kukurydziane w polewie karmelowej.

– A w jego domu jedliśmy grillowane kanapki z serem i mortadelą, a do tego Jacka Danielsa.

Znowu wybuchnęli śmiechem. James kończył deser. Alex nie dał rady. Gdy Alex skarżył się, że nie ma nikogo, kto by o niego zadbał, zakładałam, że mówi o teraźniejszości.

– Żartujecie sobie, co?

Alex spoglądał na Jamesa, ale on patrzył na mnie.

– Nie. To mnie przypadł wątpliwy honor ubzdryngolenia naszego kochanego Jamesika po raz pierwszy – powiedział.

– Ile mieliście lat?

– Piętnaście – odparł James, kręcąc głową. – Wypiliśmy pół butelki Jacka Danielsa, którą zwędziliśmy staremu Alexa, oglądaliśmy magazyny porno i wypaliliśmy paczkę cygaretek, które odkupiliśmy od jakiegoś szczeniaka w szkole.

– To był Spryciarz Pete.

– Kto? – Patrzyłam zdziwiona to na jednego, to na drugiego.

– Taki dzieciak, który mógł załatwić wszystko. – James się roześmiał. – Dlatego nazywali go Spryciarz Pete.

Lubiłam takie historyjki. To było jak poznawanie sekretów. Fascynowała mnie możliwość przeniknięcia do przeszłości męża.

– Jak się poznaliście? – zapytałam.

James spojrzał na Alexa, który odpowiedział:

– W ósmej klasie u pani Snocker.

– Dobra stara Hocker Snocker – wtrącił James.

– Heather Kendall przeniosła się do innej szkoły przed wakacjami – ciągnął dalej Alex. Nalał piwa do szklanki i odstawił pustą butelkę. – A reszta, jak to mówią, jest słodką tajemnicą.

– Kennedy, Kinney – wyjaśnił James. – Alex siedział przede mną. Pierwszego dnia szkoły przyszedł w zajebistej skórzanej kurtce z mnóstwem pieprzonych zamków błyskawicznych, jakby ściągnął ją z Michaela Jacksona...

– Moja była czarna, fiucie – oświadczył Alex pogodnie. – Michael miał czerwoną.

– No dobra. Do tego poprzecierane dżinsy, biały T-shirt, czarne motocyklowe buty i czarna pedalska kurtka.

Oczy Alexa rozbłysły.

– Którą często ode mnie pożyczałeś, bo mamusia nie pozwalała ci ubierać się jak inni kolesie.

– Spoko, człowieku, spoko. – James wysączył piwo.

Słuchając ich odzywek, czułam się jak na meczu tenisowym. „Pedalska kurtka”? Nigdy nie słyszałam, żeby James użył słowa „pedał”. Było tak obraźliwe, że zupełnie nie pasowało do jego stylu. Nigdy też nie opowiadał dowcipów o Żydach czy Polakach.

Alex nie poczuł się dotknięty.

– Mamuńcia Jamesa kazała mu nosić dziwaczne szorty w kratkę i koszulki polo. I pantofle na jacht. Do tego swetry zarzucone na plecy. Chryste, chłopak wyglądał, jakby wylazł z katalogu ciuchów żeglarskich dla pedziów.

James zaczął się tak śmiać, że nie był w stanie nic odpowiedzieć. Pokazał tylko środkowy palca. Alex, który do tej pory próbował zachować powagę, także wybuchnął niepohamowanym śmiechem. Ich słowna utarczka zeszła do poziomu wesołej wymiany obelg. Coraz lepiej się bawiłam.

– ...pieprzony odrzut z „Grease”...!

– Model z magazynu dla bogatych modnisiów z włosami na żel zaczesanymi do tyłu! Pan Różowe Polo!

– Oj! Pierdol się, dupku! Ta koszulka była świetna!

– Jasne, jasne, skoro tak mówisz. Poczekaj... Domyślam się, że teraz ubiera cię Anne, bo wyglądasz o niebo lepiej niż kiedyś.

– No proszę! Odezwał się Mister Model Ameryki!

Obelgi przeszły w chichot i wulgarne gesty. Jak na komendę odwrócili się nagle w moją stronę, a ja nie wiedziałam, co powiedzieć.

– Ty mu wybierasz ciuchy, Anne? – zapytał Alex.

– Wcale nie. – Spojrzałam na Jamesa, który triumfalnie wystawił środkowy palec. Nie zdawałam sobie sprawy, że ten ruch może wyrażać tyle różnych emocji.

– Nie ubiera mnie. – James rozsiadł się w fotelu, z ręką na brzuchu. – Kurwa, ale jestem obżarty!

Spojrzałam na jego robocze ubranie – poplamione smarem dżinsy i równie brudną koszulkę z logo jego firmy Kinney Designs. Całości często dopełniały bejsbolówka albo kask ochronny i skórzane buty robocze z metalową osłoną na palce. Gdy nie szedł do pracy, potrafił się dobrze ubrać. To była jedna z tych rzeczy, które od razu dostrzegłam, kiedy się poznaliśmy. Zastanawiałam się teraz, czy umiejętność dobierania odzieży zwędził przyjacielowi, któremu podkradł szelmowski uśmieszek.

– Dzięki za obiad, Alex. Był przepyszny. – Wstałam, by zebrać talerze i serwetki.

– Hej, Anne. Zostaw to!

– Dlaczego?

– Nie sprzątaj. Posiedź z nami. – Alex sięgnął po papierosa i zapalił. – Pogadajmy.

Usiadłam, chociaż nie miałam wiele do powiedzenia. Łączyły ich lata wspólnej historii, w której nie brałam udziału. Gdy spotykałam się z siostrami albo dawnymi koleżankami ze szkoły, było dokładnie tak samo, dlatego doskonale to rozumiałam i nie czułam się odsunięta na bok.

– Spójrzcie na jezioro! – zawołał James.

Zapadła noc. Niebo było bezchmurne, blask gwiazd i księżyca odbijał się w powierzchni wody. Cudowny widok. Po raz kolejny zrozumiałam, dlaczego uwielbiam mieszkać nad jeziorem, chociaż nie lubię po nim żeglować.

Alex wstał.

– Wiesz, co musimy zrobić, człowieku.

James zaczął się śmiać.

– Nic z tego.

– I owszem. – Alex spojrzał przeciągle. – No, dalej. Przecież wiesz, że tego chcesz! Anne, powiedz mu, że tego chce.

– Czego? – zapytałam ostrożnie, śmiejąc się.

– Nic z tego, stary! Mamy sąsiadów! – James osłaniał się przed rękami Alexa.

– No dalej, ty cipo! – Alex złapał za koszulkę Jamesa i ciągnął go do góry. – Przecież tego chcesz!

Oczywiście, że James chciał, bo wstał, odpychając rękę przyjaciela.

– No, dobrze, już dobrze!

– Co zamierzacie zrobić? – zapytałam.

Ich wygłupy były zabawne, ale poczułam lekki niepokój.

Alex zdjął koszulę. Jego ręce powędrowały do guzika dżinsów. Spojrzał na mnie. Uśmiechnął się, a ja głośniej przełknęłam ślinę.

– Jesteś na to gotowa, Anne?

Spojrzałam na jezioro, falujące delikatnie w blasku księżyca

– Kąpać się w jeziorze, teraz?

– Na golasa – wyjaśnił James, ściągając koszulkę przez głowę. – Alex, Anne nie lubi pływać.

– Przecież umie.

Nasze oczy się spotkały. Palce Alexa odpięły guzik i zaczęły rozsuwać zamek. To było jak wyzwanie, które od razu przegrałam, bo najpierw popatrzyłam na jego krocze, a dopiero potem na twarz.

James zrzucił dżinsy i stał w bokserkach, z rękami na biodrach.

– No dalej, cipo. Mieliśmy się kąpać.

– Czekam na Anne, może da się namówić.

– Nie. – Pokręciłam głową. – Bawcie się dobrze.

– Na pewno nie? – Alex próbował być jeszcze bardziej czarujący.

– Nie kąpię się w jeziorze – odparłam z uśmiechem na twarzy, patrząc prosto w jego oczy. Nie uciekałam już wzrokiem.

James wiedział, jak często budziły mnie koszmary senne. Rozumiał, dlaczego nie chcę iść z nimi popływać, chociaż nie znał źródła mojego lęku przed wodą. Pogłaskał mnie po włosach i pocałował.

– No, dalej, stary! – zawołał. – Idziemy!

Alex stał przez moment bez ruchu, jakby pozował do portretu. Uśmiechając się, ściągnął spodnie. Zmrużyłam oczy i zasłoniłam dłonią, udając skrępowanie nagością, na co tylko się roześmiali. Usłyszałam tupot bosych stóp na deskach patio i chlupot wody, gdy biegli wzdłuż plaży.

Wstałam i oparłam się o poręcz barierki, by na nich popatrzeć. Ochlapywali się wodą, mocowali, wygłupiali, aż wreszcie Alex zanurzył się w jeziorze i wypłynął chwilę później, strząsając wodę z włosów. James zrobił to samo. Trochę pływali, trochę unosili się na powierzchni. Słyszałam odgłosy rozmowy, ale nie wychwyciłam żadnych słów.

W tym czasie sprzątnęłam ze stołu. Przyniosłam ręczniki, rozpaliłam zewnętrzny kominek i zaparzyłam kawę. W końcu przybiegli z jeziora na patio. James uścisnął mnie i pocałował.

– Jesteś cały mokry! – zaprotestowałam, broniąc się przed uściskiem.

– A ty? – szepnął sprośnie z błyskiem w oczach.

– Anne, jesteś boska! – wyznał Alex, widząc ręczniki i dzbanek z kawą na stole. – Jamie, odsuń się i daj mi szansę.

Musiałam wyglądać na zaniepokojoną, bo James roześmiał się, wypuścił mnie z objęć i owijając się ręcznikiem, stanął między mną a Alexem.

– Najpierw włóż coś na siebie – powiedział.

– Obaj się ubierzcie, bo się przeziębicie!

Alex zasalutował, James się ukłonił. Poruszali się niemal jednakowo, nawet tego nie zauważając. Odwróciłam się, by nalać im kawy i dać trochę czasu na ubranie się. Serce zabiło mi szybciej na myśl, że daję Alexowi szansę.

Szansę na co?

ROZDZIAŁ SIÓDMY

Nie dowiedziałam się, bo gdy się ubrali, Alex chyba zapomniał o obietnicy wyrażenia wdzięczności. Obfity obiad i pływanie nie zmęczyły ich, ale ja zaczęłam ziewać. James przyciągnął mnie, położyłam się obok niego na leżaku. Opatulił nas wielkim kocem, chroniąc przed chłodem płynącym od jeziora. W kominku płonęły aromatyzowane brykiety, które niedawno kupiłam. Według etykiety powinny wydzielać zapach nazwany „Świeży Las".

– Według mnie śmierdzą jak dupa – stwierdził James. – I to spocona.

Alex się uśmiechnął.

– A skąd wiesz, jaki to smród?

Przytuliłam się do męża, by było mi cieplej. Oparłam głowę o nieco kościste ramię, ale nie narzekałam. Z tej pozycji mogłam też obserwować Alexa.

– James, chciałabym usłyszeć odpowiedź na to pytanie. – Pod kocem poczułam rękę wsuwającą się między moje uda. Jego zimne palce szybko się ogrzały.

– Powiedziałem tylko, że temu zapachowi daleko do świeżości. Stary, kopsnij fajkę!

Alex rzucił mu paczkę papierosów, James wziął jednego i skierował pudełko w moją stronę.

– Zapalisz?

Spojrzałam na niego, jakby postradał zmysły.

– Anne, ty nie palisz? – Alex zaciągnął się dymem i przytrzymał go w płucach.

– Nie. James też nie. A może jednak pali?

– Tylko wtedy, gdy piję, kochanieńka. – Zapalił papierosa, zaciągnął się i zakaszlał, krztusząc się dymem.

– Ty pieprzona cipo! – zawołał Alex ze śmiechem.

Znowu powymieniali się wyzwiskami. Odetchnęłam z ulgą, gdy James zgasił papierosa, nie próbując się więcej zaciągać. Przysunął się do mnie i położył dłoń na mojej piersi. Kciukiem masował sutek, który zaczął nabrzmiewać. Usta przycisnął do mojej skroni.

Alex siedział naprzeciwko nas, ukryty za kłębami papierosowego dymu, ledwie widoczny w blasku światła padającego z kuchni. On i James pili piwo. Teraz właśnie uniósł butelkę do ust i zapytał:

– Nie pływasz. Nie pijesz. Nie palisz – stwierdził schrypniętym głosem. – Co właściwie lubisz robić, Anne?

– To właśnie cała ja. Skromna dziunia. – Nie uważałam się za skromną dziunię, nic z tych rzeczy.

– Dobraliście się z Jamiem w korcu maku. – Alex oparł stopy na krawędzi naszego leżaka, jedną wsunął między stopy Jamesa, drugą obok mojej stopy.

– Dlaczego nazywasz go Jamie? – zainteresowałam się.

Pod kocem James pieścił moje piersi. Udawałam, że tego nie zauważam, chociaż nie zdołałabym nikogo oszukać.

– A dlaczego ty nie?

Co za niesprawiedliwość. Byli wstawieni, ja trzeźwa, mimo to nie potrafiłam zdobyć się na dowcipną odpowiedź.

– Booo... ma na imię James.

– Tylko Alex mówi na mnie Jamie. – Usta Jamesa poruszyły się przy mojej skroni. Poczułam dreszcz wywołany jego gorącym oddechem i zmysłowymi pieszczotami. Dotknęłam przypadkowo stopy Alexa, a James wykorzystał to, by znowu wsunąć dłoń między moje uda. Przesunął ją wyżej, teraz jego kciuk dotykał łechtaczki.

– Dlaczego nie Jimmy? Albo Jim? – zapytałam.

Alex nie widział, co robił James. Wypili dużo piwa, przestali się przejmować, co wypada, a co nie. Powinnam zachowywać się bardziej powściągliwie, nie mogłam zrzucić winy na alkohol.

– Bo ma na imię Jamie – oświadczył Alex i zamknął temat.

Może dla nich wszystko było jasne, ale czułam się jak outsider. Nie słyszałam połowy ich żartów, nie rozumiałam tych, które usłyszałam.

James zdjął rękę z mojego łona tylko po to, by ująć moją dłoń i położyć na pęczniejącym członku, po czym wrócił w poprzednie miejsce. Jego penis wypychał dżinsy. Jedną dłonią pieścił łechtaczkę, kciuk drugiej wsunął pod biustonosz i drażnił mój sutek.

Nie byłam pijana, ale czułam się lekko oszołomiona. Nie miałam nic przeciwko dotykaniu czy uszczypnięciom tu i tam, jednak James szedł na całego, próbował mnie pobudzić.

Udało mu się. Łechtaczka nabrzmiała jak sutki, chociaż od jego ręki oddzielały ją dwie warstwy materiału. Wszystko przez regularne pocieranie. Pobudził mnie, czułam się wspaniale.

James i Alex rozmawiali, dzieląc się wspomnieniami. Zauważyłam, że unikają niektórych tematów. Zero opowieści o rodzicach Alexa i czasach po zakończeniu nauki w liceum. Drwili jeden z drugiego niemiłosiernie, używali określeń, za które bankowo oberwaliby od innych facetów.

James nadal mnie głaskał i ściskał, a od czasu do czasu mocniej wpychał członek w moją rękę. Czułam powoli narastające podniecenie. Lód też topi się kropelka po kropelce, by w pewnym momencie popłynąć rwącym potokiem.

Dotykał mnie i pieścił mąż, ale patrzyłam na jego przyjaciela, gdy stałam się mokra, a nabrzmiała łechtaczka zaczęła pulsować. Ci faceci – James pełen światła i jego mroczny odpowiednik Alex – wzajemnie się uzupełniali. Ręce Jamesa i głos Alexa. Wspominał właśnie pobyt w Azji. Mówił o sex-shopach, w których można kupić, czego dusza zapragnie.

– Myślałem, że w Singapurze nie ma sex-shopów, bo to nielegalne – zdziwił się James.

Skąd on to wie? – zastanawiałam się.

– No tak, w samym Singapurze nie... ale są w innych miejscach. Zawsze można je znaleźć, wystarczy chcieć.

– A ty chciałeś – stwierdził James ochrypłym głosem.

Noc była coraz zimniejsza, ale mnie i Jamesowi było pod kocem bardzo gorąco. Alex nie przejmował się chłodem. Po prostu zapiął koszulę pod samą szyję.

– A kto by nie chciał, stary? – odrzekł Alex. – Można znaleźć dziewczynę, chłopca, kogo tylko chcesz. Nawet męską pomoc domową dla Anne.

Wewnętrzna strona moich ud już drżała, oddech się rwał, gdy palce męża wygrywały uwerturę na moim ciele. Podniecała mnie nie tyle sama pieszczota, ile raczej fakt, że trwała tak długo, powoli potęgując odczuwaną rozkosz.

– Anne marzy o męskiej pomocy domowej? To dla mnie nowość! – Głos Jamesa brzmiał normalnie, na pewno nie był bliski orgazmu. Moje pieszczoty najwidoczniej tylko utrzymywały go w stanie lekkiego pobudzenia.

– Tak. Anne chce chłopca w stringach, który będzie gotował i sprzątał. – Chichot Alexa wydał mi się diabelski i nieprzyzwoity. – Z drugiej strony... Kto by nie chciał?

– Nigdy nie powiedziałam, że musiałby nosić stringi. – Poruszyłam się i położyłam dłoń na tej, która spoczywała na moim łonie. James nie zrozumiał tego gestu, nie przestawał mnie masować, jednostajnym pocieraniem i uciskaniem doprowadzając powoli do stanu, w którym będę musiała zagryzać wargi i jęczeć z rozkoszy.

– Anne nie potrzebuje chłopca do pomocy. Ma przecież mnie. – James potarł nosem bok mojej szyi. Skubnął ustami. Poczułam język. Zamknęłam oczy.

– Ty, mój przyjacielu, nie potrafisz gotować.

– Prawda – przyznał James ze śmiechem. Nie przestawał mnie pieścić. – Za to ty umiesz. Anne ma teraz ciebie.

Nie przywiązywałam wagi do ich dwuznacznej, na wpół pijackiej wymiany zdań. Skupiłam się bardziej na tym, co działo się teraz między moimi nogami. Złapałam się kurczowo za poręcz leżaka. Zgrałam oddech z rytmem pieszczot Jamesa. W dół i w górę, w dół i w górę...

Czułam, że zbliża się orgazm. Nie potrafiłam się powstrzymać, musiałabym odepchnąć rękę Jamesa i zerwać się na równe nogi. Nawet wtedy nastałby moment, w którym wystarczyłoby pociągnąć za majtki, by potarły łechtaczkę, i to dokończyłoby dzieła.

– Ona nie słucha.

Alex ściągnął stopy z krawędzi naszego leżaka. Otworzyłam szeroko oczy, zamrugałam z przerażenia. Pochylił się, oparł ręce na kolanach, jego twarz oświetliła smuga światła z kuchni.

– Słucha – zapewnił go James.

Orgazm zbliżał się nieubłaganie. Nie wybuchł niczym błyskawica, nadchodził powoli spokojnymi falami. Mięśnie ud napięły się i zaczęły drżeć, oddech się rwał, mrugałam oczami, próbując ukryć, co się ze mną dzieje. Jednak były szeroko otwarte, a ręka mocniej zacisnęła się na podłokietniku. Musiałam ugryźć się w język, żeby nie krzyknąć z rozkoszy.

Patrzyliśmy sobie w oczy, gdy szczytowałam, Alex i ja. On odchylił się i rozparł w leżaku, dopiero gdy orgazm zaczął opadać. Bosą stopę założył na kolano.

– Wiem – zgodził się Alex. – Niestety kiepsko wyglądam w stringach.

Ciepło opuszczało mnie, pozostawiając chłód, który nie miał nic wspólnego z chłodem nocy. Orgazm powinien rozładować napięcie, zamiast tego czułam się jeszcze bardziej spięta i podniecona. Zapadło kłopotliwe milczenie.

Wtedy Alex wstał.

– No, dobra, moje panie. Idę spać. Muszę się wyspać, bo brak snu fatalnie wpływa na urodę.

Zaczęłam się niezdarnie wygrzebywać spod koca i ramion Jamesa, by pożegnać gościa. Nie udało mi się wiele zdziałać. Alex pochylił się, opierając ręce o poręcze naszego leżaka. Znowu poczułam jego zapach, coś między drzewem cedrowym a egzotyczną nutą, do tego woń tytoniu zmieszanego z alkoholem. Jego zapach był równie wielowarstwowy jak osobowość.

Światło padające z kuchni oświetliło mu twarz, przede wszystkim wielkie oczy. Wcześniej myślałam, że są brązowe, dopiero teraz dostrzegłam, że są ciemnoszare. Uśmiechnął się i lekko zachwiał.

– Dobranoc – powiedział. Musnął ustami najpierw mój policzek, potem Jamesa, poklepał nas po głowach i się podniósł. – Do zobaczenia rano.

– Dobranoc – odpowiedziałam.

Obserwowałam, jak wchodzi do domu. Światło w kuchni zgasło, pogrążając nas w ciemności. James od razu przyciągnął mnie bliżej. Jego usta szukały moich.

– Czekałem na ten moment cały wieczór, kochanie. – Skubał moje usta, wsuwał między nie język, zachęcając, bym je rozchyliła.

– James...

Ograniczyłam protest jedynie do położenia dłoni na jego piersiach i odwróceniu głowy.

Wsunął rękę między moje uda.

– Nie mogłem się powstrzymać, musiałem cię dotykać.

– Jesteś pijany.

Znowu ten uśmiech, wierna kopia uśmiechu Alexa. Już wiedziałam, że przyswoił go sobie, ale z kiepskim efektem. To było dla niego za trudne, w jego wykonaniu wydawało się sztuczne, zbyt nachalne.

Nie mogłam jednak zaprzeczyć, że ten uśmiech działał. Widząc go na twarzy Jamesa, dokładnie wiedziałam, co mu chodzi po głowie.

– Podobało ci się, prawda?

– Nie powinniśmy...

Roześmiał się, przytulił mnie i pocałował. Poczułam piwo. Odwróciłam lekko głowę, gdy znowu chciał sięgnąć moich ust. Zadowolił się podbródkiem i szyją.

– Podobało ci się, Anne.

– Nie wiem, co mam o tym wszystkim myśleć – szepnęłam, spoglądając na dom. Światło w pokoju Alexa, widocznym z patio, nie zapaliło się. – To twój przyjaciel! Było...

– Była niezła jazda – mruknął. – Dotykanie cię, podniecanie... Czułem się trochę jak w kinie. Jak w ten weekend u ciebie w akademiku, gdy koleżanka nigdzie nie wyjechała.

– No tak, ale wtedy... – Nie potrafiłam dokończyć.

– Teraz było fajniej – szepnął James. Ugryzł mnie w szyję, delikatnie zaciskając zęby. Syknęłam. – Jestem tak twardy, że mógłbym podnosić nim cegły.

Nie kłamał. Jęknął lekko, gdy go dotknęłam. Gdy wsunęłam rękę w jego dżinsy, zaklął i wypchnął biodra do góry, wkładając mi członek do dłoni.

– Ssij – szepnął. – Przez cały wieczór marzyłem o tym, żebyś go wzięła w usta, Anne.

Powoli rozpięłam rozporek. Odchyliłam dżinsy i uwolniłam go. Pulsował w mojej dłoni. James uniósł biodra, bym mogła zsunąć mu spodnie. Gdy zaczęłam masować ręką w górę i w dół, jęknął.

– Chcesz, bym go wzięła do ust? – zapytałam po cichu, by nie usłyszał nas Alex. – Mam ci obciągnąć, tak?

Lubił, gdy tak mówiłam. Mnie też się to podobało. Gdy się kochaliśmy, nie musiałam nic udawać ani być uprzejma. Nie musiałam gryźć się w język, mówiłam, co myślę.

– Taaak... – jęknął, przeczesując palcami moje włosy. – Weź go do ust i obciągnij mi tak, jak tylko ty potrafisz.

W normalnej sytuacji jego pijackie zaciąganie zniechęciłoby mnie, odsunęłabym się. Zawsze tak się zachowywałam wobec osób nadużywających alkoholu. Dziś jednak wszystko się zmieniło. James nie był ani melancholijny, ani agresywny. Nie siadał za kierownicę, nie mógł nikomu zrobić krzywdy. Alex i James trochę zaszaleli, wypili za dużo. Kiedy indziej byłabym wściekła, ale tej nocy było inaczej.

Może dlatego, że podobały mi się opowieści Alexa. Może dlatego, że upił się na wesoło, a nie na zataczającego się smutasa. Pił, jakby to była umiejętność, jak gra w kręgle albo w golfa. A James, który nigdy nie pił dużo i zwykle po alkoholu był otumaniony i zachowywał się jak głupek, dziś wziął przykład z Alexa. Nie przelewał się przez ręce, wręcz przeciwnie, był zwarty i gotowy.

Okryłam plecy kocem, żeby było mi ciepło, i rozciągnęłam się na leżaku. Członek Jamesa nie mógłby unieść cegły, ale erekcja była całkiem imponująca. Koniuszkiem języka przeciągnęłam wokół żołędzi. Wsuwałam prącie w usta powoli, jakbym chciała się przyzwyczaić.

Nigdy nie podobały mi się monstrualne penisy. Większy nie zawsze znaczy lepszy. Olbrzymie członki z widocznymi na zewnątrz żyłami, takie jak na filmach porno, wielkością przypominające przedramiona noworodków, zawsze mnie przerażały i odruchowo zaciskałam uda. Nigdy nie fantazjowałam o seksie z tak hojnie obdarzonym przez naturę facetem.

James miał gruby członek, krótszy od innych, które poznałam, ale za to o pięknych proporcjach. Potrafiłam wsunąć cały w usta, nie krztusząc się przy tym. Ssanie i lizanie jego prącia sprawiało nam obojgu przyjemność. Uwielbiałam dźwięki, które wydobywały mu się z gardła podczas takiej pieszczoty.

Mogłabym godzinami leżeć między jego nogami, ssąc i liżąc. Teraz członek Jamesa nie potrzebował dodatkowej podniety. Był już gotowy bardzo długo, gdy James mnie pieścił i podniecał się w obecności przyjaciela. Zaczął pulsować, gdy tylko wzięłam go do ust.

Zarzuciłam koc na głowę. Pieściłam go ustami i językiem, przeciągałam dłonią w górę i w dół, ssałam żołądź. Poznałabym go nawet po ciemku. Jego kształt i smak. Czułam, że zbliża się orgazm Jamesa. Nie potrafiłabym udawać, że obciągam laskę komuś innemu.

A może tak?

Nie należy wstydzić się fantazji seksualnych. Jeśli wyobrażasz sobie, że jesteś w łóżku z ulubioną gwiazdą filmową albo rockmanem i dzięki temu masz świetny orgazm, to kogo ranisz? Fantazje stają się problemem dopiero wtedy, gdy są jedynym sposobem osiągnięcia rozkoszy, a nie tylko jednym z wielu, który ją potęguje.

Czasami fantazjowałam, że kocham się z gwiazdami, ale tym razem przed oczami miałam twarz o wielkich szarych oczach i ciemnokasztanowych włosach. Twarz uśmiechała się swobodnie i pachniała grzechem. Nie marzyłam o jakiejś nieosiągalnej osobie, tylko o Aleksie.

– Ooo, jak dobrze... – szepnął James.

Pomyślałam o uśmiechu, który ukradł Alexowi. Dłoń powędrowała mi pomiędzy uda, do majtek, gdzie znalazła miękkie, gładkie ciałko, które już raz tego wieczora przeżyło rozkosz, ale nadal było niezaspokojone. Bez wahania oparłam koniuszek palca na łechtaczce. Dotykałam nabrzmiałego i wilgotnego guziczka.

Pomyślałam o jego uśmiechu. Jego zapachu. O nisko opuszczonych na biodra dżinsach. Bosych stopach. Nagich piersiach.

Ciało pulsowało mi rozkoszą. Palce poruszały się zgodnie z rytmem ust. James jęczał i wił się. Moje podbrzusze napięło się, uda drżały. Łechtaczka pulsowała. Czułam, jakby krocze ożyło, krzyczało z rozkoszy.

Ssałam, lizałam i pieściłam go dłonią. Byłam bliska orgazmu. On też. Świat się rozpłynął, rejestrowałam zmysłami tylko ciemność pod kocem, zapach, odgłosy i smak seksu.

Jego uśmieszek. Niski i zmysłowy śmiech. Palący się w ciemności papieros.

James krzyknął chrapliwie i wytrysnął mi w usta. Połknęłam wszystko. Ja też doszłam, już drugi raz tego wieczora, ostro i mocno, jakby coś we mnie wibrowało. Fotel trzeszczał, gdy wstrząsały nami dreszcze rozkoszy.

Oparłam się policzkiem o udo Jamesa, zamknęłam oczy. James odsunął koc, świeże powietrze omiotło mi twarz. Głaskał mnie po włosach.

– Jasna cholera – mruknął nieco bełkotliwie. – Tak bardzo tego dzisiaj pragnąłem. Nawet nie wiesz jak bardzo.

Po chwili odpoczynku wstaliśmy i powlekliśmy się do łóżka. Zatrzymałam się na moment przed drzwiami pokoju gościnnego, gdy James już wszedł do sypialni.

Myślałam o Aleksie, gdy osiągnęłam orgazm. Była to myśl, przez którą czułabym wyrzuty sumienia, gdyby nie to, że James prawdopodobnie także o nim myślał.

Ranek przyszedł za szybko, chociaż nie piłam. Mimo imprezy do późna w nocy, James był na nogach o zwykłej porze. Obudził mnie szum prysznica i głośny śpiew.

James... śpiewał? Oparłam się na łokciu i nasłuchiwałam. Usłyszałam słowa piosenki. Duran Duran? I to nie z czasów ich wielkiego powrotu na scenę na początku lat dziewięćdziesiątych, ale coś z klasyki, poprzednia dekada. Śpiewał o „błękitnym srebrze". W proteście naciągnęłam kołdrę na głowę, próbując ponownie zasnąć.

Nie wyszło. W świetle budzącego się dnia wydarzenia minionej nocy wydały mi się snem. Czekałam na zażenowanie, poczucie winy. To nie flirt z Alexem tak mnie pobudzał, w końcu reagowałam jedynie na gierki wytrawnego podrywacza. Nie mogłam zapaść w sen z powodu Jamesa.

James śpiewający piosenkę Duran Duran. Pijący alkohol. Nalegający, bym zrobiła mu laskę.

– Dzień doberek. – Nadal lekko wilgotny po prysznicu, James położył się na łóżku obok mnie, by dostać całusa. – Wyspałaś się?

– Tak. A ty?

– Spałem jak kamień. – Uśmiechnął się i znowu mnie pocałował, po czym wyskoczył z łóżka, by się ubrać.

– Dobrze się czujesz? – zapytałam.

Odwrócił się przez plecy, gdy wsuwał na siebie dżinsy i wkładał koszulkę.

– No tak. A dlaczego pytasz? – zdziwił się.

– Sporo wczoraj wypiliście.

– Alex kontroluje ilość wypitego alkoholu, ja też, skarbie. Nie ma się czym martwić – odparł, zakładając skarpetki.

– Nie martwię się. – Uklękłam, objęłam go za szyję i pocałowałam w policzek.

James poklepał mnie po ramieniu i pocałował w usta.

– Nie widziałem go tak długo, Anne. Po prostu dobrze się bawimy. Cieszę się, że u nas zamieszkał.

Wstał i zaczesał mokre włosy lewą ręką, prawą założył czapeczkę bejsbolową. Złapał skórzany pasek i wsunął w spodnie. Komórkę włożył do etui przy pasku, portfel do tylnej kieszeni. Buty robocze, najprawdopodobniej oklejone ziemią z budowy, stały koło drzwi wyjściowych.

– Muszę lecieć – oświadczył. – Kocham cię. Baw się dziś dobrze. – Musiałam wyglądać na zmieszaną, bo się uśmiechnął. – Z Alexem. A może jednak nie baw się aż tak dobrze. I unikaj kłopotów.

Przewróciłam oczami.

– Jakbym pakowała się w kłopoty.

Zaśmiał się.

– Jeśli po powrocie do domu zobaczę, że jest w stringach...

Rzuciłam w niego poduszką.

– Zamknij się już!

Złapał poduszkę i odrzucił w moją stronę.

– Siemka!

– Miłego dnia. – Nagle sobie coś przypomniałam. – Ach, James! Jutro wieczorem spotykam się z siostrami, żeby obgadać imprezę dla rodziców.

Wzruszył ramionami, zakładając wiatrówkę.

– W porządku. My też pewnie wyskoczymy do baru, może pogramy w kręgle. Nie martw się, mała, jesteśmy dużymi chłopcami. Znajdziemy jakieś ciekawe zajęcie.

Dlaczego myśl o tym zajęciu wzbudziła moją nieufność?

– Wiem, że sobie poradzicie beze mnie. Chciałam tylko...

James odwrócił się w drzwiach.

– Co? – zapytał.

– Żebyście uważali na siebie. – Tak naprawdę zamierzałam powiedzieć coś zupełnie innego.

– Przecież zawsze uważamy – odparł wesoło, mrugnął okiem i wyszedł.

Czekałam, aż umilknie odgłos silnika, i dopiero wtedy wstałam przywitać dzień. Nie miałam pojęcia, jak spędzić ranek z Alexem, ale wolałabym, by nie paradował przede mną w stringach.

Jak się okazało, niepotrzebnie się martwiłam. Rano posiedziałam przy komputerze, szukając lokalnej firmy cateringowej. Uwielbiam internet. Widziałam kiedyś taką nalepkę na zderzaku samochodowym: „Internet nie służy już wyłącznie do oglądania darmowej pornografii". Święte słowa.

Siedziałam cicho jak mysz pod miotłą i zupełnie zapomniałam, że nie jestem sama. Zaparzyłam kawę, przeczytałam pocztę, poczatowałam przez kilka minut z koleżanką ze szkoły, która mieszkała zbyt daleko, byśmy mogły się spotykać. Poprawiłam moje CV i postanowiłam umieścić na jakimś portalu ogłoszeń o wolnych miejscach pracy. Ledwie udało mi się założyć konto na jednym z nich, zadzwonił dzwonek do drzwi.

Spojrzałam na zegarek i stwierdziłam ze zdziwieniem, że dawno minęło południe. Nie spodziewałam się nikogo, dlatego zdumiał mnie widok Claire na progu domu. Dziś miała na sobie czarne rybaczki i czarny podkoszulek w białe trupie czaszki, do tego dziwaczne buty w biało-czerwone paski. Włosy schowała pod czerwoną czapeczką bez daszka. Wyglądała bladziej niż zwykle, ale domyśliłam się, że przesadziła z jasnym podkładem pod makijaż.

– Siemanko – rzuciła i przecisnęła się koło mnie, kierując się prosto do kuchni, nie czekając, aż cokolwiek odpowiem. – Umieram z głodu.

– Wiesz, jak otwiera się lodówkę. Obsłuż się sama.

Złapała pojemnik z pokrojonym w kostki melonem i wzięła widelec. Szybko połknęła kilka kawałków i niemal natychmiast nabrała zdrowszego wyglądu.

– Siadaj, siostro. – Wskazałam na krzesło przy stole. – Chcesz kawy?

– Wolę wodę.

Zdążyłam już nalać jej kawy. Spojrzałam na nią lekko zdziwiona.

– Nie chcesz kawy?

Claire się skrzywiła.

– Potrzebny ci aparat słuchowy?

– No dobrze, pij wodę, ale sama sobie nalej.

Zrobiła to i usiadła po przeciwnej stronie stołu. Znalazła też paczkę krakersów, które pewnie były nieco przestarzałe, jednak zjadła je ze smakiem.

– Chyba umawiałyśmy się na jutro na szóstą – oznajmiłam.

– Tak. – Oblizała okruszki z kącików ust i napiła się wody.

– No i? – zapytałam.

– No i nic. Tacie kazali wykorzystać zaległy urlop, więc siedzi w domu. Musiałam się stamtąd wyrwać.

– A czym się zajmuje, zamiast zabrać gdzieś mamę? – Nie kryłam krytyki, ale nie chciałam być zgryźliwa.

– Dużo czasu spędza w warsztacie. – Claire nie była tak delikatna jak ja. Nie próbowała ukryć dezaprobaty, wydętych ust i zmarszczonego nosa.

Niedobrze. Ojciec miał dwa hobby: grę w kręgle i budowanie budek dla ptaków. Jego drużyna kręglarska należy do najlepszych w lidze amatorskiej, natomiast budowane przez niego budki lęgowe były replikami słynnych budowli. Szkoda, że żadne z tych zajęć nie dostarczało mu takiej radości jak picie, które towarzyszyło obu czynnościom.

– Nie do wiary, że nie uciął sobie ani jednego pieprzonego palucha – mruknęła Claire.

– Claire, co ty wygadujesz?!

– No, wtedy mama musiałaby mu jeszcze bardziej usługiwać – skwitowała Caire.

Zjadła kolejny kawałek melona, ja też. Był słodki i tak soczysty, że po chwili miałam całą brodę w soku. Chichotałyśmy jak szalone, gdy wycierałam twarz chusteczką.

Odgłos miękkich kroków na drewnianej podłodze zmusił nas do zwrócenia wzroku w stronę drzwi. Do kuchni wszedł Alex. Miał potargane włosy, ubrany był w spodnie od piżamy, które jeszcze bardziej odsłaniały biodra niż dżinsy. Dlaczego widok bosych męskich stóp jest taki podniecający?

Zniknął za otwartymi drzwiami lodówki. Wyjął z niej resztki steku i ryżu. Podniósł wieczko, wsunął miseczkę do mikrofalówki, nastawił czasomierz i nalał sobie kawy. Wszystko robił, nawet nie obrzuciwszy nas spojrzeniem.

Oczywiście szykował się na moment, gdy będzie mógł poświęcić nam całą uwagę. Gdy zabrzęczała mikrofala, wyciągnął jedzenie i z kubkiem kawy w ręce przekręcił się na pięcie w stronę stołu. Usiadł na pustym krześle obok Claire. Spoglądał to na nią, to na mnie i znowu na nią, popijając kawę. Wydał z siebie długi, niski dźwięk, zapewne oznakę zadowolenia.

– Mmm... Kawa.

Wszyscy wiedzieli, że mi czasem brakuje słów, ale nie pamiętałam, kiedy ostatnio przytrafiło się to Claire. Gapiłyśmy się na niego z otwartymi ustami. Szybciej wróciłam do siebie, bo już go trochę znałam, i wreszcie odzyskałam mowę.

– Claire, to jest Alex Kennedy, przyjaciel Jamesa. Alex, to jest moja siostra Claire.

– Cześć, maleńka. – Alex obdarzył ją powolnym, leniwym uśmieszkiem i zmierzył wzrokiem od stóp do głów, zupełnie jawnie. Odchylił się nawet w bok, żeby przyjrzeć się jej stopom.

– Słodkie buciki – oświadczył i się wyprostował.

– Niezłe portki – odparła Claire.

Alex uśmiechnął się, Claire też. Pokręciłam głową. Spojrzał w moją stronę.

– Dzień dobry, Anne.

– Dochodzi trzecia po południu – poinformowałam, nie kryjąc ironii.

– To przez zmianę stref czasowych – wytłumaczył, popijając kawę.

Claire pochyliła się nad nim i wciągnęła znacząco powietrze nosem.

– A może jednak zwykły kac? – zapytała.

– Może i tak... Czy Jamie poszedł dzisiaj normalnie do pracy?

– Tak.

– To James też dał wczoraj w szyję? – Claire zrobiła zdziwioną minę. – Interesujące.

– Alex ugotował dla nas obiad – wyjaśniłam. – Było wino i piwo.

Nigdy nie zabraniałam nikomu picia alkoholu w domu. Jesteśmy przecież dorośli, nie zamierzałam wypominać nikomu, ile wypił. Mnie to nie sprawiało przyjemności, ale ludzie mają różne upodobania.

– Interesujące – powtórzyła Claire. – Poczęstuj się. – Posunęła miskę z melonem w stronę Alexa.

– Dlaczego to jest takie interesujące? – domagałam się odpowiedzi.

Claire wzruszyła ramionami, a Alex zachichotał. Nie byłam zadowolona, że nagle znaleźli się po przeciwnej stronie barykady niż ja. Dlaczego Claire nagle ubzdurała sobie, że może mnie oceniać? I co to za spiskowanie z Alexem?

– Rozmawiałaś ostatnio z Patricią? – Claire była mistrzynią w zmienianiu tematu.

– Nie, a powinnam?

– Nie wiem. Może. Chyba powinnyśmy ją porwać.

Spojrzałam na Alexa. Nie miałam ochoty roztrząsać przy nim rodzinnych tematów. Grzebał widelcem w talerzu z resztkami z poprzedniego dnia.

– Porwać? – zapytał z ustami pełnymi mięsa i ryżu. – Szykuje się niezła zabawa.

– Nasza siostra, Patricia, wyszła za wielkiego dupka.

– Claire! – zawołałam, próbując jej przerwać.

– Co? Przecież to dupek. Wiesz dobrze, Anne, że Sean zachowuje się od dłuższego czasu jak gnojek – powiedziała do mnie, a Alexowi wyjaśniła: – Trzeba ją oderwać od dzieciaków choćby na jeden wieczór. Poza tym – przekręciła się znowu do mnie – musimy porozmawiać o imprezie.

– Organizujecie imprezę? – Alex natychmiast zainteresował się tematem.

– Dla rodziców. Planujemy urządzić ją w sierpniu. Mają rocznicę ślubu – wyjaśniłam.

– Cztery muszkieterki – wtrąciła się Claire.

– Raczej cztery ofiary – poprawiłam.

Alex przełknął jedzenie i wytarł usta wierzchem dłoni.

– Ja też mam trzy siostry – powiedział.

Wiedziałam, że ma siostry, ale nie wiedziałam ile.

– Naprawdę? – zdziwiła się Claire. – W twoim domu musiał trwać niekończący się festyn napięcia przedmiesiączkowego, ale rozumiem, czym kierowałeś się przy wyborze piżamy.

Roześmiali się, ale mnie nie było do śmiechu.

– Dostałem od przyjaciela.

– A może od przyjaciółki? – Claire sięgnęła po kawałek steku z jego talerza. Pozazdrościłam jej swobody, luzackiego podejścia, na które nie umiałam się zdobyć.

– Nie.

– Od chłopaka? – Uśmiechnęła się złośliwie.

Alex też się uśmiechnął.

– Nie.

– Jak powiesz, że dostałeś ją od mamci, to puszczę pawia.

– Claire, do licha! Jak ty się zachowujesz? – zapytałam. Spojrzałam na nią groźnie, ale tylko wywróciła oczami.

– Och, Anne, wyluzuj. Chłopak ma spodnie od damskiej piżamy i wygląda jak towar do schrupania. Chciałabym wiedzieć, kto mu je kupił.

Alex uśmiechnął się szelmowsko i odepchnął się od stołu. Wstawił talerz do zmywarki i wziął dolewkę kawy. W tym czasie rzuciłam Claire spojrzenie pod tytułem: Nie rozumiem, co to ma za znaczenie.

– Dostałem od kochanka. – Alex podniósł kubek w stronę Claire. – Na urodziny.

Claire pokazała mu uniesiony kciuk, ale ja poczułam się lekko zagubiona.

– Nie od kochanki?

Spojrzał na mnie, ale to Claire odpowiedziała:

– Och, Anne, daj już spokój!

Łypnęłam na nią groźnie.

– Jakie „daj spokój"?!

Pokręciła głową.

– Kochanek czy kochanka to ktoś, kogo pieprzysz – stwierdziła.

Spojrzałam na Alexa, czekając na potwierdzenie. Nic nie powiedział, ale jego milczenie było aż nadto wymowne. Obserwował mnie znad kubka.

– Ach tak – przyznałam, czując się głupio. – Chyba wypadłam z obiegu.

– Nie martw się, siostrzyczko – odparła Claire, wstając i klepiąc mnie przyjaźnie po plecach. – Jadę do centrum handlowego. Słyszałam, że otworzyli nowy butik i szukają sprzedawczyni.

– Poważnie szukasz pracy? – To nie był sarkazm, tylko zdumienie.

– Jasne. Brak kasy to totalna porażka. Tak samo, jak mieszkanie z rodzicami. Został mi jeszcze jeden semestr nauki i dopóki nie znajdę prawdziwej pracy lub nie dostanę stypendium, mogę pracować w centrum handlowym. Potem poszukam bogatego przystojniaczka, sponsora, który zapewni mi odpowiedni poziom życia.

Odwróciła się i mrugnęła do Alexa.

– Masz już kogoś na oku, mała? – zapytał.

– A co? Chcesz mi złożyć propozycję? – Claire się roześmiała.

Doskonale wiedziałam, że oboje lubią flirtować, a jednak poczułam zazdrość. Dlaczego wpatrywał się w nią takimi maślanymi oczami?

– Nie jestem pewien, czy chcę zostać niewolnikiem miłości – oświadczył Alex zmysłowym szeptem. – A jakie masz kwalifikacje?

– Mogłabym powiedzieć, ale nie przy siostrze. Spłonęłaby ze wstydu.

– Chyba ta siostra sobie z tym poradzi – oznajmiłam.

Claire, śmiejąc się, podniosła ręce.

– Lepiej nie wchodźmy w szczegóły. Anne, do zobaczenia jutro na obiedzie. Alex, miło było cię poznać. Spadam stąd.

Przeszła obok Alexa, sięgając do sznureczka ściągającego piżamę w talii.

– Twój kochanek miał niezły gust.

Wyszła kuchennymi drzwiami, zostawiając nas samych. Alex zachowywał się w mojej kuchni, jakby mieszkał tu od zawsze. Z jednej strony cieszyłam się, że czuje się tak swobodnie, ale z drugiej trochę mnie to irytowało i niepokoiło.

– No więc... – odezwał się, gdy zamknęły się za nią drzwi. – To była twoja siostra.

– To była moja siostra. Nie jesteśmy do siebie podobne.

– Tak sądzisz? Widzę pewne podobieństwo.

– Nie miałam na myśli podobieństwa fizycznego.

Wstawiłam do zlewu kubki po kawie. Alex oparł się o blat.

Potargane włosy. Sutki jak dwie miedziane monety na tle skóry koloru drogiego czerpanego papieru. Małe pukle włosów pod pachami i cienka linia włosków zaczynająca się poniżej pępka i znikająca pod spodniami od piżamy w komiksowe wzorki.

Cholera.

– Dziś piątek – powiedział, a ja z trudem oderwałam się od podziwiania jego ciała.

– No i?

Uśmiechnął się i chociaż postanowiłam, że tym razem nie ulegnę czarowi tego uśmiechu, poległam. I to w przedbiegach.

– Mój przyjaciel jest didżejem w klubie muzycznym w Cleveland. Pojedźmy tam dziś wieczorem.

Nie tańczyłam całe wieki. James i ja chodziliśmy do restauracji, do kina, a czasem nawet do baru, ale nigdy potańczyć.

– Bardzo bym chciała. To byłaby dla mnie frajda.

– Więcej niż frajda – powiedział Alex. – To będzie zajebista frajda.

ROZDZIAŁ ÓSMY

Z zewnątrz klub nie różnił się niczym od reszty postindustrialnych budynków w okolicy. Część z nich zamieniono na luksusowe lofty i mieszkania. Resztę zajęły lokale nocne. Kolejka ludzi do wejścia przypominała tę przed parkiem rozrywki, chociaż tutaj już samo obserwowanie ludzi było niezłą zabawą. Większość wybrała czerń. Skóry. Winyle. Spandex. Wielu nosiło ciemne okulary, mimo że zapadła noc.

– Czy nie powinnam czasem włożyć naszyjnika z ząbków czosnku? – szepnęłam do Jamesa, który wybuchnął śmiechem.

Na szczęście nie musieliśmy stać w kolejce. Alex machnął bramkarzowi przed nosem jakąś kartą, powołał się na znajomość z DJ-em i od razu wpuszczono nas do środka. Hol był czarny jak listopadowa noc. Zobaczyliśmy łukowate przejście chronione przez dwóch łysych misiów w obowiązkowych ciemnych okularach.

Ściany tunelu ozdobione były atrapami wszelkiego rodzaju broni palnej.

– Broń. Potrzebujemy dużo broni – zaśmiał się Alex.

– Witajcie w Krainie Czarów – odezwał się głos tuż za drzwiami. – Chcecie czerwoną pigułkę?

Głos należał do bardzo wysokiego faceta ubranego jak drag queen. Czterocentymetrowe rzęsy i wściekle czerwona szminka. Wyglądał jak skrzyżowanie doktora Frank-N-Furtera z *Rocky Horror Picture Show* z postacią z *Matrixa*. Ach, to takie klimaty, dotarło do mnie z opóźnieniem.

– Myślałam, że chodzi o Krainę Czarów Alicji – odparłam. – Wszystko mi się pokręciło.

Nasza „gospodyni" zachichotała.

– Nie jedzcie w środku żadnych grzybków. Jaka fajna trójca. Gostek Numer Jeden, Gostek Numer Dwa i Laseczka Numer Trzy!

Alex, który wręczył mu kilka banknotów, skrzywił usta w uśmiechu.

– A ty co lubisz? – zapytał.

– Mmm... Ja lubię być pomiędzy dwoma twardzielami. A ty? Poradzisz sobie z nimi, Laseczko? Jeśli nie, oferuję pomocną... dłoń!

Chyba jednak nie o dłoń chodziło. Roześmiałam się, nie wiedząc, co odpowiedzieć. Dopiero w tej chwili dotarło do mnie, że Alex i James ubrali się prawie identycznie. Mieli na sobie białe T-shirty i czarne spodnie, z tą różnicą, że spodnie Alexa były skórzane i miały skórzany, nabijany ćwiekami pasek. Obaj ułożyli włosy do tyłu, a w tym świetle wydawały się tego samego koloru. Nie identyczni, ale podobnego wzrostu i budowy. Wyglądali jak niezłe ciacha.

– Musi dać nam radę – rzucił Alex, gdy nadal milczałam. – Na wszelki wypadek będziemy pamiętać o twojej propozycji.

Męska hostessa wręczyła nam trzy czerwone bilety.

– Idźcie z nimi do baru, kochani. Nie zgubcie. I pamiętajcie, żeby koniecznie mnie odszukać, gdybyście czegoś potrzebowali, dobra? Cze-go-kol-wiek! – Posłała całusa w naszą stronę, a my podeszliśmy do bramkarzy.

– Zakaz wnoszenia broni – powiedział jeden z nich całkiem poważnie, co w kontekście wiszących wokół ozdób zabrzmiało jak kiepski żart.

– Szykuje się niezły ubaw – stwierdził Alex.

– Bawcie się dobrze – życzył nam drugi ochroniarz.

Ochroniarze odsunęli się na bok i otworzyliśmy szerokie, pokryte ornamentami podwójne wrota do klubu.

To naprawdę była Kraina Czarów. W holu i przejściu było niezwykle ciemno i cicho, dzięki zastosowaniu idealnego wygłuszenia. Po otwarciu drzwi uderzył w nas basowy rytm, podnoszący ciśnienie w tętnicach i przewracający wszystko w żołądku. Błyskające lasery przecinały wielopoziomowe parkiety służące do tańca. Wokół wisiały klatki ze skąpo ubranymi tancerkami i platformy na podwyższeniach, na których tańczyło roznegliżowane towarzystwo. Dopiero po chwili dotarło do mnie, że na platformach nie pląsają profesjonalni tancerze, lecz goście klubu.

– Chodźcie do baru, zamówimy drinki! – krzyknął James.

Alex przeciskał się do jednego z trzech barów rozlokowanych pod ścianami klubu, ciągnąc za sobą Jamesa.

– Nie marnuj mojego kuponu na drinka, weź dla mnie mineralną! – zawołałam do Jamesa.

Alex zamówił dwie szklaneczki czegoś czerwonego i kanciastą szklaneczkę z buzującą colą.

– Zdrówko! – Pochylił się nade mną i powiedział mi prosto do ucha: – Do dna, Laseczko.

– A wy co macie? – zapytałam.

– Ten drink nazywa się „Czerwona Pigułka" – odpowiedział Alex. – Chcesz takiego?

James upił łyczek, skrzywił się i zapytał:

– Co w tym jest, do cholery?

– Wódka, grenadyna i sok z czarnej porzeczki. – Alex wyszczerzył zęby. – Anne, chcesz takiego drinka?

– Nie. – Podniosłam rękę, by wzmocnić odmowę. – Czuję go z daleka.

Ich identyczne uśmiechy wkurzały mnie mniej niż do tej pory. Może dlatego, że obaj byli przystojni. Może dlatego, że obaj mnie adorowali.

Alex wychylił drinka i odstawił szklaneczkę na ladę baru. James zrobił to samo. Nie chcąc pozostać w tyle, wypiłam szybko colę, chociaż zawarte w niej bąbelki nie zrobiły mi najlepiej. Odbiło mi się. Zdążyłam nawet zasłonić usta dłonią, chociaż przecież przy tak głośnej muzyce nikt nie mógł tego usłyszeć.

– Chodźcie potańczyć! – Alex machnął ręką w kierunku kawałka parkietu odrobinę mniej zatłoczonego niż reszta. Znowu wyciągnął rękę, tym razem łapiąc moją. Złapałam dłoń Jamesa.

Zaczęliśmy tańczyć do zremiksowanego kawałka Soft Cell *Toksyczna miłość*. Tłum wokół nas falował, odbijał się, kręcił. Jak w młynku do kawy. Tańczący łączyli się w łańcuchy, pary, trójkąty. Atmosfera przypominała dziki festyn. Zażartowałam wcześniej, że powinnam mieć naszyjnik z ząbków czosnku, ale patrząc na ludzi dookoła, naprawdę można było oczekiwać widoku wampirzych kłów. Schowana między Alexem i Jamesem, nie musiałam się obawiać żadnych krwiopijców. Było zaje-kurwa-biście.

Tańczyłam z Jamesem na weselach i wakacyjnych imprezach, a czasem nawet w naszym salonie. Kilka razy byliśmy w różnych klubach, ale nigdy w takim miejscu jak Kraina Czarów. Tak, tańczyłam z Jamesem, ale nie tak jak teraz. Nie w taki sposób. Falowaliśmy, ocieraliśmy się o siebie, pieprzyliśmy się w tańcu.

James wsunął kolano między moje uda, a ręce trzymał na biodrach. Za moimi plecami Alex początkowo utrzymywał pewien dystans, ale gdy muzyka nas porwała, a tłum zgęstniał, przycisnął się do mnie od tyłu i położył dłonie na moich biodrach nad dłońmi Jamesa.

W takiej sytuacji nie musiałam nic robić, tylko pozwolić im działać. W jakiś magiczny sposób złapali wspólny rytm. Coś zaiskrzyło między całą trójką. Gdy jeden popychał, drugi ciągnął, w idealnej zgodzie. Doskonale się bawiłam. Z dwoma fantastycznymi facetami tańczącymi wokół mnie na parkiecie. Śmiejąc się, spojrzałam na męża. Szczerząc zęby, pochylił się, by mnie pocałować.

To nie było delikatne cmoknięcie, tylko pełny, głęboki pocałunek z penetrującym językiem. James nie obawiał się okazywania czułości w miejscach publicznych, przytulał się do mnie, trzymał za ręce. Nigdy jednak nie pocałował mnie w ten sposób przy innych ludziach. Pewnie bym się zawstydziła, ale wszyscy wokół zachowywali się tak samo.

Powinnam być skrępowana, że jego przyjaciel ocierał się o mnie. Gdyby James okazał niezadowolenie, ukróciłabym to, ale nie miał nic przeciwko temu. Przyciągnął mnie bliżej, dzięki czemu Alex także znalazł się bliżej nas. Przesunęli dłonie po moich biodrach i... złączyli je. Spletli palce, a ich kciuki uciskały mój brzuch i plecy. Z tyłu czułam chłodny metal klamry od paska Alexa, z przodu James zaczął unosić moją bluzkę i głaskać brzuch.

Rozbrzmiały latynoskie kawałki. Zmysłowe, rytmiczne, zachęcające do kręcenia biodrami. James puścił moje biodra i objął mnie za kark. Pociągnął za klamrę spinającą włosy, by rozsypały się po plecach. Zagarnął je do przodu, przez moment otuliły moją twarz ze wszystkich stron.

Żaden z nich nie przestał się poruszać w zgodnym rytmie. Inne pary i trójkąty rozpadały się i łączyły ponownie, ale nasza trójka była nierozerwalna. Moi partnerzy pochylali się i prostowali. Gdy Alex się odchylał, James lizał moją szyję. Nie bałam się, że upadnę; zawsze któryś z nich mnie podpierał. Razem obrócili mnie w kręgu zrobionym z ich ramion i teraz tańczyłam przodem do Alexa. James przycisnął usta do mojego karku, ukąsił mocno. Głośna muzyka zagłuszyła mój krzyk.

Pot błyszczał na twarzy Alexa, przylepiał koszulkę do torsu. Klamra jego paska dotykała teraz mojego brzucha. James przycisnął się do moich pośladków. Tylko on miał prawo do tak mocnego uścisku. Od dawna nie pragnęłam nikogo innego.

Nie odsunęłam się od Alexa. Może dlatego, że właściwie wyglądał jak James i tak samo się ruszał. Może dlatego, że James nie protestował i pozwalał nam na to. A może zauroczył mnie seksapil Alexa i nie miało to nic wspólnego z Jamesem...

Jednak nie ośmielił się mnie pocałować. To byłoby zbyt wiele jak na pierwszy raz, nawet dla niego. Przyłożył tylko twarz do mojej szyi. Dwóch mężczyzn ocierało się o mnie, oplatało rękami, pieściło zmysłowo.

Bardzo mi się to podobało.

Która kobieta pozostałaby obojętna? Dwóch seksownych mężczyzn skupiających całą uwagę na mnie. Cztery dotykające i pieszczące mnie dłonie. Dwoje poszczypujących mnie ust. Muzyka porwała nas w wir zapomnienia.

Nie dało się jednak kontynuować tej gry w nieskończoność. Gdy zmieniła się muzyka, Alex odsunął się i zawołał:

– Drinki!

James pokazał mu uniesione kciuki.

Nagle poczułam się dziwnie, tańcząc tylko z jednym mężczyzną. James położył dłonie na moich biodrach, pocałował w usta. Przechylał mnie do tyłu i do przodu, tak jak Johnny Baby w *Dirty Dancing*. Zajmowaliśmy tyle miejsca, że ludzie wokół zaczęli narzekać i buczeć. Śmiejąc się, uczepiłam się jego koszulki, i gdy próbował powtórzyć popisowy numer, nie pozwoliłam mu. Zeszliśmy z parkietu i schowaliśmy się w ciemnym kącie.

– Dobrze się bawisz? – zapytał. Przetarł czoło koszulką, odsłaniając umięśniony brzuch, który chętnie pokryłabym pocałunkami.

Skinęłam głową. James oparł się plecami o ścianę

i przyciągnął mnie bliżej. Oparłam policzek o jego piersi, wsunął mi kolano między uda. Oplótł moje plecy ramionami, przyciskając coraz mocniej. Zawsze w takiej chwili czułam się bezpiecznie.

Dopiero po sekundzie zdałam sobie sprawę, że tym razem jest inaczej.

James skrył twarz w moich włosach i głęboko wdychał powietrze.

– Mmm... Mam nadzieję, że Alex odnajdzie nas tutaj z drinkami.

Podniosłam głowę.

– James...

Chciałam zapytać go, czy to, co tu robiliśmy, było naprawdę w porządku. Czy nie krępowało go, że dotyka mnie obcy mężczyzna. Chciałam zapytać, czy ma coś przeciwko temu i... dlaczego nie przejmuje się tym, że się na to zgadzam. Zanim jednak zdążyłam otworzyć usta, pojawił się Alex z dwoma „Czerwonymi Pigułkami" i colą dla mnie.

– Dzięki, stary. – James zaczął wydobywać portfel z kieszeni, ale Alex go powstrzymał.

– Ja stawiam.

James podniósł szklankę w toaście.

– Ooo! Mamy sponsora!

Wychyliliśmy szklaneczki. Cola była za słodka i wcale nie ugasiła pragnienia, chociaż wypiłam ją jednym haustem.

– Idę po wodę – oświadczyłam i podniosłam ręce, powstrzymując obu moich wielbicieli, którzy chcieli mnie wyręczyć. – Muszę też iść do toalety.

– Pospiesz się – poprosił James.

– Nie bój się, nie pozwolę Jamesowi wpaść w żadne tarapaty – obiecał Alex z nieco dwuznacznym uśmiechem.

– Bądźcie grzeczni! – powiedziałam i zaczęłam przeciskać się przez tłum.

Stanęłam przed dwoma drzwiami do toalet, męskiej i damskiej, i chyba byłam świadkiem niebywałego cudu, bo przed damską nie było kolejki. Inaczej niż w barach. Pchnęłam drzwi i od razu zobaczyłam, dlaczego tak tu pusto.

Może i toalety były oznaczone jako męska i damska, ale okazało się, że nikt na to nie zwracał uwagi. Przy umywalkach kłębili się ludzie obojga płci, wszyscy solidarnie korzystali z tych samych kabin. Pochyliłam się, żeby sprawdzić, która jest wolna, i zobaczyłam, że w wielu były po dwie pary butów, a w niektórych nawet po trzy.

– Witaj, Laseczko! – usłyszałam znajomy głos z sofy z obiciem w cętki. – Znowu się spotykamy.

Uśmiechnęłam się.

– Masz przerwę? – zapytałam.

– No wiesz, dziewczyna musi czasem skorzystać z łazienki. Jeśli wiesz, co mam na myśli...

Nie zamierzałam analizować znaczenia słowa „dziewczyna".

– Jasne.

– Pospieszcie się tam, szmaty! – zawołała, uderzając w najbliższe drzwi do kabiny silną ręką. – Ktoś tutaj chce się tylko wysikać!

W kabinie rozległ się śmiech, drzwi się otworzyły i wyszło z niej dwóch młodych mężczyzn. Hostessa chrząknęła i wzniosła oczy do nieba. Faceci pokazali jej środkowe palce.

– Proszę, jest twoja, ślicznotko. Mogę ci potrzymać – zaproponowała i zabulgotała gardłowym śmiechem. – I kiedy mówię, że mogę ci potrzymać, to znaczy, że mogę ci potrzymać.

Śmiejąc się, weszłam do kabiny. Na szczęście zasuwka działała, a biorąc pod uwagę, co się tutaj działo, było względnie czysto. Przykucnęłam i załatwiłam się, zadowolona, że mam spódniczkę, którą mogę przytrzymać, by się nie pobrudziła. Ze spodniami byłby kłopot, na pewno wyświniłabym nogawki. W środku byłam zaledwie minutkę, a gdy wyszłam, zobaczyłam, że toaleta jest pełna ludzi.

Musiałam odczekać swoje w kolejce do umywalki, przysłuchując się dwóm kobietom, które rozmawiały o „pakowaniu", i mogłam się założyć, że nie chodziło o pakowanie walizek. Trzech facetów za moimi plecami obgadywało dziewczynę o imieniu Candy, która najwyraźniej nie rozumiała różnicy między weganką a wegetarianką, co i tak było bez znaczenia, bo jeden z nich stwierdził: „Dobrze wiem, że ta zdzira żre mięcho!". Heteroseksualna para usiadła na sofie. Może i nie chcieli uprawiać publicznie seksu, ale robili wszystko, by tak to wyglądało.

Gdy wreszcie dotarłam do umywalki, czułam się trochę jak Alicja wpadająca do króliczej norki. Umyłam ręce, wysuszyłam i podążyłam za wychodzącymi z toalety imprezowiczami, gotowymi na drinki, tańce i, jak podejrzewałam, obmacywanie się po kątach.

Kupiłam wodę mineralną przy barze i wypiłam pół butelki, zanim ruszyłam z powrotem tam, gdzie zostawiłam Alexa i Jamesa. Parę minut rozglądałam się, by ich odnaleźć. Przesunęłam po nich wzrokiem ze dwa razy, zanim uświadomiłam sobie, że to oni. Szukałam dwóch mężczyzn w białych T-shirtach, a z miejsca, w którym stałam, widać było tylko jednego.

Alex stał przodem do Jamesa. Obaj opierali się o ścianę – James plecami, Alex dłonią. W drugiej ręce trzymał drinka. Pochylił się do ucha Jamesa i powiedział coś, po czym wybuchnął śmiechem, odchylając głowę.

Obok mnie przeszło dwóch mężczyzn, trzymając się za pośladki dłońmi wsuniętymi w kieszenie dżinsów. James znowu się roześmiał; oczy mu błyszczały. Widziałam go takiego tylko raz, z rozchylonymi ustami i na wpół zamkniętymi oczami. Patrzył w ten sposób na mnie, gdy po raz pierwszy poszliśmy do łóżka. Alex przekręcił głowę tak, że widziałam jego profil. Podniósł szklankę z drinkiem do ust, napił się. Gdy opuścił rękę i odwrócił głowę do Jamesa, nie widziałam już ich twarzy.

Stanęłam jak wryta, zapomniałam o butelce wody w ręce, dopóki ktoś mnie nie potrącił. Krople, które spadły na moją dłoń, niemal zaskwierczały na rozpalonej skórze.

Czekałam, aż zaczną się dotykać, ale nie zrobili tego. Czekałam, aż się odsuną od siebie, ale tego też nie zrobili. Dwóch facetów stojących zbyt blisko jak na przyjaciół i nieco zbyt daleko jak na kochanków.

Najwyraźniej musiałam się jednak poruszać, bo nagle znalazłam się tuż przed nimi, chociaż nie pamiętałam, jak tu dotarłam. Alex odwrócił się, żeby popatrzeć na tańczących. Niebieskozielone laserowe światła odbijały się w jego oczach. Włosy miał mokre od potu. Ruszył głową i zauważył, że mu się przyglądałam.

Uśmiechnął się jak mężczyzna przyzwyczajony do tego, że ludzie zwracają na niego uwagę. Mogłam się odwrócić i udawać, że wcale go nie obserwowałam. Pewnie roześmiałby się i nic nie powiedział. Ja jednak nie odwróciłam wzroku.

Skrzyżowaliśmy spojrzenia. Alex odstawił szklaneczkę i wyciągnął do mnie dłoń, którą złapałam bez wahania. Spojrzałam na Jamesa. Uśmiechał się i też patrzył na Alexa. Czułam ciepło jego dłoni. Przyciągnął mnie do siebie. Nie opierałam się. Patrząc na Jamesa, który lekkim skinieniem głowy wyraził aprobatę, pozwoliłam, by Alex zaciągnął mnie na parkiet.

Nie był lepszym tancerzem od Jamesa, po prostu innym. Początkowo nie wiedziałam, gdzie oprzeć dłonie. Trochę trwało, nim złapaliśmy właściwy rytm.

Muzyka była żywa, nie pasowała do zmysłowych ruchów, co mi bardzo odpowiadało. Oczywiście dotykaliśmy się, Alex szczerzył zęby w uśmiechu, jego oczy błyszczały. Obrócił mnie i przyciągnął, teraz moje plecy dotykały jego torsu. Wskazał głową w stronę Jamesa.

– Wygląda na takiego samotnego... Zlitujemy się nad nim i zaprosimy do nas?

Moje ręce znalazły doskonałe oparcie na ramionach obejmujących mnie od przodu.

– Nie.

– Nie? – Odwrócił mnie przodem do siebie. Oparł ręce na biodrach tuż nad pośladkami. Jeszcze przyzwoicie, chociaż już niezbyt bezpiecznie. Lubił poruszać się po krawędzi.

Wiem, jak działam na mężczyzn. Minęło sporo lat od czasu, gdy ostatnio flirtowałam, ale nie zapomniałam, jak to się robi. Flirtowanie to gra, która rządzi się swoimi regułami.

Splotłam palce na jego karku. Uśmiechnął się i przycisnął mocniej. Nie słyszałam już muzyki, ale rytm nadal pulsował mi w brzuchu. Współgrał z uderzeniami serca. Położył jedną dłoń między moimi łopatkami, dokładnie w tym samym miejscu, w którym położyłby James.

– Nie – powtórzyłam, patrząc mu prosto w oczy.

– Powinienem czuć się wyróżniony?

Spojrzałam przez ramię. James nadal stał oparty o ścianę, popijając drinka. Nawet jeśli dostrzegł, że się obejrzałam, nie dał tego po sobie poznać. Sądziłam, że przypatruje się ludziom przechodzącym obok, ale patrzył na nas. Odwróciłam się z powrotem do Alexa.

– Jesteś gejem?

Zamrugał oczami, nadal się uśmiechał.

– Nie.

– To dlaczego próbujesz uwieść mi męża? – zapytałam zdecydowanym tonem, domagając się jednoznacznej odpowiedzi.

– Uważasz, że uwodzę twojego męża? – Nie wyglądał na zbytnio obrażonego albo zdziwionego, nie odwrócił też wzroku.

– A nie uwodzisz?

– Nie wiem. – Pochylił się, by powiedzieć mi wprost do ucha coś, co przyprawiło mnie o dreszcz. – Wydawało mi się, że próbuję uwieść ciebie.

Trzy głowy obróciły się w moją stronę, gdy powtórzyłam siostrom słowa Alexa. Tylko Patricia wyglądała na przerażoną. Mary była trochę zbita z tropu.

Claire, jak zwykle w takich sytuacjach, wybuchła śmiechem.

– Powiedziałaś mu, że jest bez szans? – zapytała Patricia, jakby nie dopuszczała innej możliwości.

Gdy nic nie odpowiedziałam, odezwała się Claire:

– Oczywiście, że nie. Pieprzyłaś się z nim, Anne? Założę się, że ma ładnego fiuta.

– Nie kochała się z nim – odparła Mary, kręcąc głową.

– Ma na to ochotę – ciągnęła Claire. – A kto by nie chciał? Może nawet James o tym marzy.

– Nic takiego nie powiedziałam – oznajmiłam.

Te trzy kobiety, z którymi często darłam koty, były niczym zwierciadło, któremu mogłam powierzyć wszelkie tajemnice.

– Oczywiście, że nie – odezwała się Patricia, rozrywając torebkę ze słodzikiem i wsypując go do herbaty. – James przecież nie jest jednym z nich.

Tym razem trzy głowy odwróciły się w stronę Patricii, która wcale nie poczuła się zmieszana. Wzruszyła tylko ramionami i zapytała:

– A co? Może jest?

– Do licha, Pats! – odezwała się zniesmaczona Mary. – Co to znaczy „jest jednym z nich"?

– Ma na myśli pedziów. – Claire przekręciła się w krześle i wymieniła z Patricią niezbyt przyjazne spojrzenia.

– James nie jest gejem. – Resztki jedzenia w brzuchu zaczęły ciążyć mi jak kamień. – Alex też nie, przynajmniej tak twierdzi.

– No to jest bi – powiedziała Claire, wzruszając ramionami. – Działa na dwa fronty, żeby mieć więcej możliwości.

Mary zamarła.

– To chyba coś dla ciebie – wycedziła przez zęby.

– A co? Nie jest tak? Nie przekonacie mnie, że nie chcą tego zrobić. – Ton Patricii zawędrował w wyższe rejestry. Spojrzałam na nią. Zawsze była taka pruderyjna i sztywna, ale ostatnio...

– Co cię ugryzło w tyłek? – zapytała Mary. – Kto, do licha, chciałby się różnić od normalnych ludzi? Kto nie chciałby, by postrzegano go jako normalnego? Boże, Patricio, czasem naprawdę gadasz jak zarozumiała jędza!

Zapadła cisza. Patricia skrzyżowała ramiona na piersiach i utkwiła wzrok w Mary, która wytrzymała spojrzenie. Wymieniłyśmy porozumiewawcze mrugnięcia z Claire.

– Nie wiem, o co się tak wkurzasz – odezwała się w końcu Patricia. – Przecież, do cholery, nie rozmawiamy o tobie, Mary!

– No więc? – zaczęła wesoło Claire. – Koktajl z krewetek czy kawior? – Przykleiła do ust sztuczny uśmiech laleczki, dodała do tego przechylenie głowy i pusty wzrok. – Oczywiście na imprezę rodziców – wyjaśniła, gdy żadna z nas nie odpowiadała. – Koktajl z krewetek czy kawior?

– Tata i kawior? – Roześmiałam się na tę myśl. Byłam pełna podziwu dla Claire za inteligentną manipulację. Sprytnie to rozegrała, by uniknąć awantury. – Kupmy krewetki po cenach hurtowych na targu rybnym.

– I może kucharz z firmy cateringowej mógłby je ugotować. Powinni mieć duży rondel, żeby obsłużyć taką liczbę gości – odezwała się Patricia, jak zwykle praktyczna.

– Zadzwonię i dowiem się wszystkiego – odparłam.

Dyskusja się rozkręciła. Omawiałyśmy wyższość kajzerek nad miękkimi bułeczkami do hamburgerów oraz różne wielkości serwetek. To przyjęcie zmierzało w kierunku nieznośnego bólu tyłka, ucisku w żołądku, obgryzania paznokci i migreny. Samo przygotowanie listy gości zajęło kilka godzin zmagań. Tata miał wielu przyjaciół, z których większości nie chciałam zapraszać.

Znów powróciłam myślami do mojego gościa. Zeszłej nocy nie powiedziałam Alexowi otwarcie, że ma się ode mnie odczepić, ale też nie przyjęłam jego oferty. Mary i Patricia miały rację.

Niestety, Claire również. Chciałam, żeby Alex mnie uwodził. Chciałam, żeby mnie znowu dotykał, chciałam czuć na sobie jego usta. Chciałam mieć jego głowę między nogami. Chciałam, żeby mnie przeleciał. I wcale mnie to nie martwiło. Przejmowałam się jedynie brakiem jakichkolwiek wyrzutów sumienia. To dziwne, ale nie zastanawiałam się, czy w ogóle do tego dojdzie, tylko... kiedy.

– Anne?

Odleciałam, marząc o seksie oralnym z Alexem, gdy nagle przywołano mnie do rzeczywistości. Znowu trzy twarze zwróciły się w moim kierunku w oczekiwaniu na odpowiedź. Spojrzałam w dół, udając, że studiuję notatki.

– Chodzi o muzykę – podpowiedziała Mary. – Zamawiamy didżeja czy same będziemy ją puszczać?

Claire się roześmiała.

– Hej, a może udałoby się ściągnąć tego kumpla Alexa? Założę się, że rozruszałby towarzystwo. Już widzę, jak stary Arch Howard trzęsie tyłkiem w parze ze Stanem Petersem. O rany! Chyba zaraz puszczę pawia!

– Kumpel Alexa jest klubowym didżejem. Nie sądzę, żeby obsługiwał imprezy domowe – odparłam, ale zapisałam tę sugestię.

Patricia pochyliła się, by spojrzeć na moją listę spraw do załatwienia.

– Jeśli miałybyśmy zamówić didżeja, to chciałabym najpierw usłyszeć jego ofertę.

– Dobra! Jedziemy w delegację! Do Krainy Czarów! – Claire szturchnęła Mary. – Pasuje ci? Gorące laski, super faceci... Kurczę, a może i mnie się poszczęści i poznam gościa podobnego do Neo.

– Niestety, oddałam winylowe wdzianko do pralni – odpowiedziała ze śmiechem Mary.

– Co wy na to, dziewczyny? Minęło sporo lat, odkąd byłyśmy gdzieś razem. Zabawimy się! – namawiała Claire.

– Byłam już w Krainie Czarów – odparła Mary, jakby wyznawała nam jakiś mroczny sekret. – Zeszłego lata, kiedy odwiedziła mnie Betts.

– Beze mnie? – zajęczała Claire, dając Mary kuksańca w bok. – Ty zdziro!

Mary wzruszyła ramionami.

– Ty też mnie nigdzie nie zabierasz.

– Chyba nie czułabym się tam dobrze, nawet jakbym mogła pójść, ale nie mogę – odezwała się Patricia, mieszając herbatę.

– Na pewno dobrze byś się bawiła – przekonywałam. – Może Sean zajmie się dziećmi?

Patricia nie podnosiła wzroku znad herbaty.

– Nie chcę iść do Krainy Czarów. Jeśli wy chcecie, to proszę bardzo, ale beze mnie. To jakieś ohydne miejsce.

– Co w nim ohydnego? – zapytała Mary.

– Tak wynika z opisu Anne.

– Nieważne – mruknęła Mary.

Wróciłyśmy do dyskusji o przyjęciu rodziców, ale szybko miałam dość rozmów o planach i przygotowaniach, jak również utarczek między Patricią a Mary. Claire przestała tak często żartować, co było równie denerwujące.

Siedziałyśmy wokół stołu pełnego sekretów. Ja znałam moje. Mogłam się domyślić sekretów Patricii – kłopoty z Seanem. O tajemnicach Mary i Claire nie miałam zielonego pojęcia, ale łatwo było zgadnąć, że ich myśli są tak odległe od rodzinnej imprezy jak moje.

– Jak dzielimy się kosztami? – zapytała na koniec Mary, gdy przyszło do płacenia rachunku za obiad. – Stwórzmy wspólny fundusz, z którego będziemy pokrywać wydatki. Patricia-dusigrosz mogłaby być skarbnikiem.

– Nie jestem żadnym dusigroszem! – Patricia wykrzyczała to tak głośno, że aż się wzdrygnęłam. Claire również. Mary tylko spojrzała z wyższością.

– Może podzielmy się teraz rzeczami, które musimy kupić, i na końcu rozliczymy się na podstawie rachunków – zaproponowałam.

– Lepiej nie, bo Claire i tak zgubi wszystkie paragony – odparła Claire. – Wiem, że chciałaś to powiedzieć, ale daruj sobie, Pats.

Patricia rzuciła serwetkę na talerz i odezwała się drżącym ze złości głosem:

– Odwalcie się ode mnie, dobrze? Dlaczego ciągle po mnie jeździcie?

– Nie jeździmy po tobie. – Byłam pewna, że Claire chciała ją uspokoić, ale powiedziała to głosem tak beznamiętnym, że Patricia nie zrozumiała jej intencji.

– Jeździcie! Mam dosyć! – zawołała.

Wstała i już miała odejść, gdy jej wzrok spoczął na rachunku. Przyjrzała mu się, skrupulatnie odliczyła pieniądze i położyła na stole, dodawszy dokładnie wyliczony minimalny napiwek. Obserwowałyśmy ją w ciszy, jakbyśmy uczestniczyły w pradawnym obrzędzie. Zawsze była dokładna, ale nigdy nie była sknerą.

– Co znowu?! – krzyknęła, podnosząc brodę. – Chyba dobrze policzyłam, co?

– Oczywiście – odparłam. – A nawet jeśli nie, dołożę, nie martw się.

– Nie musisz, Anne. Sama płacę moje rachunki.

– Dobra, w porządku. Wszystko będzie dobrze. – Wymieniłam spojrzenia z Claire. Mary z zachmurzoną twarzą wpatrywała się w rachunek, jakby chciała wypalić w nim dziurę.

– Muszę już iść. Zamówiłam opiekunkę do dzieci, słono sobie liczy – wyjaśniła Patricia, przeciskając się koło mojego krzesła.

– A gdzie jest Sean? – zapytała Mary, nie podnosząc wzroku. – Znowu w pracy?

– Tak. – Patricia spojrzała na nas, jakby nie chciała już nic więcej powiedzieć, ale jednak się odezwała. – Anne, zadzwonię do ciebie.

Wyciągnęła kluczyki z torebki i odeszła. Jak dobre siostry poczekałyśmy, aż wyjdzie, i dopiero wtedy zaczęłyśmy komentować sytuację.

– Od kiedy Sean pracuje w weekendy? – zapytałam.

– Na pewno jest w Thistledown na wyścigach konnych – odpowiedziała Mary.

– Serio?! Sean? Nie mogę uwierzyć! – zdziwiła się Claire.

– Poważnie. – Mary spojrzała na nas. – Chyba ostatnio stracił sporo pieniędzy. Patricia powiedziała mi, że tego lata nie jadą nigdzie na wakacje. Niby z powodu imprezy rodziców, ale to oczywiste kłamstwo. Sean nigdy nie zrezygnowałby z wyjazdu do Myrtle Beach.

– A może zwyczajnie ich nie stać – zauważyłam, modląc się, by to była prawda. – Boże. To okropne.

– Przecież... on jest takim miłym facetem! – Claire nie mogła wyjść ze zdumienia, wydawała się zdruzgotana.

Po chwili przypomniałam sobie, że Claire miała tylko czternaście lat, gdy Patricia zaczęła spotykać się z Seanem. Claire traktowała go jak starszego brata, którego nigdy nie miałyśmy. Bez względu na to, ile razy nazywała go dupkiem.

– Jest miły, ale dzieje się z nim coś złego, Claire.

Przez moment milczałyśmy. Nie wiem, o czym myślały siostry, ja o ojcu. Każdy uważał go za miłego faceta, który świetnie bawi się na balu życia. Nie wiedzieli, że to człowiek, który siada w ciemnym pokoju z butelką ukochanego Jacka Danielsa i paczką papierosów. Człowiek, który bełkotliwie bredzi o samobójstwie.

– Jeśli zdecydujemy się na muzykę z domowego sprzętu, to oszczędzimy na kosztach – przyznała po cichu Claire. – Możemy podłączyć mojego iPoda.

– Fajnie. – Mary skinęła głową. – Tak byłoby najlepiej.

Zebrałam notatki, pożegnałyśmy się i rozeszłyśmy każda w swoją stronę. Jechałam do domu w ciszy, intensywnie rozmyślając.

Przeszłość nie zmienia się, nieważne, jak często ją wspominamy. Dobre i złe wydarzenia łączą się jak w kalejdoskopie i tworzą w miarę kompletny obraz. Wystarczy wyjąć jeden kawałek, i całość ulega zmianie. Nie żałuję, że przeszłość była taka, a nie inna, zresztą skupiam się na teraźniejszości. Ode mnie zależy, jak będzie wyglądać. Wychowałyśmy się w jednym domu, miałyśmy tych samych rodziców, chodziłyśmy do tej samej szkoły, ale byłyśmy różne. Ubierałyśmy się inaczej, słuchałyśmy innej muzyki. Dokonałyśmy różnych wyborów politycznych, różniłyśmy się w kwestiach wiary, ale jedną cechę miałyśmy wspólną. Dążenie do perfekcji.

Patricia była doskonałą matką – taką, która piecze ciasta i własnoręcznie szyje kostiumy na Halloween. Zawozi dzieci na przystanek szkolnego autobusu i dba, by przekąski nie zawierały szkodliwych barwników albo zbyt wiele cukru. Jej pociechy były czyste i zadbane.

Mary jeszcze do niedawna była perfekcyjną dziewicą. Oszczędzała się, czekając na idealnego małżonka albo na Jezusa. Jako wolontariuszka pomagała bezdomnym w ośrodku pomocy, była dawczynią krwi. Co niedzielę chodziła do kościoła i nigdy nie przeklinała.

Claire odrzuciła wszelkie zasady, przez co stała się perfekcyjną buntowniczką. Jej ciuchy były parodią rzeczywistości, fryzura znamionowała brak wiary w siebie.

Była symbolem dzikiego dziecka. Nie dbała o to, co myślą o niej ludzie.

Ja też próbowałam być na swój sposób perfekcyjna. Byłam doskonałą córką, która potrafiła wszystko świetnie zorganizować. Miałam dom, samochód, męża. Piękny obrazek.

Jednak tak samo jak siostry, przegrałam walkę o doskonałość. Nie miałam dzieci ani wizerunku, który musiałabym chronić. Nie chciałam, by wszyscy mnie lubili. Prowadziłam doskonałe życie. Samochód, dom, mąż...

Czy naprawdę było doskonałe, skoro pragnęłam je zmienić?

ROZDZIAŁ DZIEWIĄTY

Do domu wracałam wyjątkowo długo, zapewne zbyt zagłębiłam się w rozmyślaniach. Kiedy wreszcie dotarłam na miejsce, poczułam dym z cygar i podążyłam tym śladem do gabinetu, skąd dobiegały wybuchy śmiechu. Niezauważona przyglądałam się mężczyznom, stojąc w progu.

James miał na sobie spodnie od piżamy i T-shirt, między zębami ściskał cygaro i właśnie rozdawał karty. Alex był w seksownych dżinsach i rozpiętej koszuli. Leżał rozwalony na kanapie, w jednej ręce trzymając szklaneczkę, a drugą dobierając karty. Jego cygaro leżało w zaadaptowanej na popielniczkę miseczce na klucze. Otwarte okno i wiatrak na suficie zapobiegały gęstnieniu dymu, ale powietrze i tak było nim na tyle przesiąknięte, że drapało w gardle. Na stole stały zielona butelka, prawdopodobnie z winem, pudełko cukru w kostkach i leżała srebrna łyżeczka.

– Jednooki Jasiu jest super – powiedział James z cygarem w ustach. Wyrównał talię stuknięciem o blat i położył na stole. Rozłożył karty w wachlarzyk.

– Zawsze jest super. – Alex wychylił resztkę drinka. Nie, to chyba nie było wino. – Odkąd nauczyłem cię grać w pokera, uwielbiasz Jednookiego Jasia.

Drapanie w gardle nasiliło się, musiałam odkaszlnąć. Zauważyli mnie. Twarze rozjaśniły się w uśmiechach – podobnych, ale nie identycznych.

– Witaj w domu. – James wyjął cygaro z ust. – Chodź do nas.

Podeszłam, mijając poduszkę zrzuconą z kanapy i rozpostartą na podłodze gazetę. Pochyliłam się i pocałowałam go. Pachniał tytoniem i lukrecją.

– Co pijecie? – Poczułam zapach anyżu. Oczy miał błyszczące i odrobinę zaczerwienione.

– Hm... absynt – odparł.

Spojrzałam na nalepkę z wróżką ubraną w zieloną sukienkę.

– Jak w *Moulin Rouge*?

Wzięłam butelkę do ręki. Alex i James wyglądali jak chłopcy przyłapani na gorącym uczynku, na przykład na zakazanym buszowaniu w spiżarni. Co ciekawe, doskonale wiedzieli, że są zbyt czarujący, by ktokolwiek miał do nich pretensje. Spojrzałam na łyżeczkę i cukier na stole.

– Czy to jest legalne? – Odwróciłam się do Alexa.

– Nie wolno tego sprzedawać, ale można pić – wyjaśnił.

– Przecież zawiera piołun, czyli truciznę... – Oddałam Alexowi butelkę, gdy wyciągnął po nią rękę.

Nalał niewielką ilość jasnozielonego płynu do szklaneczki, położył na łyżeczce dwie kostki cukru. Zamoczył koniuszek palca w absyncie i pozwolił, by kropelki alkoholu skapywały z palca na cukier. Przytknął do nasączonej kostki płomień zapalniczki. Cukier zapłonął na niebiesko i zaczął się topić. Następnie Alex sięgnął po szklany dzbanek i wlał na łyżeczkę trochę wody. Zielony płyn zmienił kolor na mlecznobiały i zmętniał. Alex zakręcił szklaneczką i wyciągnął w moją stronę.

– Spróbuj.

– Anne nie pije – odezwał się James.

– Wiem, że nie. – Alex rozparł się wygodnie na oparciu kanapy.

Przyglądali mi się w skupieniu. James był zaciekawiony, czekał na rozwój wypadków, natomiast nie umiałam nazwać emocji malujących się na twarzy Alexa.

– A co to robi? Daje kopa? – zapytałam.

– Cyganeria artystyczna piła absynt. – Alex zapalił cygaro.

– Kiedy ostatnio zaglądałam do naszych metryk, nie byliśmy jeszcze cyganerią – zażartowałam, ale nie odstawiłam szklaneczki. Drink ładnie pachniał.

– *Vive la décadence!* – zawołał Alex, a James się roześmiał.

Spojrzałam na męża, który zdecydowanie zachowywał się inaczej niż zwykle, zupełnie jakby ktoś go podmienił. Jego spojrzenie błądziło wokół twarzy Alexa, nie zatrzymując się na dłużej. Spojrzał na mnie i pociągnął na kanapę, zmuszając, bym usiadła obok niego.

Absynt chlapnął mi na palce; ostrożnie zlizałam kropelkę. Spodziewałam się ostrego smaku alkoholu, ale to było jak delikatna czarna lukrecja. James objął mnie w talii, pogłaskał po plecach.

– Nie musisz pić, jeśli nie chcesz, maleńka.

– Wiem. – Nie odstawiłam jednak szklaneczki.

Alex przyrządził kolejnego drinka, dodając więcej absyntu. Płomyk nad cukrem wystrzelił wyżej. Przyglądaliśmy się zafascynowani, niczym dzieci na pokazie ogni sztucznych.

– Zagrasz z nami? – zapytał Alex. – Jednookie Jaśki są bombowe.

– Zagram – odpowiedziałam.

Spodziewałam się, że absynt podrażni mi przełyk, ale okazał się wyjątkowo delikatny. Jak rozpuszczone słodycze. Chciałam wypić od razu całą szklaneczkę, ale właśnie z tego powodu odstawiłam ją po dwóch łyczkach.

Alex to zauważył, ale nie skomentował ani słowem. Graliśmy w karty, wykorzystując drobniaki, które James zbierał w karafce do wina od ukończenia college'u. Wszyscy oszukiwaliśmy.

– Nie wchodzę – powiedział Alex po chwili i przetasował swoje karty. – Nic nie mam.

Siedzieliśmy razem na podłodze wokół niskiego stolika. James od czasu do czasu głaskał mnie po plecach. Odłożył cygaro do popielniczki.

– I do tego jesteś spłukany, stary.

– Jestem spłukany i goły jak święty turecki.

– Ja też – przyznał James. – A ty, mała?

Pokazałam im karty. Wygrywanie z mężczyznami otępionymi alkoholem nie było zbyt trudne.

– Mam parkę króli.

Alex pogłaskał się po gołej piersi.

– To prawda. – Zaśmiał się.

Spojrzałam na karty. Pomiędzy królem pik a królem trefl tkwiła dama kier. Nic dziwnego, że uśmiechała się tak radośnie.

– Czas zapłaty, chłopcy – zawołałam.

– Nie mamy kasy. – James skubnął mnie ustami koło ucha. – Będę musiał zapłacić ci usługami seksualnymi.

Spojrzałam na niego. Uśmiechał się, miał rumieńce na policzkach, błękitne oczy błyszczały.

– W porządku, ale co z Alexem?

Spojrzeliśmy na Alexa, który skupił się na zbieraniu kart. Podniósł oczy na dźwięk imienia, i po raz pierwszy zobaczyłam, że nie do końca kontroluje wyraz twarzy.

Przez większość wieczora zachowywaliśmy się jak dwa plus jeden, ale teraz, zupełnie jak w Krainie Czarów, znowu staliśmy się zgraną trójką. Trzema wierzchołkami trójkąta. Trójcą.

– To chyba zależy od ciebie – wyszeptał James.

Miałam szansę, by zostawić wszystko po staremu. Wybrać znaną perfekcję zamiast niewiadomego. Mogłam powiedzieć „nie" i wszyscy wybuchnęliby śmiechem i poszli spać, każdy do siebie. Mogłam oszczędzić nam wielu zmartwień.

Tyle że ja go pragnęłam, i w odróżnieniu od absyntu, nie próbowałam nim zawładnąć.

Nagle poczułam wlepione we mnie dwie pary oczu: jasnobłękitną i ciemnoszarą.

– Anne... – zaczął James.

Spodziewałam się, że zakończy tę grę. Spróbuje powstrzymać przed popełnieniem głupstwa. Jednak, gdy wreszcie zdołał się wysłowić, zapytał:

– Czy chcesz, żeby cię pocałował?

Tak bardzo tego chciałam, że aż przeszedł mnie dreszcz, ale musiał się na to zgodzić. Przysunęłam usta do jego ust. Tak blisko, że ocierały się przy wypowiadaniu każdego słowa.

– A ty chcesz, żeby to zrobił?

James oblizał wargi, dotknął językiem mojego języka, cofnęliśmy usta. Nie pocałowaliśmy się.

– Taaak – zdecydował w końcu. – Chcę patrzeć, jak on cię całuje.

Odłożyłam na bok wszelkie rozmyślania o tym, kto czego chce. Pragnęłam obu. I mogłam zrealizować moje marzenie. Czy to ważne, jak doszło do tej sytuacji? Albo dlaczego? Wszyscy dostaniemy, czego pragniemy.

– Jesteś pijany – szepnęłam w usta Jamesa.

– Ty nie – szepnął w odpowiedzi.

– Chcesz tego?

Wsunął palce w moje włosy i rozpiął spinającą je klamrę.

– A ty?

Spojrzał ponad moim ramieniem na przyjaciela.

– Jeśli jest ktoś, komu powierzyłbym opiekę nad tobą, to tylko Alexowi.

Odwróciłam się do Alexa. Nie potrzebowałam „Czerwonej Pigułki", żeby wejść do Krainy Czarów. Wystarczyło pochylić się nad stolikiem. Jedną ręką podpierając ciężar ciała, a drugą trzymając się Jamesa. I właśnie tak zrobiłam.

James zapytał, czy chcę pocałować Alexa, ale to ja zrobiłam pierwszy krok. Byłam panią sytuacji, ta chwila należała do mnie.

Próbowałam nie zamykać oczu, ale w ostatniej chwili stchórzyłam i opuściłam powieki. Usta Alexa były ciepłe i pełniejsze od ust Jamesa. Nie przysunął się bliżej, ale i tak zdołał zmusić, bym otworzyła usta.

Nie byłam w stanie długo wytrzymać w tej pozycji, zaczął mnie boleć nadgarstek. Nie szkodzi. Nawet kilka sekund wystarczy na pierwszy rozpoznawczy pocałunek. Bałam się, że jeśli gwałtownie zmienię ułożenie ciała, czar pryśnie. Odsunęłam się i otworzyłam oczy.

Spostrzegłam, że Alex też opuścił powieki, co mnie nieoczekiwanie rozczuliło. Wyglądał teraz delikatniej niż zwykle, jak książę czekający na pocałunek księżniczki, która przybyła, by go wyrwać z wielowiekowego snu. Po sekundzie otworzył oczy.

Pocałował mnie ponownie, tym razem trzymając ręką za tył głowy. Pocałunek pozbawił mnie tchu, a usta zaczęły nabrzmiewać.

Nadal rozdzielał nas stolik, którego krawędź wbijała mi się w brzuch. Ręką wciąż trzymałam się Jamesa. Pocałunek trwał i trwał, ale skończył się, zanim mnie zaspokoił.

Tym razem, gdy otworzyłam oczy, od razu napotkałam wzrok Alexa.

– A teraz, chcę patrzeć, jak całujesz Jamesa – powiedział.

Spojrzałam na męża. Pochyliłam się do niego.

– Zgadzasz się?

Objął mnie ręką.

– A czy ty tego chcesz?

– A czy ty chcesz, żebym to zrobiła?

Ręce, które przeczesywały mi włosy, teraz ześlizgnęły się po ramionach, ujęły moje dłonie. Drżały, gdy splataliśmy palce. James nabrał powietrza. Spojrzał za moje plecy. Nie wiem, co zobaczył, ale uśmiechnął się i znów zwrócił do mnie.

– Tak, chcę.

Nigdy nie zdradziłam męża. Nie miałam też żadnych powodów, by podejrzewać, że on mnie zdradził. A teraz zapraszaliśmy obcą osobę do naszego łóżka. Musiałabym być stuknięta, żeby nie czuć niepokoju.

Pożądanie zwyciężyło nad zdrowym rozsądkiem. Zupełnie jak w przeszłości, gdy moje ciało zignorowało rady umysłu i serca. Dojrzałam, ale nie zmądrzałam.

Stałam pomiędzy, ale jednocześnie ponad nimi, jak dama między dwoma królami. Byli opanowani, choć gotowi zmienić to w każdej chwili, czekali tylko na moją komendę. Nie byli podobni, ale w tej chwili całkowicie nie do rozróżnienia.

– Chodźcie – powiedziałam po cichu, ale obaj mnie usłyszeli. Odwróciłam się na pięcie i ruszyłam, nie patrząc za siebie.

Przeszłam przez kuchnię i korytarz, i dalej do naszej sypialni. Po drodze rozpięłam guziki, rozsunęłam zamek błyskawiczny... Zanim doszłam do łóżka, zrzuciłam bluzkę i dżinsy. W samym staniku i majtkach stanęłam przy łóżku i się odwróciłam.

Czekałam.

Usłyszałam w korytarzu miękkie kroki bosych stóp na drewnianej podłodze. Szelest opadającego na podłogę materiału. Byłam ciekawa, który z nich pojawi się pierwszy w drzwiach. Czy James okaże się dobrym gospodarzem i przepuści gościa przodem?

Stanęli w progu jednocześnie, ramię w ramię, na wpół nadzy. Rozpięte dżinsy Alexa zsunęły się z bioder, odsłaniając kępkę włosów łonowych. Widząc erekcję Jamesa, uśmiechnęłam się.

Jak członkowie tej samej drużyny, którzy grają razem tak długo, że potrafią przewidzieć każdy ruch kolegi, przeszli równocześnie przez drzwi. Blisko siebie, by się zmieścić. Po minięciu progu, odsunęli się od siebie. Wszystko trwało krócej niż mrugnięcie okiem, ale wiedziałam, że zapamiętam na zawsze widok Jamesa i Alexa stojących twarzą w twarz.

Kto twierdzi, że kobiety nie są wzrokowcami, gówno wie. Widok tych dwóch facetów sprawił, że zaschło mi w gardle, a serce zaczęło walić jak szalone. Łechtaczka pulsowała. Całe ciało wołało o dotyk. Podniosłam powoli ręce, ujęli moje dłonie, i wtedy ich przyciągnęłam. Poczułam na plecach ręce męża obok rąk Alexa. Nie byliśmy już trójkątem o ostrych wierzchołkach, lecz tworzyliśmy krąg. Spleciony z ramion, nóg i złączony wspólnym pragnieniem.

Gdy James całował mnie w usta, Alex odnalazł wrażliwe miejsca na szyi i ramionach. Gdy byłam spleciona językami z Alexem, James pieścił moje piersi i ssał nabrzmiałe sutki.

Znowu tańczyliśmy razem, lecz w wolniejszym rytmie niż na parkiecie Krainy Czarów. James znał mnie, Alex znał Jamesa, wspólnie odkrywali, w których miejscach najbardziej lubię być głaskana, dotykana, lizana. Otulały mnie dwie pary dłoni i gdybym zamknęła oczy, nie potrafiłabym już rozróżnić, która należała do kogo.

Nadal stałam, a oni zdjęli mi majtki i rozchylili nogi. Odchyliłam głowę, gdy ślizgali się językami po krągłościach moich bioder i brzucha.

Porozumiewali się niskim mruczeniem, używając słów, których nie rozumiałam. To był sekretny język westchnięć i uśmiechów.

Położyłam dłonie na ich plecach i popchnęłam, by stanęli blisko siebie. Pocałowałam Jamesa i chwyciłam gumkę spodni od piżamy. Ściągnęłam je, nie przestając go całować. Jego naprężony i gorący członek oparł się o mój brzuch. James mruknął coś wprost w moje usta. Gdy odwróciłam się do Alexa, jego oczy błyszczały jak gwiazdy.

Skóra na piersiach Alexa była ciepła. Serce biło regularnie pod opuszkami moich palców. Nie był ogorzały od słońca jak James, jego mięśnie nie stwardniały od pracy fizycznej, lecz od ćwiczeń na siłowni. Miał ciało stworzone do wytwornych garniturów i pieszczot. Przechylił głowę i wsunął dłoń w moje rozpuszczone włosy.

Na chwilę zamarliśmy w bezruchu. Za późno, by wycofać się z tego układu. Palce Jamesa oparte na moich biodrach ponagliły mnie. Przesunęłam dłonie w dół klatki piersiowej Alexa, dotarłam do bioder. Moje usta podążyły tym samym śladem. Uklękłam przed nim, ściągnęłam mu dżinsy. Rozkoszowałam się oczekiwaniem na jego nagość.

Opuściłam powieki, by opóźnić ten moment. Członek w zwodzie zaczepił o moje włosy, otarł się o policzek.

Nadal na klęczkach, wyprostowałam plecy i otworzyłam oczy. Spojrzałam na obu. Moi królowie czekający na kolejny ruch królowej.

Zakochałam się.

W Jamesie, za jego błękitne oczy przepełnione dumą i oddaniem. W Aleksie, za jego wiernopoddańcze spojrzenie i niezwykłą czułość, z jaką odgarniał mi włosy z twarzy.

Wszystkie wątpliwości, które próbowałam z trudem ignorować, ulotniły się nagle. Czułam, że cokolwiek się zdarzy, będzie dobre. Dla nich. Dla mnie. Dla nas.

Najpierw wzięłam do ust członek Alexa, który nie przestawał przeczesywać moich włosów. Jego jęk był najseksowniejszym dźwiękiem, jaki kiedykolwiek słyszałam. Wypchnął biodra do przodu, bym łatwiej mogła objąć go ustami. Jego członek był dłuższy od członka Jamesa, ale nie tak gruby. Piękny. Ustami i językiem pieściłam krawędzie żołędzi, głaskałam.

James czekał i to nie jemu brakowało cierpliwości. Chciałam go poczuć jak najszybciej. Otworzyłam szeroko usta i objęłam bez kłopotu. Szybciej się poruszałam, mocniej ssałam. James zadrżał i się roześmiał. Uwielbiam, gdy tak reaguje na pieszczoty.

Na początku było trochę nerwowego chaosu i nieporadności. Nie raz dostałam prosto w oko członkiem, który powinien trafić do otwartych w oczekiwaniu ust. Moje ręce czasem zsuwały się z nabrzmiałych członków, gdy je masowałam. Męskiemu śmiechowi towarzyszyły westchnienia i jęki. Ich penisy były sztywne, bo ja tak chciałam, bo umiałam to sprawić. Smaki mieszały się na moim języku i wysyłały elektryzujące impulsy do całego ciała.

Nie wiem, kto pierwszy mnie powstrzymał, czyje ręce podniosły, bo gdy wstałam, obaj mnie objęli. Popchnęli delikatnie na łóżko. Teraz nie miałam dawać rozkoszy, lecz ją otrzymać.

Byli świetnie zgrani. Bez słowa, jakby w ustalonym wcześniej rytmie pieścili ustami i dłońmi moje ciało.

Nie musiałam nic robić, wystarczyło całkowicie poddać się ich ruchom.

Czas przestał istnieć, a my wiliśmy się i wykręcali na wszystkie strony. Śmiałam się, słysząc, jak wymieniają wskazówki.

– Dotykaj tutaj.

– Skoro to lubi... Dobrze. Właśnie tak.

– Posuń się. Teraz ja...

– Zrób tak jeszcze raz.

I zrobili. I znowu. Razem i osobno. Rozkosz narastała, stawała się bolesna, a potem przychodził moment, gdy miałam ochotę uciec, byle tylko mieć chwilę spokoju.

Zatopiłam się w rozkoszy.

Jakby na komendę, oderwali się ode mnie. Słyszałam urywane, pełne podniecenia oddechy. Ciała błyszczały od potu, powietrze przesycone było zapachem seksu.

– Jamie, usiądź. Anne, przesuń się tutaj. – Głos Alexa był zdecydowany.

Zaczęłam się zastanawiać, ile razy był w podobnej sytuacji. Zapewne wystarczająco często, by bez wahania dyrygować układem ciał. Zrobiliśmy, jak kazał. James przyciągnął mnie. Poczułam na plecach członek, gdy mościłam się pomiędzy jego nogami. Gdy położył się na wznak, ja położyłam się na nim, twarzą do góry. Ustami znalazł mój policzek, a ja złapałam wezgłowie łóżka.

Byłam tak mokra, że dokładne nasunięcie się na niego zajęło mi zaledwie kilka sekund. Kochaliśmy się tak wcześniej, lecz nigdy w dokładnie takiej pozycji. Zwykle siadałam tyłem do niego, na jego udach.

James złapał mnie za biodra i ruszał nimi powoli. W tej pozycji kąt, pod którym wnikał we mnie jego penis, był dla mnie nowością. Dotykał takich miejsc w pochwie, których wcześniej nie dosięgał. Wygięłam ciało w łuk, by mógł wejść we mnie jeszcze głębiej.

Tak bardzo chciałam teraz przeżyć orgazm, mięśnie napinały się i drżały, ale wiedziałam, że w tej pozycji łechtaczka nie jest wystarczająco pobudzona. Przesunęłam się. James wbił mi zęby w barki. Zawyłam z bólu, który był rozkosznie słodki.

Krzyknęłam głośniej, gdy poczułam nagłą wilgoć na łechtaczce. Otworzyłam oczy i spojrzałam w dół. Obok mnie klęczał Alex, trzymając członek w dłoni. Lekko go masując, pochylił się i polizał mnie po łechtaczce.

Zaczęłam dyszeć. Widok jego ciemnej głowy pochylonej nad moją cipką, ręce trzymające mnie od tyłu za biodra i członek wypełniający pochwę wysłały potężne impulsy rozkoszy, które przetaczały się przez moje ciało i mózg niczym burza.

James wypchnął mi biodra, podtrzymując ciężar rękami. Ułożył się inaczej, by wejść we mnie jeszcze głębiej. Oderwałam rękę od wezgłowia, polizałam opuszki palców i ujęłam w dłoń członek Alexa. Sapnął z rozkoszy, gorący oddech owionął moje rozpalone ciało. Najpierw pieściłam go palcami powoli, potem szybciej. Złożyłam dłoń tak, by mógł wsunąć do środka penis.

Wszystko falowało jak jedwabny szal na delikatnym wietrze. Ruszaliśmy się. Pieprzyliśmy się. Wspólnie doszliśmy, jeden mężczyzna we mnie, drugi w mojej dłoni.

W ciszy, już po wszystkim, leżeliśmy nieruchomo. Pot powoli wysychał, nocne powietrze chłodziło rozgrzane ciała. Ogarnęła nas senność, ale nie chcieliśmy śnić o tym, co było nam dane przeżyć. Łóżko było wystarczająco duże dla trojga, jednak w środku nocy, gdy nagle się obudziłam, poczułam obok siebie tylko jednego mężczyznę.

Nie wiedziałam, którego, a powinnam przecież wyczuć, że to James. Powinnam to wiedzieć bez zadawania pytań, jednak zawieszona pomiędzy sennym zapomnieniem a świadomością, nie byłam do końca pewna. Dotknęłam go, ale nie pomogło.

Nie wiedziałam, kto został w łóżku, a kto wyszedł. Wiedziałam tylko, że jeden został... i w tej chwili było mi obojętne który.

ROZDZIAŁ DZIESIĄTY

Obudziłam się wcześnie rano i doczołgałam do prysznica, gdzie ukucnęłam, oplotłam kolana ramionami i pozwoliłam gorącej wodzie spłukać skorupkę, która chroniła mnie przed niewygodnymi pytaniami. Co ja najlepszego zrobiłam? Wpadłam w panikę. Co my najlepszego zrobiliśmy? I co teraz będzie?

Rozumiałam potrzebę współżycia i odczuwania rozkoszy. Rozumiałam, czym jest pożądanie i miłość. Kochałam męża. Dawał mi rozkosz, którą próbowałam odwzajemnić. Jednak wczoraj miłość nie miała nic do rzeczy, nie o nią chodziło. Tylko o pożądanie i rozkosz, zaspokojenie pragnień.

Znałam te uczucia.

Po raz pierwszy zakochałam się, gdy miałam siedemnaście lat. W Michaelu Baileyu. Nigdy nie zwracałam się do niego Mike. Grał w bejsbol i futbol. Królował na zjazdach absolwentów. Był śliczny i miał pogodne usposobienie, a ja nie byłam jedyną dziewczyną, która się w nim podkochiwała.

Połączyła nas algebra. Siedzieliśmy obok siebie w pierwszym semestrze klasy maturalnej. Matematyka nie była moją mocną stroną, jego też nie, ale dzięki współpracy udawało nam się jakoś rozwiązywać zadania domowe. Pierwsza randka odbyła się przy stole kuchennym, gdzie uczyliśmy się do ważnego sprawdzianu i jedliśmy herbatniki upieczone przez jego mamę.

W zasadzie nie powinien mnie lubić. Cichej, pilnej Anne Byrne, okularnicy, która stroniła od kłopotów. Sportowcy chodzili z atrakcyjnymi dziewczynami, takimi, jakie można zobaczyć w filmach. Cóż, życie to nie film. Dla Michaela było zupełnie naturalne, że odprowadzając mnie do domu, trzymał za rękę i całował na pożegnanie.

Nigdy nie zaprosiłam go do siebie. Poczułby się jak w domu wariatów. Siostry wrzeszczały, kłóciły się o ciuchy, bawiły w kowbojów i Indian. W domu nigdy nie było czysto, śmierdziało dymem papierosowym, a posiłki spożywaliśmy albo wśród głośnych pokrzykiwań, albo w kompletnej ciszy, by nie wkurzyć taty. Zwłaszcza gdy dopadł go kolejny dziwaczny nastrój.

Zakochałam się w rodzinie Michaela, prawie równie mocno jak w nim. Pani Bailey była idealną mamą. Miała zawsze ułożone włosy i staranny makijaż, nawet gdy myła podłogę. Tata był sympatycznym okularnikiem, który ciągle dręczył Michaela zagadkami. Wkurzał się, ale ja to uwielbiałam. Michael miał starszego brata w college'u, którego nigdy nie poznałam, ale widziałam na zdjęciu. Był starszą wersją Michaela. Nikt w tym domu nie przeklinał. Nikt nie palił. Nikt nie pił. Było... normalnie.

Baileyowie bez problemu mnie zaakceptowali, jakbym nie różniła się od tuzina innych dziewczyn, z którymi spotykał się Michael. Prawdopodobnie nie uważali mnie za jego dziewczynę, a ja tak bardzo chciałam nią być. Chciałam, żeby mnie jeszcze bardziej polubili. Chciałam, żeby Michael lubił mnie bardziej niż tamte inne. Żeby mnie bardziej kochał.

Ja byłam Catherine z *Wichrowych wzgórz*, on Heathcliffem. Gdyby wszystko wokół zniknęło i został tylko Michael, trwałabym przy nim. Był moim słońcem, księżycem, gwiazdami, moją alfą i omegą. Oceanem, do którego wskoczyłam, nie martwiąc się, czy utonę.

Było wiadomo, że pójdę do college'u. Wiedziałam o tym od dziewiątej klasy, gdy zaczęliśmy przystępować do testów kompetencyjnych. Złożyłam podania na wiele uczelni, ale wylądowałam na uniwersytecie w Ohio, bo oferował najlepsze stypendium. Na wiosnę w ostatniej klasie liceum skończyłam osiemnaście lat, przyjęto mnie na uniwersytet i zaczęłam liczyć dni do opuszczenia domu. Jedyną myślą, która zakłócała radosny nastrój, była świadomość, że będę musiała rozstać się z Michaelem. On też złożył papiery na uniwersytet w Ohio, więc hołubiłam w sobie myśl, że jednak będziemy razem.

W tym wieku wszyscy chcą uprawiać seks, niektórym to się nawet udaje. Chłopcy chełpili się podbojami, dziewczyny wstydliwie milczały. Spełniałam wszystkie życzenia Michaela. Spuszczał mi się w ręce, w usta, na piersi, między uda. Nie namyślając się wiele, oddałam mu dziewictwo, nawet nie udając, że to wielkie poświęcenie. Oddałabym mu się znacznie wcześniej, gdyby tylko poprosił. Nie zrobił tego, bo chyba bał się odmowy.

Pierwszy stosunek seksualny bywa zwykle paskudnym przeżyciem, ale ze mną tak nie było. Przez godzinę tylko się pieściliśmy i dotykaliśmy. Żadna gra wstępna nie wygra z młodzieńczym odkrywaniem seksualności, gdy każdy rozpięty guzik wywołuje burzę hormonów. Zwykle to ja poświęcałam więcej czasu na pieszczenie ustami jego członka, ale tym razem on lizał mnie znacznie dłużej. Gdy potem całował, czułam mój smak na jego ustach. Leżeliśmy nadzy, jego gorący i twardy penis opierał się na moim brzuchu.

Nie rozmawialiśmy o tym, czy to zrobimy. To się po prostu wydarzyło. Całowaliśmy się. Pieściliśmy. I w pewnym momencie jakoś tak skrzyżowaliśmy nogi, że jego członek wsunął się między moje uda. Wygięłam plecy. On pchnął. Ja byłam gotowa, mokra i śliska. To było takie naturalne, że chyba wcale nie zauważyliśmy, co się stało, dopóki nie wszedł głębiej. Nic nie bolało, a gdy zaczął się poruszać do przodu i do tyłu, byłam tak blisko spełnienia, że ścisnęłam jego pośladki, by pchnął jeszcze mocniej. Drżąc i jęcząc, szeptał moje imię, co jeszcze bardziej mnie podniecało. Przeżyliśmy orgazm prawie równocześnie, co nigdy później nam się już nie udało. Później kochaliśmy się wiele razy, ale nigdy nie było tak dobrze jak za pierwszym razem.

Właśnie rozpoczynała się kampania o zapobieganiu AIDS, nieustannie przypominano o używaniu prezerwatyw i rzeczywiście zawsze ich używaliśmy. Oprócz tego pierwszego razu. I stało się właśnie tak, jak to się mówi, że wystarczy tylko raz, by wpaść na dobre.

Dotarło do mnie, że zaszłam w ciążę, gdy pewnego razu tuż po przebudzeniu ledwie dobiegłam do łazienki, by zwymiotować. Zawsze miałam nieregularne i bolesne miesiączki, więc bez trudu zdołałam sobie wmówić, że nabrzmiałe piersi, mdłości i zawroty głowy są oznaką napięcia przedmiesiączkowego. To niemożliwe, żebym była w ciąży. Bóg by mi tego nie zrobił.

Tylko że Bóg nie miał z tym nic wspólnego, sama byłam sobie winna.

Trzy dni przed końcem roku szkolnego powiedziałam o tym Michaelowi. Jako maturzyści byliśmy już po egzaminach końcowych i nie musieliśmy chodzić do szkoły. Poszliśmy do niego i kochaliśmy się w jego łóżku z wezgłowiem w kształcie koła parowozu. Seks był dobry, jak zawsze, gdy kochasz się z osobą, którą darzysz wielkim uczuciem. Wszystko, co razem robicie, jest jak Boże Narodzenie albo Dzień Niepodległości. Nasze orgazmy nie były wynikiem biegłości w sztuce kochania, po prostu się zdarzały, ale po co oceniać takie przeżycia.

Leżał na mnie, trzymał dłoń na moim brzuchu, który jeszcze nie zaczął rosnąć. Pachniał kremem z filtrem przeciwsłonecznym, bo wcześniej byliśmy na basenie. Kochałam go tak bardzo, że aż bolało.

Czekałam na odpowiedni moment i na właściwe słowa, ale wydukałam jedynie: „Jestem w ciąży". Bez emocji. Tak po prostu. Zupełnie jakbym mówiła „jestem głodna" albo „jestem zmęczona".

Nie widziałam jego twarzy, ale poczułam, że cały się spiął. Nawet nie zapytał, czy jestem pewna. Nic nie powiedział. Wstał, wyszedł do łazienki i zamknął się od środka.

Czekałam kilka minut. Przez ścianę słyszałam odgłosy wymiotów. Wstałam, ubrałam się i wyszłam, nie czekając na jego powrót.

Nie zadzwonił. Moje serce pękło i rozpadło się jak szyba rozbita cegłą. Zbyt wiele kawałeczków, by skleić. Podjęłam jednak ten trud, raniąc się do krwi. Zobaczyłam go znowu na ceremonii rozdania świadectw. Na zdjęciu stoimy w tym samym szeregu, ale patrzymy prosto przed siebie.

Przed rozpoczęciem studiów wyjechałam na dwa miesiące, by dorobić do stypendium jako kelnerka. Miałam przed sobą całe życie, ale bez Michaela, który powinien mnie wspierać, wszystko zaczęło się sypać.

Samobójstwo byłoby zbyt melodramatycznym rozwiązaniem. Nie miałam pieniędzy na aborcję, zresztą religia potępiała to rozwiązanie. Ratunku szukałam w książce telefonicznej pod hasłem „adopcja". Aż spociłam się z przejęcia i zemdlałam, zanim znalazłam właściwą stronę.

To był koszmar znacznie gorszy niż sny o tym, jak tonę. Potworny strach wypełniał mnie za każdym razem, gdy dotykałam brzucha albo dzwonił telefon, a w słuchawce znów nie słyszałam głosu Michaela. Nie doświadczałam zbawiennego działania czasu, który podobno leczy wszystkie rany. Byłam niezmiennie przerażona.

Wiedziałam, że robię źle, ale strzeliłam sobie drinka. Palił mnie w gardło. Stałam w kuchni z flaszką ojca w ręce i czekałam, aż poczuję to co on. Czekałam na zapomnienie, na coś, co uciszy bezlitośnie narastającą we mnie histerię.

Nic nie poczułam.

Wypiłam więcej. Zakaszlałam, krztusząc się, ale przełknęłam. Whisky rozgościła się w żołądku jak stary przyjaciel. Napiłam się ponownie. Po trzecim łyku życie nie wyglądało już tak źle, i zaczynałam rozumieć ułudę, którą oferował alkohol. Potem na kolanach przed muszlą wymiotowałam tak gwałtownie, że popękały mi naczynka krwionośne. Postanowiłam zostać abstynentką.

Dwa tygodnie później, gdy podniosłam szczególnie ciężki półmisek ze stekami, poczułam świdrujące ukłucie w brzuchu. A po nim następne. Na szczęście ból minął i mogłam obsługiwać gości. Niestety, godzinę później powrócił. Poszłam do łazienki dla personelu i odkryłam ciemną plamę krwi w majtkach. Powstrzymałam łzy, zabezpieczyłam się grubo złożoną serwetką i wróciłam do pracy.

Dokończyłam zmianę. W domu stałam pod prysznicem, patrząc, jak krew ścieka po nogach i wiruje wokół kratki odpływowej. Mój śmiech zabrzmiał jak łkanie. Nie wiedziałam, co robić. W końcu Bóg wysłuchał modlitw, których wcale nie zanosiłam.

W sierpniu Michael przyszedł do restauracji, w której pracowałam. Zamówił wodę mineralną, którą podałam mu z plasterkiem cytryny i słomką zawiniętą w papierek, jakby można się było czymś zarazić, wyjmując ją i wkładając do szklanki.

– Jak leci? – zapytał, rozglądając się konspiracyjnie dookoła, chociaż nie była to godzina szczytu i jedyni klienci siedzieli w innej części restauracji.

– Świetnie. – Próbowałam sobie przypomnieć, jak to było kochać go.

– A jak...? – Nie dokończył i spojrzał wymownie na mój brzuch.

– Nie ma – odpowiedziałam, jakby nasze dziecko było alergią, którą można wyleczyć odpowiednio dobraną maścią.

Nie byłam zła, widząc na jego twarzy uczucie ulgi. Czułam to samo. Tyle że to nie on krwawił i cierpiał ból. Nie on widział krew i odczuwał okropne skurcze. Nie on był przerażony i zagubiony.

– Aha. No dobrze. To... – Znowu nie dokończył zdania. Chrząknął i wykonał ruch, jakby chciał złapać mnie za rękę. – Ile kosztowało?

Chciałam być na niego zła, ale nie potrafiłam. Miłość do niego umarła, zostały po niej tylko zgliszcza. Teraz nie czułam nic. Gdy nie odpowiedziałam, zapewne doszedł do wniosku, że wydałam fortunę. Skinął głową i znowu rozejrzał się dookoła.

– Oddam ci pieniądze za zabieg. I, Anne... tak mi przykro – powiedział.

Mnie też było przykro, ale nie na tyle, by wyjawić mu prawdę. Nie na tyle, by wzgardzić pieniędzmi, których potrzebowałam na studia. Dał pięćset dolarów, które wydałam na książki i skrypty.

Kiedy wyszłam spod prysznica, para wodna rozstąpiła się jak kurtyna. Sięgnęłam po ręcznik. Wszystko działo się dawno temu i jak kilka innych wydarzeń, pozostawiło mi blizny na psychice. Czasami zastanawiałam się, jak by to było, gdybym tak bardzo nie pragnęła poronienia. Potem rozpoznano u mnie endometriozę, która może powodować bezpłodność. Jedno nie miało nic wspólnego z drugim, jednak w moim umyśle te dwie sprawy się łączyły.

Wytarłam się i stałam w drzwiach do łazienki owinięta ręcznikiem. Usłyszałam dwa męskie głosy, rozmawiające, roześmiane.

Wiem już, dlaczego dzisiaj pomyślałam o Michaelu. Bo wczoraj czułam nie tyle miłość, co rozkosz. Kochałam Jamesa, ale nie dałabym się za niego spalić na stosie. A za Michaela tak.

No i nigdy dla Alexa.

Obydwaj odwrócili głowy, gdy otworzyłam drzwi. Dwóch wspaniałych mężczyzn z prawie identycznymi uśmiechami. Poczułam kawę. Alex wyciągnął rękę.

– Anne – powiedział. – Chodź do łóżka.

I poszłam.

Właśnie zamykałam samochód na parkingu przed bistro, gdy zobaczyłam Claire gramolącą się z czarnego auta. Trzasnęła z rozmachem drzwiami i wzmocniła wrażenie wyciągniętym środkowym palcem, gdy samochód już ruszył. Odwróciła się i zauważyła mnie.

– Faceci to palanty! – krzyknęła. – Popierdolone głupie chuje!

Nie zamierzałam zaprzeczać.

– Kto to był?

– Nikt. Totalny buc. Śmieć. Zasrany gnojek. Pierdolona gnida.

– Podobno nie masz chłopaka. – Próbowałam ją rozśmieszyć, ale tylko się skrzywiła.

– Nie mam. – Spojrzała w kierunku oddalającego się samochodu. – A nawet gdybym planowała mieć, nie byłby to ten.

Nieznany samochód zaparkował obok mojego i wysiadła z niego Patricia. Zamknęła drzwiczki i wrzuciła klucze do torebki. Widząc, że jej się przyglądamy, wyprostowała plecy.

– Van spalał za dużo benzyny. Zamieniliśmy go na to.

Pats nigdy nie miała używanego samochodu. Spojrzałam na Claire, ale myślami błądziła daleko stąd. Tuż obok zaparkowała Mary samochodem mamy. Co się dzieje? Odgrywamy idiotyczną komedię pomyłek?

– Gdzie twój garbus? – spytałam.

– Czeka na nowe opony. – Wszechobecna komórka Mary znowu zapikała. Sięgnęła do torebki, nacisnęła guzik i telefon umilkł. – Idziemy? Umieram z głodu.

Impreza dla rodziców miała się odbyć za kilka tygodni, powoli zaczęły już spływać potwierdzenia przybycia. Pokazałam dziewczynom plik kartek z zaznaczonym „tak" lub „nie".

– Boże. Wygląda na to, że wszyscy przyjdą. – Claire przejrzała kilka kartek i zmarszczyła czoło. – Jasna dupa, dziewczyny! Będzie ze dwieście osób.

– Musimy zadzwonić do firmy cateringowej – powiedziała jak zawsze praktyczna Patricia.

– Gdzie ich pomieścimy? – zapytałam, wcale nie oczekując odpowiedzi.

– Jakoś to będzie. – Wesoła odpowiedź Mary ściągnęła na nią powszechną uwagę. Chyba nie umiałam ukryć zdziwienia, bo dodała: – No co? Źle mówię?

– Okay, słoneczna Mary. – Claire przewróciła oczami. – Skoro tak twierdzisz.

– Jasne, zawsze jakoś jest, nie? – odparła Mary beztrosko.

Przyjrzałam się jej dokładnie. Zaróżowione policzki. Błyszczące oczy. Delikatny uśmieszek podnoszący koniuszki ust. W jej życiu działo się coś ważnego. Coś działo się z nami wszystkimi. To lato było pełne sekretów. Przynajmniej sekret Mary miał na nią zbawienny wpływ.

Podzieliłyśmy się ostatnimi obowiązkami związanymi z organizacją uroczystości. Zastanawiałyśmy się, czy wynająć kogoś do sprzątania po imprezie, ale uznałyśmy, że byłaby to zwykła rozrzutność. Firma cateringowa po sobie posprząta, a jeśli użyjemy jednorazowej zastawy, nie będzie prawie nic do mycia.

– Możemy wynająć kontener na śmieci – zaproponowała Patricia. – Przyjadą po niego po imprezie.

– No i przenośne toalety, bo dwie ubikacje na dwieście osób to trochę za mało – uzupełniła Claire.

Niezły pomysł. Nasze spotkanie przebiegało całkiem miło, bez żadnych sprzeczek. Patricia była dziwnie cicha, Mary za to niezwykle gadatliwa. W połowie lunchu Claire okropnie pobladła i wyszła do łazienki. Reszta sióstr spojrzała na mnie, wyraźnie domagając się wyjaśnień.

– Hej, nie patrzcie na mnie. Mary, ty widujesz się z nią częściej.

– Ostatnio nie bardzo. – Mary zamoczyła frytkę w keczupie, ale nie zjadła jej, tylko... uśmiechnęła się do niej. – Dużo pracuje, a ja wyjechałam z miasta.

– Żartujesz? Gdzie byłaś? – Patricia zaczęła odliczać pieniądze za swoje zamówienie, co do grosza.

– Pojechałam na tydzień do Betts. Chciałam obejrzeć kilka mieszkań do wynajęcia, bo jesienią wracam na uniwerek. Miałam też trochę roboty papierkowej.

Patricia podniosła wzrok znad portmonetki, z której wybierała drobne.

– Domyślam się, że znowu spotkałaś się z tym twoim – rzuciła.

– Jakim moim? – zdziwiła się Mary.

– Pats ma na myśli faceta, z którym spałaś – wyjaśniłam.

– Joego? Nie – odpowiedziała Mary, krzywiąc się.

– To skąd te rumieńce na twarzy? – zapytała Patricia, porządnie układając banknoty i stosik monet na stole.

Wszystkie milczałyśmy. Patricia na moment zastygła. Mary uniosła hardo brodę, patrzyła wyzywająco.

Wtedy zrozumiałam. Patricia też. Nie ośmieliłam się na nią spojrzeć.

– Pieprzone gówno! – krzyknęła Claire, siadając przy stole. – Faceci powinni ssać kutasy osłom i wylizywać ich włochate jaja! – Rozejrzała się dookoła, ale nasza uwaga była skupiona na czymś innym. – Co tu się, do cholery, stało?

Nic nie odpowiedziałyśmy, jakbyśmy były wyszkolone, by w takich momentach milczeć.

James przypomniał sobie w końcu, by zapytać mnie, jak minęła wizyta u ginekologa.

– W porządku. – Przysunęłam twarz do lustra, by nałożyć sobie tusz na rzęsy. – Nie mam już tak silnych bóli, co oznacza, że zabieg się udał.

James po goleniu pachniał rozmarynowo-lawendową wodą.

– A co z zajściem w ciążę? – zapytał.

– Możemy próbować, kiedy tylko przyjdzie nam ochota.

– Świetnie.

Odłożyłam tusz do rzęs i westchnęłam.

– James, uważam, że to nie najlepszy moment na ciążę. Przemyśl to.

Zamarł na chwilę, ze szczoteczką do zębów w ręku.

– Jeśli nie będziesz się pieprzyć z Alexem, nie widzę problemu.

– Wiesz co? Nie spodziewałam się, że coś takiego powiesz. Byliśmy razem w łóżku dwa razy. Sądzisz, że skończy się tylko na ssaniu, lizaniu i masturbacji?

– Po prostu tego nie rób. – Wzruszył ramionami, jakby rozmawiał o pogodzie. I jakby obserwowanie żony biorącej do ust penisa innego mężczyzny było w porządku, ale patrzenie, jak ten mężczyzna z nią kopuluje, już nie.

Alex czekał na nas, bo mieliśmy razem iść na kolację. Stał między nami, chociaż niewidoczny. Skrzywiłam się, ale James wydawał się nieporuszony.

– Czegoś tu nie rozumiem – oświadczyłam.

– A on tak – odparł, myjąc zęby.

– Wyjaśnij mi.

James wypluł pianę i wypłukał usta.

– Dla niego to żaden problem. Wie, że chcemy mieć dziecko. I wcale nie musi cię pieprzyć.

– Rozmawialiście na ten temat? – Słowa utknęły mi w gardle, ale dokończyłam wypowiedź. – Beze mnie?

– Anne, co za różnica?

Odsunęłam się od niego.

– Dla mnie ogromna. Jak śmiałeś rozmawiać na taki temat, nie pytając mnie o zdanie? Czego dokładnie dotyczyła ta rozmowa? Negocjowaliście warunki pieprzenia mnie?

Widziałam, że jednak czuje się trochę winny.
– Kochanie, daj już spokój.
– O czym gadaliście? Ustalaliście regulamin postępowania?
Odwrócił wzrok.
– Tak. Coś w tym rodzaju.
Czułam, jak krew odpływa mi z twarzy.
– No i co ustaliliście?
– Wyluzuj, kotku.
Odepchnęłam rękę, którą chciał położyć mi na ramieniu.
– Co to za reguły? – zapytałam wzburzona.
James westchnął i oparł się o blat okalający umywalkę.
– Takie, że on... nie może się z tobą pieprzyć. To wszystko. Co do reszty, wszystko dozwolone. Byle nie pójść na całość.
Musiałam chwilę spokojnie pomyśleć. Rozmawiali na ten temat beze mnie. Rozmawiali o mnie.
– A on... Też może robić, co chce?
James potarł palcami twarz w geście zakłopotania, ale odpowiedział.
– No tak, jeśli mu pozwolisz.
– I mogę robić mu loda?
– Tylko jeśli będziesz chciała, Anne – odparł cierpliwie.
– Kiedy? – zapytałam chłodnym tonem.
– Co kiedy?
Znałam te sztuczki. Udawał głupka, byle nie udzielić jednoznacznej odpowiedzi. W ten sposób zbywał mamcię i siostry, ale gdy rżnął głupa przy mnie, wpadałam w szał.

– Kiedy to ustaliliście?

Wyciągnął do mnie dłoń, ale odepchnęłam ją. Westchnął i przeczesał włosy. Cofnął się, nie patrząc mi w oczy.

– Czy to ma jakieś znaczenie?

Przez moment musiałam się zastanowić, jakim tonem mu odpowiedzieć.

– Oczywiście!

– Jakiś czas temu. Tak jakoś wyszło podczas rozmowy.

– Proszę, wyjaśnij mi, w jaki sposób można poruszyć w rozmowie taki temat. Przypadkiem rzucić, że kumpel ma prawo pieprzyć twoją żonę. Och, przepraszam, przecież gadaliście o tym, że jednak nie ma prawa.

Odwrócił się do mnie tyłem.

– Znalazłem ankietę w starym magazynie. Myślałem, że tego pragniesz.

Gdybym zaczęła się zastanawiać, czy to kolejny głupi wykręt, tobym mu przyłożyła, ale mówił szczerze.

– Jaką ankietę?

– O fantazjach seksualnych. Zaznaczyłaś odpowiedź, że chciałabyś to robić z dwoma facetami jednocześnie.

Zachwiałam się. Musiałam chwycić się blatu, by nie upaść.

– Nie mam pojęcia, o czym ty, do cholery, mówisz.

Otaczanie kłamstwa prawdą sprawia, że łatwiej w nie uwierzyć. James nie potrafił kłamać i przynajmniej część z tego, co powiedział, była prawdą.

– Tak było w ankiecie. Sądziłem, że tego chcesz. Dlatego...

– Ty to wszystko nagrałeś?

Wzruszył ramionami, podnosząc dłonie do piersi w geście poddania. Musiałam się odwrócić, żeby go nie spoliczkować.

– Nie mogę uwierzyć, że zabawiłeś się w alfonsa!

– To nie tak – odparł cicho. – Nie wiedziałem, że przyjedzie i u nas zamieszka, dopóki nie zadzwonił. Wydawało mi się, że to dobry moment, by spróbować... Wiedziałem, że on się zgodzi. I chciałem dać ci coś, czego, jak sądziłem, bardzo pragnęłaś.

– No jasne! Tak jak tych wakacji z golfem? – Przypomniałam mu wyjazd, który zaplanował na naszą trzecią rocznicę ślubu, chociaż nigdy nie grałam w golfa.

– Co?

– Nieważne. – Przecisnęłam się obok niego i poszłam do sypialni.

– Myślałem, że ci się spodoba – powiedział, stając w progu. – I tak było.

Odwróciłam się na pięcie. Emocje ścisnęły mnie za gardło, nie wiedziałam tylko, czy znajdą ujście we wściekłości, czy wybuchnę śmiechem.

– Nie powiedziałeś, że utrzymujesz z nim kontakt! Przez lata opowiadałeś o nim, jakby... nie żył! Pozwoliłeś mi zaprosić go na nasz ślub i pozwoliłeś, bym myślała, że nie rozmawiałeś z nim od wieków!

– Bo nie rozmawiałem! – krzyknął James zbyt głośno. – Zadzwonił do mnie, by złożyć gratulacje z okazji ślubu, od czasu do czasu pisaliśmy do siebie mejle. Czasem dzwonił. Co w tym dziwnego?

– O co się pokłóciliście, gdy mieliście po dwadzieścia jeden lat? Wtedy u ciebie w akademiku? Przecież

Alex był twoim najlepszym przyjacielem. Powiedz, o co poszło?

James podszedł do komody i wyciągnął z szuflady parę skarpetek. Usiadł i zaczął je zakładać, nie patrząc w moją stronę.

Klęczałam przed nim już wiele razy, ale tym razem nie było między nami iskry podniecenia. Położyłam ręce na jego udach i przekrzywiłam głowę, żeby spojrzeć mu w oczy. Gdy podniósł twarz, dostrzegłam, że ma zmarszczone brwi i zaciśnięte usta.

– Mam prawo wiedzieć – powiedziałam.

Westchnął i się rozluźnił.

– Nie widziałem go przez jakiś czas. Byłem na uniwerku, on pracował w parku rozrywki. Nie kontaktowaliśmy się często, od czasu do czasu do mnie dzwonił albo wpadałem do niego, gdy miałem wolne. Zmienił się. Zaczął chodzić do klubów. Spotykać ludzi. Ja wtedy pisałem pracę dyplomową. Żyliśmy w różnych światach. Ludzie dorastają i zmieniają się, wiesz, jak jest.

Skinęłam głową.

– Zadzwonił ni stąd, ni zowąd w połowie sesji egzaminacyjnej i zapytał, czy może wpaść na weekend. Przyjechał i... widziałem, że coś z nim się dzieje, ale nie pytałem. Cały... jakby wibrował, nie umiem tego inaczej nazwać. Myślałem, że jest na haju, ale zaprzeczył. Wyskoczyliśmy na miasto. Upiliśmy się. Wróciliśmy do mojego pokoju i wtedy powiedział, że jakiś facet zaproponował mu pracę w Singapurze, którą zamierza przyjąć.

James głęboko odetchnął.

– Co mnie to w końcu obchodziło? – kontynuował. – No ale... byliśmy pijani. Kurwa mać! Alex wyjaśnił, że to nie jakiś tam zwykły facet, tylko gość, którego pieprzy. Wtedy... po prostu straciłem kontrolę nad sobą.

Nie takiej historii się spodziewałam.

– Przecież...

– Pobiliśmy się okropnie. Połamaliśmy stolik do kawy, potłukliśmy stojące na nim butelki. – James bezwiednie pogładził bliznę na piersiach. – Byliśmy zalani w trupa. Nigdy wcześniej nie byłem tak nawalony. I zraniłem się. Krwawiłem jak zarzynany wieprz. Myślałem, że umieram. Alex zawiózł mnie na pogotowie. Następnego dnia wyjechał.

Spojrzałam mu w oczy.

– I zaproponowałeś Alexowi pobyt w naszym domu, nie pytając mnie o zgodę? Zaprosiłeś go, żeby uwiódł twoją żonę. Patrzyłeś, jak ją liże, ale nie chcesz, żeby się z nią pieprzył.

James się żachnął.

– Myślałem, że...

– W ogóle nie myślałeś! – warknęłam.

Popatrzyliśmy na siebie. Właśnie odbyliśmy pierwszą naprawdę poważną kłótnię. Wstałam, James się nie poruszył.

– Jeśli tego nie chcesz... – zaczął James, ale znowu mu przerwałam.

– Chcę – oświadczyłam chłodnym tonem. – Chcę tego.

Winiłam Jamesa za spiskowanie z Alexem. W końcu to on się ze mną ożenił, to on zgodził się, żeby Alex u nas mieszkał. To on sprytnie zainicjował podglądactwo, ekshibicjonizm i zabawę w trójkącie. To James mnie znał, nie Alex.

Owszem, byłam wściekła, ale chociaż poznałam prawdę, nadal pragnęłam Alexa. Nie było sensu zaprzeczać. Co z tego, że nieświadomie uczestniczyłam w grze obmyślonej przez męża? Seks z dwoma mężczyznami okazał się fantastyczny, równie podniecający jak w najśmielszych fantazjach. Jednak nie zaznaczyłam tego w żadnej ankiecie. Cały problem sprowadzał się do tego, czy powinnam wierzyć w motywy postępowania Jamesa. Ostatecznie dzięki niemu przeżyłam coś niezwykłego. A może lepiej dokopać się do prawdy, której poznanie mogło okazać się niezwykle bolesnym przeżyciem?

Postanowiłam uwierzyć w wersję Jamesa.

Odnalazłam czasopismo, o którym wspomniał, upchnięte pod innymi starymi magazynami w koszu obok sedesu. Ktoś faktycznie zakreślił odpowiedź „dwóch mężczyzn, jedna kobieta". Nie ja. Wzięłam czasopismo do pokoju i rzuciłam w Jamesa. Trafiłam prosto w pierś.

– Proszę, oto twoja ankieta – oświadczyłam. Zrobiłam groźną minę, chociaż już wcale nie byłam zła. – Nie zakreśliłam tego.

– A kto?

– Skąd mam wiedzieć? – odpowiedziałam pytaniem na pytanie. – Kto dał mi te magazyny? Czy czasem nie... twoja matka?

Był tak zaszokowany i zniesmaczony, że odrzucił gazetę, jakby to był jadowity pająk.

– Anne, Matko Boska!

Nie mogłam się powstrzymać, roześmiałam się. James wyglądał, jakby planował samobójstwo.

– Zastanów się – zaproponowałam.

– Nie zamierzam.

Podeszłam do łóżka, przewróciłam go na plecy i dosiadłam, przytrzymując jego nadgarstki za jego głową. Mógłby łatwo się uwolnić, ale posłusznie leżał. Musiałam zakończyć tę rozgrywkę zwycięsko.

– Jeśli jeszcze kiedykolwiek dowiem się, że zrobiłeś coś takiego – zaczęłam stanowczym głosem – nigdy ci nie wybaczę. Zrozumiano?

– Zrozumiano.

Poruszałam trochę biodrami. Nagrodą dla mnie był jego nabrzmiewający członek.

– Jeśli chcesz rozmawiać o takich sprawach, to w mojej obecności.

– Załatwione.

Znowu się poruszyłam. Jego źrenice rozszerzyły się odrobinę, biodra uniosły, a ja ścisnęłam je udami.

– Gdy on wyjedzie, koniec z tymi zabawami – oświadczyłam. – Jeszcze tylko kilka tygodni. Do końca lata. I nie będziesz proponować tego innym, jasne? Żadnego zapraszania Dana Martina na winko, przekąski i robótkę ręczną Anne.

– Jezu, no coś ty?! – zawołał James.

Dan Martin był członkiem jego ekipy budowlanej. Dosyć miły facet, ale ja zdecydowanie preferowałam mężczyzn z kompletnym uzębieniem.

Znowu poruszył biodrami, ale nie byłam gotowa dać mu tego, czego najwyraźniej oczekiwał.

– Nie chcę, żeby to nas poróżniło, Jamie. Mówię poważnie.

James uśmiechnął się, a ja zdałam sobie sprawę, że nazwałam go zdrobnieniem, którego używał Alex. Puściłam jego nadgarstki, a wtedy przyłożył mi dłoń do policzka. Siedzieliśmy tak przez chwilę.

– To nas nie poróżni. Jeśli chcesz to zakończyć, wystarczy powiedzieć.

Zastanowiłam się.

– Muszę wiedzieć dlaczego. Poznać całą prawdę. Bądź ze mną szczery.

– Powiedziałem ci dlaczego. – Poruszył się pode mną. Cały czas miał silną erekcję i pewnie zrobiło mu się niewygodnie. – Myślałem, że tego chciałaś.

Pokręciłam głową.

– To nie jest odpowiedź, którą chciałam usłyszeć. Podaj mi prawdziwy powód.

– Chciałaś, żeby cię dotykał?

– Tak.

– W ten sposób? – James złapał mnie za piersi.

– Tak.

– I tutaj? – Ścisnął mi pośladki.

– Tak. Tutaj też.

– I tutaj? – Dotknął mnie między nogami.

– Tak, tutaj też.

Pociągnął mnie, aż znalazłam się pod nim. Ustami znalazł moje usta. Rozchylone. Wsunął w nie język, posmakował mnie. Podniósł się na rękach, by spojrzeć mi w twarz.

– Chciałaś, żeby cię pocałował. I dotykał. To cię podnieciło.

James robił ze mną dokładnie to, o czym mówił.

– Już ci powiedziałam, że tak.

Przestał mnie pieścić i spojrzał mi w oczy. Przysunął usta do moich ust, lecz nie pocałował. Jego oddech ogrzewał mi twarz.

– Gdy patrzyłem, jak on się do ciebie dobiera... – zaczął. – Wiem, jak smakujesz. Jak się podniecasz, robisz mokra. I ciasna. Potrafiłem sobie wyobrazić, co czuł, gdy wkładał ci do środka palce. Jak smakują twoje usta, gdy objęłaś nimi jego członek. Patrzyłem, jak mu obciągasz, gdy cię pieprzę... – Mówił coraz niższym, ochrypłym głosem. – Nie masz pojęcia, jak pięknie wyglądasz, gdy masz orgazm.

Chciałam dokopać się głębiej, zedrzeć błyszczącą otoczkę, pod którą musiało kryć się coś mrocznego.

– Jeśli chcemy nadal to robić, musimy być ze sobą zupełnie szczerzy – powiedziałam.

– Oczywiście. – Zadrżałam, słysząc jego szept w moim uchu. – Absolutnie. Obiecuję, że nie będę więcej o tobie rozmawiać... Chyba że to będzie spisek w dobrej sprawie. Na przykład jak jeszcze seksowniej rozebrać cię do naga.

Uśmiechnęłam się sztucznie.

– James, mówię poważnie.

– Mów do mnie Jamie – zamruczał, liżąc mnie po gardle.

W jakiś sposób udało mu się rozpiąć mi dżinsy i włożyć rękę do środka.

– Podoba mi się tutaj.

– Jamie – szepnęłam. – Mówię poważnie.

Pozwoliłam, by wziął mnie za rękę.

– Nie jestem gejem – powiedział.

Zaczęłam mówić, że nieważne, kim jest i jakie są jego preferencje seksualne, bo i tak go kocham, ale przerwałam, gdy usłyszałam hałas przy drzwiach. Odwróciliśmy głowy. Nie wiedziałam, jak długo stał w progu. Patrzył na nasze połączone ręce. Jego twarz była zupełnie wyprana z emocji.

– Przyszedłem zobaczyć, czy jesteście gotowi do wyjścia – powiedział tonem tak beżowym jak ściany w sypialni.

James podniósł się, obejmując mnie za ramiona.

– Tak, stary. Daj nam minutkę.

ROZDZIAŁ JEDENASTY

Następnego ranka zastałam Alexa siedzącego w kuchni nad laptopem. Miał rozczochrane włosy i, jak zwykle, odsłonięty tors i bose stopy. Ubrany był w spodnie od piżamy. Nigdy wcześniej nie widziałam go w okularach. Wyglądał w nich jak ktoś nieznajomy. Dzięki nim łatwiej było mi się do niego odezwać.

– Musimy pogadać – powiedziałam.

Spojrzał znad klawiatury i zamknął laptopa.

– Okay.

Postanowiłam być szczera i wyłożyć kawę na ławę.

– James opowiedział mi wszystko.

– Serio? – Alex skrzyżował ramiona na piersiach i rozparł się na krześle.

– Serio.

Agresja nie przychodzi mi w sposób naturalny, ale musiał wyczuć groźbę w moim głosie, niezależnie od tego, że moje włosy były rozczochrane i miałam na sobie piżamę. A może to tylko kubek kawy w ręce, który trzymałam jak broń, i fakt, że stałam nad nim, a on siedział, sprawiały takie wrażenie.

– Co ci powiedział? – zapytał Alex, lekko unosząc brwi.

– Opowiedział mi o regułach, które ustaliliście.

Czekał chwilę, zanim odpowiedział.

– Czy to ty o to spytałaś, czy sam powiedział?

– Po trochu tak i tak – odparłam.

Upiłam łyk kawy. Alex wyglądał na nieco zagubionego, ale uznałam, że tak się maskował, a nie dlatego, że nie zrozumiał, co chciałam powiedzieć.

Trudno było prowadzić dyskusję w ten sposób. Pomyślałam, że najlepiej załatwić to od razu, tak jak zrywa się plaster z rany jednym mocnym pociągnięciem.

– Powiedział mi, jak rozmawialiście o tym, co możesz, a czego nie możesz ze mną robić – wyjaśniłam.

Cholerny koleś. Nie dał mi żadnej wskazówki, nie zrobił najdrobniejszej rzeczy, żeby mi to ułatwić. Nawet nie skinął głową.

– Nie podoba mi się to – skwitowałam krótko.

To spowodowało, że zareagował. Lekceważący błysk pojawił się w jego oczach, usta skrzywiły się lekko.

– A konkretnie, co ci się nie podoba? – zapytał.

Ścisnęłam mocniej kubek w dłoniach, starając się zachować naturalny ton głosu.

– Zasady, które wspólnie ustaliliście – odparłam.

Nie zdążyłam nawet drgnąć, gdy błyskawicznie doskoczył do mnie. Wyjął mi kubek z dłoni i postawił na stole. Nie cofnęłam się, nawet kiedy stał tak blisko, że mogłam policzyć włosy wokół jego sutków.

– Które zasady ci się nie podobają?

Przywarł do mnie, a ja zaczęłam cofać się powolutku. Zatrzymaliśmy się, kiedy dotarliśmy do ściany. Serce zaczęło bić szybciej, czułam pulsowanie w nadgarstkach, z tyłu kolan, na szyi. W miejscach, które perfumuję. W miejscach, w które chciałam być całowana.

Alex położył rękę na ścianie, tuż przy mojej głowie.

– Powiedz mi coś, Anne. Nie podobają ci się zasady? A może jesteś zła, że nie ty je ustanowiłaś?

– Prowadziliście negocjacje, nie troszcząc się, czego pragnę – odparłam.

Patrzył na mnie z góry. Przytłaczał spojrzeniem, jednak nie uciekłam wzrokiem. Czułam ciepło jego skóry, chociaż na mojej pojawiła się gęsia skórka.

– Masz rację – mruknął. – Powinniśmy najpierw zapytać, co o tym myślisz. Powiedz teraz. Co o tym myślisz, Anne?

Czekał, aż spojrzę mu w twarz, ale uciekłam wzrokiem. Zaczął wodzić ręką po moim ramieniu, a drugą oparł o ścianę na wysokości bioder. Zamknął mnie w pułapce.

– Mogę cię całować?

Zaschło mi w gardle, po plecach przebiegł dreszcz. Jego gorący oddech zmysłowo muskał moje włosy.

– Mogę cię dotykać?

Nie tknął mnie, gnojek jeden, chociaż cała drżałam w oczekiwaniu na pieszczotę. Wystarczył jeden ruch, by nasze ciała się zetknęły, ale stałam jak zamurowana.

– Mogę cię całą wylizać?

Moja łechtaczka nabrzmiała na wspomnienie momentu, gdy mnie lizał, dociskając usta do warg sromowych, gdy wsunął we mnie palec i zaczął pieścić. Rozchyliłam usta, ale wydobyło się z nich zaledwie westchnienie. Mogłam pochylić się nad nim, pocałować jego piersi. Miałam wrażenie, że drżę.

– Anne – szepnął mi prosto do ucha. – Mogę się z tobą pieprzyć?

Gwałtownie uniosłam głowę.

– Dobrze wiesz, że nie. To jedyna rzecz, jakiej zabronił.

I wtedy mnie dotknął. O Boże. Jak dobrze się poczułam. Położył dłoń na moim łonie i lekko ścisnął.

– Wspaniale, że można robić tak wiele innych rzeczy oprócz pieprzenia...

Może wtedy wypowiedziałam jego imię, a może to było tylko westchnienie. Nieważne, bo zostało pochłonięte przez pocałunek. Objęłam go ramionami, a wtedy całym ciężarem przycisnął mnie do ściany. Usta ześlizgnęły się na moją szyję, ramiona. Ręce błądziły po ciele, uniósł moją nogę, tak by opierała się na jego biodrach, złapał za pośladki.

Czy nieskrywana zdrada nadal jest zdradą? Czy nadal nią jest, jeżeli zdradzana osoba ją aprobuje, a nawet do niej zachęca?

Alex wędrował ustami w dół, zaczął zsuwać mi spodnie od piżamy. Przyciągnął mnie do siebie, rozchylił nogi. Ukląkł i wtulił twarz w moje krocze.

Przysłoniłam twarz dłonią, by powstrzymać jęk, gdy mnie tam pocałował. Lizał łechtaczkę, rozchylał mi nogi coraz szerzej, by ułatwić sobie dostęp.

Orgazmy są jak płatki śniegu, nie ma dwóch identycznych. Pierwszy sunął wzdłuż nóg, w dół i w górę, wprawiając je w drżenie. Wplotłam palce w jego miękkie i gęste włosy. Obserwowałam, jak ustami wodzi po moich wargach sromowych. W pewnym momencie otworzył oczy i podniósł wzrok. Uśmiechnął się, a wtedy zalała mnie fala rozkoszy.

Poczułam mój smak, gdy zaczął mnie całować. Jego język dotykał mojego w taki sam sposób, w jaki wcześniej lizał łechtaczkę. Na moment przerwał. Oddychał w przyspieszonym rytmie. Ja też.

Jego członek domagał się uwagi, a zaspokojone ciało uznało, że pora się odwdzięczyć. Masowałam go przez materiał piżamy. Podniecało mnie obserwowanie, jak mój dotyk go rozpala. Drżał i musiał oprzeć się obydwoma rękami o ścianę, by się nie przewrócić.

– Zajebiście. Masz wspaniałe usta.

Nie potrafię opisać, jakie wyzwolenie poczułam, klękając. Nie krępowały nas żadne zakazy, wyrzuty sumienia czy wątpliwości. Skupiłam myśli wyłącznie na nim. Na dotyku i smaku. To było czyste pożądanie, któremu całkowicie się poddałam.

Robiłam to najlepiej, jak umiałam. Alex krzyknął z rozkoszy i doszedł dość szybko, co mnie przyjemnie zaskoczyło. Połknęłam jego wytrysk, nie wypuszczając z dłoni pulsujących jąder. Wstałam.

W trakcie seksu James całował mnie i przytulał, ale Alex tego nie robił. Nie złamaliśmy narzuconych sobie reguł. Jednak traktowaliśmy nasze pieszczoty jak zakazany owoc, co czyniło je jeszcze bardziej podniecającymi. Nie byliśmy dla siebie obcy, ale też nie byliśmy zbytnio zżyci. Zastanawiałam się, czy chce mnie lepiej poznać, czy może tylko kobiety dążą do zbudowania głębszej więzi.

– Przepraszam – wyznał zadziwiająco szczerze. – Nie wiedziałem, że nic o mnie nie opowiadał.

– Nie wiem, czy mam powody do radości. Okazało się, że człowiek, którego kocham, nie był ze mną szczery.

– Jamie nigdy nie potrafił dobrze kłamać. – Alex skrzywił usta w lekkim uśmieszku. – Nie jest takim szubrawcem jak ja.

– Może nie, w dodatku nie zdaje sobie sprawy, jak łatwo go przejrzeć – odparłam, uśmiechając się.

Okazałam więcej goryczy, niż zamierzałam. Wyglądał na zmieszanego.

– Nie wiedziałam, że kontaktowaliście się po naszym ślubie. Sądziłam, że po awanturze w akademiku...

– Opowiedział ci o bójce? Naprawdę?

– Tak. O tym też.

– A ty...

Nie miałam szansy dowiedzieć się, co chciał powiedzieć, bo zaskrzypiały kuchenne drzwi. Oboje prawie podskoczyliśmy. Szybko poprawiliśmy ubranie i odsunęliśmy się od siebie, jakby odepchnięci potężną siłą.

Otworzyły się drzwi i weszła Claire objuczona torbami. Drzwi odbiły się od ściany i zaczęły zamykać, więc Alex rzucił się, by je przytrzymać.

– Dzięki, przystojniaku – rzuciła odruchowo, nawet na niego nie spoglądając. – Możesz wziąć ode mnie torby?

– Gdzie je...? – zapytał Alex, uwalniając ją od pakunków.

– Ooo... niezła klata – stwierdziła Claire nonszalancko. – Postaw na wyspie. Anne, masz napój imbirowy?

– W spiżarce – pospieszył Alex z odpowiedzią, wskazując gestem szafkę.

– Dzięki. – Claire wyjęła z niej puszkę.

Spojrzeliśmy z Alexem po sobie, po części z ulgą, po części rozbawieni. Włosy nadal miał zwichrzone, a ja wiedziałam, że to przeze mnie, a nie od poduszki.

– Rany, tu pachnie jakimiś burritos. – Claire zmarszczyła nos i otworzyła puszkę. Obrzuciła nas badawczym wzrokiem.

Alex wrócił do komputera, a ja zajęłam się opróżnianiem toreb z zakupami. Claire przyniosła balony, serpentyny, konfetti i plastikowe sztućce, które wyglądały jak metalowe.

– Kupiłam je w sklepie z artykułami na imprezy. Nieźle się prezentują.

– Nie będę wam przeszkadzał – odezwał się Alex, wstając od laptopa.

– Nie wyganiam cię – rzuciła Claire, ponownie omiatając nas wzrokiem. – Chyba ja też nie przeszkadzam?

– Wręcz przeciwnie, słodziutka – odparł Alex, puszczając oko i uśmiechając się zalotnie. – Niestety muszę wziąć prysznic i ruszać w drogę. Mam umówione spotkanie.

– Ooo... to będzie ostra jazda... – flirtowała dalej Claire.

Roześmialiśmy się, po czym Alex poszedł do łazienki w końcu korytarza. Claire zaczekała, aż zamkną się za nim drzwi, i zapytała.

– Czy James wie, że pieprzysz się z jego rzekomo najlepszym przyjacielem?

Wcisnęłam plastikowe torebki do pojemnika w szafce pod zlewem. Nie zignorowałam pytania siostry. Po prostu odpowiedziałam wymownym milczeniem.

– Anne! – zawołała zszokowana Claire.

– Nie pieprzę się z nim. – Przynajmniej z technicznego punku widzenia, uzupełniłam w myśli.

– Coś z nim robisz. Znam to spojrzenie typu „właśnie się pieprzyłam”. No i masz usta mówiące WZL.

– Co to jest WZL?

– Nabrzmiałe usta mówiące „właśnie zrobiłam loda” – wyjaśniła siostra. – Jasna cholera, Anne. Ty najnormalniej w świecie mu obciągnęłaś, co?

– Claire... – westchnęłam, powstrzymując się od poprawienia ubrania albo fryzury. Takie gesty byłyby dowodem winy, a przecież wcale nie miałam wyrzutów sumienia. – Nie twój interes.

– Ooo, to przepraszam!

Gdzieś z głębi domu dało się słyszeć odgłos otwieranych i zamykanych drzwi, potem przytłumiony szum wody. Odwzajemniłam jej spojrzenie. Wokół oczu miała blade cienie, bardzo gotycki styl, ale podejrzewałam, że raczej nie była to kwestia makijażu. Przypomniałam sobie, jak się ostatnio zachowywała.

– Czy z tobą wszystko w porządku? – zapytałam.

Claire piła, unikając mojego wzroku.

– Tak, doskonale – odparła po chwili.

– Nie wyglądasz doskonale.

– A co? Twój szósty zmysł coś ci podpowiada? – żachnęła się, ale zabrzmiało to sztucznie.

– Nie, po prostu martwię się o młodszą siostrę.

Zamrugała gwałtownie.

– Jasne.

– Claire, naprawdę nic ci nie jest?

Skrzywiła się. Próbowała się opanować, ale nie wyszło. Załkała, po policzku spłynęła łza. Przejęłam się, bo nigdy nie płakała. Ani na sentymentalnych komediach romantycznych, ani na przesłodzonych reklamach kartek okolicznościowych kanału Hallmark. Podeszłam do niej.

– Co się stało? – zapytałam, gdy łkanie przeszło w przejmujący szloch. Chyba znałam odpowiedź.

– Wszystko będzie dobrze – powiedziała takim tonem, jakby bardziej chciała przekonać siebie, nie mnie. – Będzie dobrze.

– Chodź. Usiądź. – Ujęłam ją za ramię i zmusiłam, by usiadła na ławie przy stole. Usiadłam obok, położyłam dłoń na ramieniu. – Masz kłopoty?

Słowo „kłopoty" mogło oznaczać wiele rzeczy. Gdy nie odpowiedziała od razu, stało się oczywiste, o co chodzi. Pogłaskałam ją po plecach.

– Claire?

Powstrzymała płacz i wytarła spływający po policzkach tusz do rzęs. Kilka razy odetchnęła głęboko. Przez minutę wpatrywała się w sufit, usta jej drżały.

Czekałam. Znowu kilka razy nabrała powietrza i przetarła oczy, po czym spojrzała na mnie.

– Jestem w ciąży.

– Och, Claire! – Zdobyłam się jedynie na żałosny okrzyk.

– Wiedziałam! – krzyknęła. Łzy znów popłynęły po policzkach. – Wiedziałam, że będziesz zawiedziona!

Zawiedziona? Bzdura. Przecież była moją siostrą.

– Nie jestem... – zaczęłam, kręcąc głową.

– Nie chciałam ci mówić, bo wiedziałam, co pomyślisz. – Zakryła twarz dłońmi. – Nie jestem głupia ani nieodpowiedzialna, Anne. To był wypadek. Pękła prezerwatywa...

– Claire. Ciii. Przestań. Wcale nie uważam, że jesteś głupia.

Zwiesiła głowę i rozryczała się na dobre. Od łkania aż trzęsły się jej plecy. Objęłam ją i milczałam, pozwalając się wypłakać.

Nawet jako dziecko nie lubiła się mazać. Patricia była nadwrażliwym maluchem, wybuchającym płaczem z byle powodu. Mary często łkała. Ja na ogół zachowywałam stoicki spokój. Nie płakałam, nawet gdy miałam ku temu powody, ale Claire zawsze była... no, po prostu Claire. Radosna. Pozytywnie nastawiona do całego świata, urodzona optymistka. Widząc ją w tak opłakanym stanie, nie wiedziałam, co począć. Nikt nie napisał podręcznika o zasadach siostrzanej pomocy.

– Jestem głupia! – zawodziła. – Nie powinnam mu wierzyć, gdy mówił, że mnie kocha! Cholerny skurczybyk!

Zupełnie się rozkleiła. Przelałam jej napój do szklanki, dodałam lodu. Postawiłam przed nią, dodając słomkę, paczkę chusteczek do nosa i wilgotną ściereczkę. Podniosła na mnie wzrok. Łzy zmyły makijaż, bez którego wyglądała o wiele młodziej. Mnie też zbierało się na płacz.

– Dzięki – powiedziała. Wytarła twarz i przez chwilę przytrzymała ściereczkę przyciśniętą do oczu.

Dałam jej jeszcze minutę na ochłonięcie.

– I co teraz zrobisz? – zapytałam.

Roześmiała się, krzywiąc usta, jakby coś ją zabolało.

– Nie mam pojęcia. Upiera się, że dziecko nie może być jego. Dasz wiarę? Pieprzony kutas! Oczywiście, że jest jego! Pierdolony żonaty gnojek, ochujały lachociąg!

Znowu zaniosła się płaczem. Milczałam. Po chwili przetarła twarz.

– Przysięgam, nie wiedziałam, że jest żonaty. Klnę się na Boga! Ten skurwiel podawał się za rozwodnika. Okłamał mnie. Boże, dlaczego mężczyźni są tak popierdoleni?

– Przykro mi.

– To przecież nie twoja wina. Nie każdy mężczyzna może być tak doskonały jak James.

– Uważasz, że jest doskonały? – Pokręciłam głową. – Za wysoko go cenisz.

– Dlatego obciągasz jego kumplowi?

Claire miała dość odwagi, by skomentować i ocenić tak drażliwą sprawę. Patricia i Mary nigdy by się na to nie zdobyły.

– To skomplikowane – powiedziałam.

– Cholera jasna!

Pogłaskałam ją po ramionach.

– On wie.

– I nie jest wściekły?

– Sam wszystko zaaranżował. – Skrzywiłam usta, nagle rozgoryczona z zupełnie niewiadomego powodu. Chciałam, ale gdyby nie James, nigdy nie sięgnęłabym po ten zakazany owoc.

– Tak czułam, że lubisz na ostro. – Claire po raz kolejny wytarła twarz ściereczką i wydmuchała nos. Upiła łyk napoju.

– Nie jestem pewna, czy to prawda – odparłam.

– Anne, co ty gadasz? Z dwoma facetami naraz? To jest na ostro, i to jak!

Usłyszeliśmy odgłos otwieranych drzwi. Alex szedł z łazienki do pokoju. Claire westchnęła. Nagle jakby uszło z niej całe powietrze. Ciężko oparła głowę na rękach.

– Nie wiem, co robić, Anne. Do końca studiów został jeden semestr. Mam gównianą pracę. Nie mogę powiedzieć prawdy rodzicom. Byliby przerażeni.

– Potrzebujesz pieniędzy?

– Masz na myśli pieniądze na zabieg?

Skinęłam głową w milczeniu. Claire zmarszczyła brwi i potarła miejsce na paznokciu, z którego zszedł czarny lakier.

– Chyba nie mogłabym tego zrobić.

Ujęłam jej dłoń i ścisnęłam.

– To nie rób. Nikt cię nie zmusza.

Znowu zaczęła płakać, ale tym razem wiedziałam, jak na to zareagować. Przytuliłam ją, żeby mogła łkać oparta o moje ramię, lekko głaskałam po plecach. Łzy wsiąkały w koszulkę.

– Cokolwiek zdecydujesz, będę cię wspierać.

– Tak się boję – wyszeptała, jakby się wstydziła tych słów. – Nawet nie masz pojęcia jak...

Musiałam szybko przymknąć powieki, by powstrzymać łzy.

– Właśnie że wiem, Claire.

Spojrzała na mnie, potem w głąb korytarza.

– Chyba nie...

– Nie. To był Michael Bailey.

– Przecież chodziłaś jeszcze do liceum...

– To ja byłam głupia – oświadczyłam.

– Powiedziałaś rodzicom?

– Skądże.

– Usunęłaś ciążę?

Pokręciłam głową.

– Urodziłaś... Zaraz, przecież nie urodziłaś!

– Poroniłam. Może z powodu endometriozy, a może nie. Nie wiem.

– O rany! – Nawet nie próbowała ukryć zaskoczenia. – Nie miałam zielonego pojęcia!

– Nikomu nie powiedziałam. I, jak się okazało, wcale nie musiałam.

– A co zrobił Michael?

– Nic. Zerwaliśmy – odpowiedziałam, wzdychając.

– Pamiętam. Płakałaś po nocach.

– „To były piękne dni, to były piękne dni..." – zanuciłam rzewnie.

Roześmiałyśmy się. Objęłyśmy i uścisnęły. Claire dopiła imbirowy tonik.

– Czy James o tym wie? – zapytała.

Pokręciłam głową.

– Nigdy mu nie powiedziałam.

Skinęła głową ze zrozumieniem.

– Bierz pigułki antykoncepcyjne i lepiej załóż spiralę – poradziła poważnym tonem. – Dopiero by się porobiło, gdybyś teraz wpadła.

– Już ci tłumaczyłam, że nie pieprzę się z nim. To tylko... taki układ.

Claire skrzywiła się niemiłosiernie, co było jej znakiem firmowym.

– Jasne.

– Mogę ci polecić moją ginekolog. Jest świetna.

– Jezu. Doktor od siuśki. Boże... – Claire znowu schowała twarz w dłoniach. – Nie mam kasy.

– Nie martw się. Jeśli potrzebujesz pieniędzy...

Claire rozejrzała się po sfatygowanej kuchni w domu wycenionym na pół miliona dolarów.

– Nie masz chyba wodotrysku z pieniędzmi, siostrzyczko.
– Jesteś moją siostrą i zawsze ci pomogę....
– Będę o tym pamiętać. Teraz muszę zastanowić się, co zrobić.
Alex zaanonsował powrót do kuchni wesołym pogwizdywaniem. Był ubrany w ciemny garnitur i bordową koszulę z czarnym krawatem. Pachniał wodą kolońską, której używał też James. Wyglądał jak poważny biznesmen, chociaż frywolny uśmieszek nie pasował do tego wizerunku.
– Drogie panie – odezwał się. – Tylko się nie ślińcie.
Claire przewróciła oczami i pokazała mu środkowy palec. Alex przyłożył dłoń do serca i zrobił krok w tył.
– Ała! To zabolało!
– Jeśli będziesz się zachowywał jak fiutek-kogutek, to właśnie tak zacznę cię traktować! – Claire na poczekaniu wymyśliła ciętą i dowcipną ripostę.
Tak jakby uznała, że już nie będzie z nim flirtować. Flirtowała nawet z Jamesem, ale bez złych intencji i podtekstów. Teraz wycofała się ze słownej utarczki z Alexem. Nie była niegrzeczna, po prostu... skończyła z flirtem.
Zrozumiał. Podobało mi się, że jest bystry. Szybki. To mogło być odrobinę deprymujące, ale też bardzo seksowne.
– Anne, dzisiaj wrócę późno, nie czekajcie na mnie z kolacją, dobrze?
– Jasne. Do zobaczenia.
Skinął głową i zasalutował Claire, zdjął z haczyka na drzwiach kluczyki do samochodu i zniknął.

– O rany, ależ wytresowałaś tę dziką bestię – skomentowała jego zachowanie Claire.

– Po prostu jest uprzejmy.

– Aha... – powiedziała. – Może to śmieszne, ale nie wygląda na osobę uprzejmą z natury.

Nie wiem dlaczego, ale ten komentarz mnie zdenerwował.

– Claire, przecież ty go nie znasz.

– No tak, ale należy do rodzinki Kennedych. I to nie tych, którzy pieprzyli Marilyn Monroe, jeśli rozumiesz, co mam na myśli.

– Nie rozumiem. – Spięłam się tak, że zaczęła mnie boleć głowa.

– Ile on ma sióstr? Trzy?

– Tak.

– Koszmarne szmaty. Biorą narkotyki. Ich matka pracuje w supermarkecie.

– Skąd wiesz? – Chodziłam do tego samego liceum co James i Alex, ale pięć lat później. Jeśli siostry Alexa chodziły do tej samej szkoły, to musiały skończyć ją wcześniej albo zacząć po moim odejściu.

– Chodziłam razem z Kathy, najmłodszą z nich, do szkoły. Często opowiadała mi o bracie. Przysyłał im z Chin dziwaczne batoniki i takie cuda, jak świńskie nóżki w puszce.

– Był w Singapurze – uściśliłam. – Przecież to nie znaczy, że nie jest uprzejmy.

– Mówię tylko, że siostry się puszczały, a tatuś udaje kalekę i przesiaduje w klubie dla weteranów.

Posłałam jej długie spojrzenie. Na szczęście wydała się odrobinę zakłopotana.

– Na twoim miejscu byłabym ostrożniejsza w ferowaniu wyroków, Claire.

– Jasne, ale przynajmniej nie udaję kogoś innego – odparła.

Gdy nasza rodzina zaczęła się rozpadać, Claire miała zaledwie dwa lata. Nie mogła pamiętać, jak było wcześniej, nie wiedziała, że było inaczej. Zazdrościłam jej tego.

– Pieprzona impreza – westchnęła. – Nie mogę się doczekać, kiedy będzie już po wszystkim.

– Ja też.

– Okay. Czas na mnie, Anne. I proszę cię, uważaj na siebie. No wiesz... z tym układem.

– Będę uważać – zapewniłam, chociaż wcale nie byłam pewna, czy się uda.

Nawet gdybym tego chciała.

Potęgę orgazmu odkryłam, gdy miałam szesnaście lat. Oczywiście jak większość nastolatek godzinami wpatrywałam się w lustro. Marzyłam, by wyglądać jak modelki z magazynów mody, zamienić się z nimi ciałami. Stałam pod prysznicem tak długo, aż woda robiła się zimna. Nie przejmowałam się wrzaskami sióstr czekających w kolejce do łazienki. Myłam włosy, goliłam nogi i wszystkie inne miejsca. Nie wiedziałam, że słuchawka prysznica może służyć nie tylko do spłukiwania resztek mydła.

Pierwszy, zupełnie nieświadomie skierowany strumień wody w mój czuły punkt dostarczył miłych wrażeń. Powtórzyłam czynność, fundując sobie kolejną porcję doznań. Kilka minut później moje wnętrze eksplodowało fajerwerkami. Musiałam usiąść w brodziku, bo tak mi się trzęsły nogi, że prawie się przewróciłam.

Szybko poznałam funkcjonowanie ciała. W nocy, pod kołdrą i pod prysznicem, badałam wszystkie krągłości i zakątki. Odkryłam miejsca, których dotykanie sprawiało przyjemność. Nauczyłam się wydłużać czas takich doznań aż do granic wytrzymałości. Wystarczyło ścisnąć uda, by opóźnić orgazm o godzinę lub na dłużej. W końcu uwolnione emocje wystrzeliwały mnie w kosmos i jednocześnie ciskały na ziemię, niemal pozbawiając tchu i czucia.

Michael nie był pierwszym chłopakiem, z którym się całowałam, ale był pierwszym, który pocałował mnie po tym, jak odkryłam, w jaki sposób czerpać zmysłową przyjemność z dotykania ciała. Wyobrażałam sobie, że skoro umiem doprowadzić się do ekstazy, nie będzie to trudne dla żadnego chłopaka. Miałam szczęście, ale też poważny problem. Moja najlepsza przyjaciółka, Lori Kay, też zaczęła chodzić z chłopakiem, który namawiał ją do zbliżenia. Uważała, że lepiej poczekać z tym do ślubu. Bała się ciąży, od ósmej klasy brała tabletki antykoncepcyjne, by wyregulować okres. No właśnie, Lori nie chciała kochać się z chłopakiem, bo on nie dostarczył jej żadnych wrażeń, które pozwalałyby spodziewać się wiele po seksie.

Opowiadałyśmy sobie wszystko, siedząc w ogrodzie. Jej chłopak lubił, gdy robiła mu loda, ale ona nie lubiła palcówki, bo zamiast rozkoszy czuła wtedy irytację.

– Całowanie jest super – wyznała. – Jednak kiedy wkłada mi rękę między uda, to jakby mylił się w zadaniu domowym i próbował wymazać go gumką. Szur, szur, szur...!

Śmiałyśmy się do rozpuku. Zaskoczyłam ją opowieścią o tym, w jaki sposób Michael doprowadza mnie palcami do orgazmu. Nie przyznałam się, że wcześniej sama dostarczałam sobie rozkoszy, i wiedziałam, jak się zadowolić. Lori nie miała pojęcia, czym jest orgazm. Nigdy nie poruszyłyśmy tematu masturbacji.

Miałam szczęście, że poznałam moje ciało, bo to otworzyło mnie na wiele doznań. Jednak z perspektywy czasu zastanawiam się, czy nie byłoby lepiej, gdybym, tak jak przyjaciółka, odłożyła utratę dziewictwa do czasu studiów w college'u.

Po Michaelu uważałam, że już nigdy się nie zakocham. Nie chciałam znowu zatracić się w kimś podobnym do niego. Przestałam się pieścić, seks stracił znaczenie. Na myśl o całowaniu się, dotykaniu, kochaniu robiło mi się niedobrze. Nie mogłam nawet oglądać filmów o miłości, bo od razu krzywiłam się z niesmakiem.

Wstąpiłam do college'u zadowolona, że wreszcie uciekłam z domu, a moja tajemnica nie wyszła na jaw. Chodziłam na wszystkie zajęcia i uczestniczyłam w praktykach studenckich, dzięki którym zarabiałam parę groszy na utrzymanie. Zaprzyjaźniłam się ze współlokatorką z akademika, piękną dziewczyną, która miała chłopaka „u siebie", co nie przeszkadzało jej doskonale bawić się w weekendy z chłopakami z bractwa Delta Phi. Zaprzyjaźniłam się z innymi studentami. Mój akademik był koedukacyjny i po raz pierwszy poznałam, jak to jest mieszkać z chłopakami pod jednych dachem.

Nie twierdzę, że w akademiku panowała niczym nieskrępowana swoboda seksualna, ale w college'u łatwiej przyznać się do uprawiania seksu. Nikt nie wytyka palcami, nie wyzywa od dziwek jak w szkole średniej. Najczęściej uprawia się przypadkowy seks po alkoholu, gdy puszczają hamulce. Picie w akademiku to codzienny rytuał, równie powszechny jak jedzenie frytek albo zamawianie pizzy o drugiej nad ranem.

Chodziłam na piwniczne imprezy bractw studenckich, gdzie muzyka była tak głośna, że nie dało się rozmawiać. Nie musiałam rozmawiać z chłopakami, którzy przynosili piwo. Nawet nie chciałam. Mogłam natomiast tańczyć do woli przy kawałkach, które miały już swoje lata, ale nadal były popularne.

„Hej! Hej tam! Chodźcie się pieprzyć! Będzie jazda!"

Wszyscy się obmacywali, pieprzyli, laski brały w usta albo do ręki.

Mnie też się to w końcu kiedyś przydarzyło. Zostałam zaproszona na imprezę przez moją współlokatorkę, która spotykała się ze studentem wiedzy o teatrze. Poszliśmy do walącej się wiktoriańskiej rezydencji na skraju kampusu. Nie miałam pojęcia, ilu ludzi tam mieszkało, ale chyba około dwunastu. Resztę stanowili goście, tak obeznani z domem, że zachowywali się jak domownicy. Brali z lodówki, co chcieli, wyciągali butelki alkoholu z kredensu. W porównaniu z szalonymi imprezami organizowanymi przez bractwa studenckie, ta wyglądała jak dostojne koktajl party, podczas którego uczestnicy prowadzą inteligentne rozmowy. W tle leciała muzyka w stylu The Cure i Depeche Mode, wypełniona instrumentalnymi solówkami i mądrymi słowami o miłości, pożądaniu i życiu.

Częstowano winem, którego próbowałam odmówić, ale nie chciałam wyjść na pajaca i w końcu uległam. Poczułam się jak niedorozwój i dziwadło, więc rekompensowałam to uczucie, popijając regularnie z delikatnego kieliszka, który uzupełniano, zanim zdążyłam go opróżnić. Szybko się ululałam. Zachowywałam się spokojnie, byle tylko nie rzucać się w oczy w tłumie osób poważnie dyskutujących o technikach aktorskich i dramatopisarzach.

Nie miałam pojęcia o teatrze, toteż gdy pewien wysoki chłopak z długimi ciemnymi włosami zapytał mnie, czy przyjdę na casting do inscenizacji *Czekając na Godota*, mrugnęłam powoli powiekami, zanim udzieliłam mu odpowiedzi.

– Nie wiem. – To była cała odpowiedź. I, o dziwo, zabrzmiała poważniej, niż sądziłam.

Uśmiechnął się. Miał na imię Matt. Był na przedostatnim roku teatrologii i zamierzał specjalizować się w efektach specjalnych. Zaproponował, że pokaże mi makiety do filmu, który zamierzał nakręcić z przyjaciółmi. Nazywał je małymi potworami i dopóki nie zobaczyłam figur z gliny i drutu, myślałam, że mówi o przyjaciołach.

Rozmawialiśmy długo, siedząc w ciemnym pomieszczeniu oświetlonym słabą żarówką. Na ścianach wisiały plakaty z Elvisem i jednorożce błyszczące jaskrawymi, surrealistycznie luminescencyjnymi kolorami tęczy. Gdy pochylił się, żeby mnie pocałować, zdziwiłam się. Przestałam się postrzegać jako atrakcyjną dziewczynę, chociaż na imprezach musiałam opędzać się od natrętów, proponujących szybki numerek. Ograniczałam się do konsumpcji piwa i trzymałam na uboczu, bo kto zainteresowałby się dziewczyną, która nawet nie chce z nikim gadać?

Matt miał prezerwatywy w szufladzie obok łóżka i nie zrezygnowałam z ich użycia, chociaż od pierwszego roku studiów regularnie brałam pigułki antykoncepcyjne. Przyciągnął mnie do siebie i pocałował, błądził dłońmi po moim ciele. Byłam odprężona. Wino, cicha muzyka i sonety, które mruczał, zupełnie mnie rozluźniły. Gdy jego ręka trafiła między moje uda, niemal odruchowo rozsunęłam nogi, jakbym od dawna czekała na dotyk, a umysł przypomniał sobie o potrzebach ciała.

Kochaliśmy się bez żadnych przykrych konsekwencji. Nie zaszłam w ciążę ani nie złapałam choroby wenerycznej. Nie złamał mi serca.

Znowu uprawiałam seks, a moje życie się przez to nie zmieniło.

I to był właśnie ostatni raz, kiedy wypiłam więcej niż kilka łyków alkoholu. Nic złego się nie stało, ale też nic by się nie stało, gdybym była zupełnie trzeźwa. Nietrudno było wysnuć taki wniosek.

Dwa lata i kilku kochasiów później poznałam Jamesa. To był mój ostatni rok w college'u i odbywałam praktyki w schronisku dla kobiet, a on, niemal przez ścianę, na pół etatu pomagał wujowi prowadzić biuro nieruchomości. Przez resztę czasu nadzorował pierwszą ekipę budowlaną. Często wysyłano nas po lunch. Spotykaliśmy się na ulicy z rękami pełnymi papierowych toreb z jedzeniem.

Nie zakochałam się w Jamesie tak jak w Michaelu. Zabroniłam sobie zakochiwać się w kimkolwiek.

Po prostu zdecydowałam, że będę go kochać.

Dzięki temu moje życie jest lepsze. Pasujemy do siebie jak dwa małe kawałeczki puzzli większego obrazka. Mogę się z nim śmiać, mogę płakać. Gdy trzyma mnie za rękę czy obejmuje, robi to z miłości. Słucha mnie, gdy opowiadam o moich marzeniach i planach. Ja słucham jego. Pociągała mnie jego niezachwiana wiara, że świat nigdy nie zrobi mu krzywdy. Chciałam czuć to samo. Nie zakochałam się, a jednak go kochałam. To było głębokie, silne uczucie, w pełni świadome. Gdy się rozstawaliśmy, czegoś nam brakowało, gdy byliśmy razem, stanowiliśmy idealną jedność.

Nigdy nie marzyłam, by się jeszcze w kimś zakochać. James dał mi wszystko, czego może pragnąć kobieta. Wspaniałe małżeństwo. Spokojny dom. Doskonałe życie.

Dopóki nie ofiarował mi Alexa, nie zdawałam sobie sprawy, że jednak czegoś mi brakuje. Dopóki nie ofiarował mi Alexa, nie wiedziałam też, że nie jestem jedyną osobą, której czegoś brakuje.

ROZDZIAŁ DWUNASTY

Nikomu nie wyjawiłam sekretu Claire, ona nie zdradziła mojego. Udawała, że nie ma pojęcia, co dzieje się między mną a Alexem. Ja udawałam, że nigdy nie słyszałam o żonatym dupku, który ją uwiódł, zapłodnił i porzucił.

O wiele trudniejsze okazało się ignorowanie kłopotów Patricii. To ona zawsze dbała o należyty rozwój siostrzanych więzi. Teraz odzywała się, dopiero gdy sekretarka automatyczna pękała w szwach od naszych wiadomości. Zachowywała się dziwnie, zwykle chętnie zajmowała się sprawami organizacyjnymi, teraz jej one nie obchodziły. Zrobiłyśmy, co w takiej sytuacji powinny zrobić siostry. Najechałyśmy na jej dom.

Mary kupiła tort kawowy. Ja wpadłam do bistro po kawę na wynos. Claire, co było dla niej zupełnie naturalne, zapomniała kupić pączki, ale za to przyniosła płytę DVD z bajkami dla dzieci, pisaki i książeczki do kolorowania.

– To od waszej ulubionej cioci – powiedziała, gdy Callie otworzyła drzwi.

– No ładnie – wymamrotała Mary.

Callie się uśmiechnęła.

– Claire jest naszą ulubioną ciocią, bo przynosi filmy. Ty, bo zabierasz nas do parku – powiedziała.

– Bardzo dyplomatyczna odpowiedź – skomplementowałam siostrzenicę, wyciągając ramiona do uścisku. – A co ze mną?

– Och... – Callie musiała się sekundę zastanowić. – A ty jesteś naszą ulubioną ciocią od przytulania.

– Może być. Gdzie mama?

– Na górze w pracowni. My z Tristanem oglądamy kreskówki.

– Włączę wam *Totoro* – zaproponowała Claire. – Musimy pogadać z mamą. Dacie nam chwilę spokoju? Zabiorę was potem do McDonalda.

Przekupstwo podziałało. Claire poszła z dziećmi do saloniku, a Mary i ja zaniosłyśmy wszystko do kuchni. Patricię znalazłyśmy w pracowni. Fotografie, które przyniosłam od mamy, były rozłożone na stole, obok leżały papier, nożyczki i pisaki. Album czekał na kreatywny dotyk, ale jeszcze nic nie napisała. Gdy stanęłyśmy w drzwiach, siedziała pochylona nad stołem, z twarzą ukrytą w dłoniach, i płakała.

– Pats? – Mary pierwsza do niej podeszła, położyła dłoń na jej ramieniu. – Co się stało?

Gdy patrzysz na cierpienie kochanej osoby, często odczuwasz większy ból niż ona. Widok płaczącej siostry ścisnął mi gardło. Stanęłyśmy wokół.

– Nie powiedziałyście, że wpadniecie!

– Co się stało? – Claire oparła się o stół. Jak zwykle jako pierwsza przeszła do sedna sprawy. Może tylko jej wystarczyło odwagi. – Co zrobił?

Patricia znacząco popatrzyła na otwarte drzwi, więc je zamknęłam. Mary objęła ją za ramiona. Claire skrzyżowała ramiona na piersiach i wpatrywała się w nią poważnym wzrokiem.

Przez moment Patricia wyglądała, jakby rozważała, czy skryć prawdziwe emocje, udając oburzenie lub złość. Zaraz jednak w bezradnym geście ukryła twarz w dłoniach.

– Przepuścił wszystkie oszczędności – oświadczyła zawstydzona. – Stracił wszystko. Mówi, że się odegra, ale potrzebuje czasu. Podobno dostał cynk o dobrym koniu i musi zdobyć kilka tysięcy, żeby na niego postawić, a wtedy wszystko odzyska.

Podniosła wzrok, jej twarz była pełna smutku.

– Nie mamy kilku tysięcy. Nie mamy nic. Zastawi dom, nie wiem, co robić! Opuścił tyle dni w pracy, że szef pewnie go zwolni. I co wtedy? Co zrobię? Nie mogę wrócić do pracy. Kto zajmie się dziećmi?

Powstrzymywała łkanie, jakby płacz był czymś bardziej wstydliwym niż jego przyczyna. Znałam to uczucie. Płacz to przyznanie, że stało się coś złego. Że nie wszystko jest piękne i błyszczące.

Mary podała jej pudełko z chusteczkami. Na twarzy Claire malowała się wściekłość. Przez kilka minut milczałyśmy. Claire i Mary spoglądały na mnie pytająco.

Nie wiedziałam, co powiedzieć. Chciałam obrzucić Seana przekleństwami, ale Claire była w tym lepsza.

Chciałam zaoferować ramiona, ale to była domena Mary. Siostry oczekiwały, że coś zrobię, rozwiążę problemy, znajdę wyjście z sytuacji. Przeceniały mnie.

– Na ile jesteście zadłużeni? – zapytałam w końcu, chociaż rozmowa o finansach zawsze uchodziła za równie intymną sprawę, jak pytanie, ile razy w tygodniu uprawiają seks.

Patricia otarła łzy i westchnęła. Nawet jeśli pytanie ją obraziło, nie okazała tego.

– Stracił oszczędności, obligacje i pobrał dwadzieścia tysięcy w gotówce.

– Jasna cholera! – Claire prawie się zachłysnęła.

Mary stęknęła, a mnie rozbolał żołądek.

– To kupa pieniędzy!

Patricia zasłoniła oczy.

– Wiem.

– Jak to się stało? To znaczy... jak długo on...? – Mary nie potrafiła dokończyć zdania, była zbyt przejęta.

– Dowiedziałam się o tym jakieś cztery miesiące temu. Odmawiano realizacji czeków, nie wiedziałam dlaczego. Sprawdziłam stan konta. Sean dokonał kilku dużych wypłat. Gdy go zapytałam, powiedział, że inwestuje.

Śmiech Patricii był tak gorzki, że niemalże poczułam w ustach ten smak. Był gorzki jak smak skisłego mleka.

– Inwestycje. Myślałam, że chodzi o edukację dzieci. O emeryturę. Nie wiedziałam, że jeździ na wyścigi konne, a nie siedzi do późna w pracy. Początkowo myślałam, że ma kochankę. Wracał w nocy, mętnie się tłumaczył. Śmierdział papierosami i piwem. Po spotkaniu z zespołem handlowców? Zaczął przynosić prezenty. Głównie kwiaty i biżuterię. Nabrałam podejrzeń, że coś ukrywa i próbuje zamydlić mi oczy. Miałam rację, ale on nie pieprzył innej kobiety, on wypieprzył nasze konto oszczędnościowe.

– O kurwa! Co za dupek! – jęknęła Claire.

Tym razem Patricia go nie broniła.

– Co mam zrobić? Rozwieść się? Przecież to kosztuje dużo pieniędzy, a on wszystkie przepuścił. Dzieci potrzebują nowych ubrań, chcą pojechać do parku rozrywki. Skłamałam, powiedziałam, że nie udało mi się kupić karnetów na lato. A jeśli stracimy dom?

Złapałam ją za rękę i ścisnęłam mocno.

– Masz nas – odrzekłam pewnym tonem. – Wiesz o tym, Pats.

Chyba wszystkie zaczęłyśmy wtedy płakać. Cztery dorosłe kobiety ryczały jak niemowlaki. To było oczyszczające doznanie. Płakałyśmy i śmiałyśmy się z tego, że płaczemy. Usłużnie podawałyśmy sobie chusteczki, by wycierać oczy i wydmuchiwać nosy. Patricia machnęła ręką w stronę pudełek z jej skarbami.

– Mogę to sprzedać – powiedziała. – Jest warte kupę pieniędzy. Albo poszukam pracy jako konsultantka.

– Chcesz sprzedać te śmieci? – Claire podniosła pojemnik z kolorowymi kartonikami wyciętymi w kształt baloników. Spojrzała na cenę przylepioną z boku pudełka. – Jasna cholera, Pats! To ludzie płacą tyle kasy za takie gówna?!

Patricia wyrwała jej pudełko z rąk.

– Tak. A konsultanci zarabiają niezłe pieniądze. Mogę organizować przyjęcia, ale nawet gdybym organizowała dwie, trzy imprezy tygodniowo, i tak nie wystarczy pieniędzy na pokrycie długów Seana. – Jęknęła cicho, ale nie zaczęła znowu płakać. – Dwadzieścia tysięcy dolarów. Mój Boże... To więcej niż kosztował nasz pierwszy samochód. Stracił dwadzieścia tysięcy dolarów, a ja nic nie zauważyłam? Ależ jestem głupia!

– Nie mów tak. Nie ty jesteś winna, tylko Sean – stwierdziła przytomnie Mary. – A jeśli chcesz się rozwieść, pomożemy ci.

– Odezwała się nasza młoda prawniczka. – Claire poruszała brwiami. – Szkoda, że jeszcze nie masz dyplomu, bo mogłabyś wziąć tę sprawę *sonny bono*.

– Mówi się *pro bono*, debilko. – Mary wywróciła oczyma.

– Wiem, chciałam tylko rozbawić Pats.

Patricia skrzywiła usta w lekkim uśmiechu.

– Dziękuję.

– Powinnaś powiedzieć nam o tym wcześniej. Moglibyśmy pomóc – powiedziałam.

– Niby jak? – Spojrzała na mnie. – Jak się zorientowałam, było już za późno. Na początku wierzyłam, że odzyska te pieniądze. Chciałam w to wierzyć. Gdyby prawidłowo wytypował zwycięzcę gonitwy, koszmar zmieniłby się w bajkę. Nie potrafiłam spojrzeć prawdzie w oczy. Jesteśmy bankrutami. Nawet gorzej niż bankrutami. Jesteśmy winni bankowi mnóstwo pieniędzy.

– Przestań już – skarciła ją Mary. – Pomożemy ci się z tego wydostać. Po pierwsze, musisz spotkać się z doradcą kredytowym. Potem z psychologiem rodzinnym. Anne, ty pewnie kogoś znasz?

– Mam kilku znajomych, którzy specjalizowali się w psychologii uzależnień – potwierdziłam. – Skontaktuję się z nimi.

– Ludzie się o wszystkim dowiedzą – jęczała Patricia, chowając twarz w dłoniach. – Sąsiedzi się dowiedzą. Wszyscy!

Oczywiście najbardziej ucierpią dzieci. No tak, i wszyscy będą plotkować, a to rzeczywiście wydawało się gorsze niż bankructwo.

Ścisnęłam ją za rękę.

– Nikt nie musi się dowiedzieć. Poza tym nie ty jedna toniesz w długach.

– Masz rację. – Patricia ścisnęła moją dłoń. – Tylko że... nic już nie będzie tak samo...

Nikt nie wiedział o tym lepiej od nas. Co innego, kiedy pan domu wypije kilka piw podczas spotkania przy grillu, co innego, gdy pije jak nasz ojciec. Na pozór wygląda podobnie, jednak gdy przyjrzeć się dokładniej, widać ogromną różnicę.

– Sprzedaj wszystkie zabawki erotyczne i seksowną bieliznę – zaproponowała Claire. – Z tego na pewno będzie duża kasa.

– Co to znaczy „duża kasa"? – zapytała Mary, krzywiąc się.

– Na pewno nie dwadzieścia tysięcy dolarów – odpowiedziała Patricia, wzdychając ciężko.

– Nie, ale zawsze coś. Mogę demonstrować towar potencjalnym nabywcom. – Claire znowu poruszała brwiami. – Posłuchajcie, dziewczyny. Jest taka zabawka, nazywa się „Mruczek". Działa na baterie i na prąd, powoduje, że mruczysz jak napalona kotka.

Na ustach Patricii pojawił się pierwszy nieśmiały uśmiech. I drugi, moment później. Potem roześmiała się Mary i Claire, i w końcu wszystkie chichotałyśmy, nareszcie rozluźnione.

– Zobaczysz, będzie dobrze, Pats – próbowałam dodać jej otuchy.

– Może tak, może nie. – Skinęła głową. – Po prostu nie mogę uwierzyć, że wyszłam za tak nieodpowiedzialnego mężczyznę. – Zapadła cisza, ale nie nerwowa, tylko taka, jakbyśmy stały za drzwiami i czekały na otwarcie. – Jak do tego doszło? Jak kobiety wytrzymują z facetami, którzy nie potrafią się kontrolować? Narkomanami, alkoholikami, hazardzistami. Jak można zrobić coś takiego dzieciom? Ich żony pozwalają zwodzić się latami, wierzą w cuda. A ja zachowałam się jak jedna z nich. Mam ochotę złożyć pozew o rozwód, ale Sean jest dobrym ojcem. Poświęca im wolny czas. Wysłuchuje ich opowieści, kocha je. Nie odsuwa od siebie. Ale będę żyć w wiecznym strachu. Co, jeżeli któregoś dnia znów pójdzie na wyścigi i zacznie grać? Zapomni o urodzinach dziecka, nie pójdzie na szkolny mecz, nie odbierze Tristana ze zbiórki skautów?

– Czy już mu się to zdarzyło? – zapytałam.

– Jeszcze nie, ale nigdy nie wiadomo. Boję się, że nas zawiedzie.

Doskonale to rozumiałyśmy. Wiedziałyśmy, jak to jest, gdy ktoś zawodzi tak często, że staje się to normą.

– Rozwiedź się z tym skurwielem. – Nie do końca nierozsądna rada Claire spotkała się ze sprzeciwem Patricii, która pokręciła głową.

– Ona go kocha – mruknęła Mary, posyłając Claire karcące spojrzenie.

– No nie wiem. Takiego gościa, który wpakowałby mnie w długi i notorycznie okłamywał, przestałabym kochać cholernie szybko.

Była sarkastyczna jak zwykle, jednak tym razem podziałało mi to na nerwy.

– No tak, dobrze wiemy, ile masz miłosnych doświadczeń. Przepraszam bardzo. Chciałam raczej powiedzieć, że masz o wiele więcej seksualnych doświadczeń. To spora różnica, Claire.

Miało zaboleć, poza tym występowałam w obronie Patricii, która nie zasłużyła na tak drastyczne podsumowanie małżeństwa z Seanem. Claire nie poczuła się dotknięta. Odwróciła się do mnie i obdarzyła szyderczym spojrzeniem.

– No nieee, starsza siostrzyczko. Teraz to mnie zażyłaś.

– Rozmawiamy o sytuacji Patricii. Uspokój się, ona kocha męża, a rozwód to trochę bardziej skomplikowana sprawa niż likwidacja konta bankowego.

– Co ty nie powiesz? Miałam kurewskie kłopoty z zamknięciem rachunku bankowego.

– Zróbmy, jak radziła Mary – zaproponowałam. – Pats, jeśli się zgodzisz, poszukam dobrego psychologa rodzinnego.

Claire zsunęła się z blatu stołu i położyła ręce na biodrach.

– Oczywiście, możemy wspólnie rozwiązywać ich problemy, które tak naprawdę są tylko jego problemami. Sean popłacze, będzie błagać o przebaczenie i o drugą szansę, aż do następnego razu. Później znowu pójdzie na wyścigi, przegra, spróbuje się odegrać... I tak w kółku. Ile razy musi ją wydymać w dupę, by wreszcie zrozumiała, że czas to skończyć, co?

Jad w tonie Claire oszołomił nas, pozbawił tchu. Nie dlatego, że gadała bez sensu i użyła ostrych sformułowań. Jej wypowiedź ożywiła zbyt wiele złych wspomnień.

– Co ty możesz o tym wszystkim wiedzieć? – zapytała Patricia lekko schrypniętym głosem. – Jesteśmy małżeństwem od dziesięciu lat. Mamy dwoje dzieci. Nie jest łatwo odejść, Claire. Zrozumiesz, dopiero gdy znajdziesz się w podobnej sytuacji.

– A co tu jest do rozumienia? – odparła Claire. – Pozwalasz, by niszczył ci życie, bo ma ze sobą problem. Bidulka. – Jej głos aż wibrował szyderstwem.

– Patricia potrzebuje wsparcia. Jeśli nie potrafisz pomóc, to może lepiej już idź – wtrąciłam. W sumie chętnie wygłosiłabym taki sam wykład, bowiem podzielałam poglądy Claire i zgadzałam się z oceną sytuacji, ale Patricia nie tego oczekiwała, a na pewno nie teraz.

– Sama to przyznałaś, Pats – ciągnęła Claire. – Nigdy nie chciałaś być z kimś, kto nie potrafi się kontrolować. Nie tego chciałaś dla dzieci. No proszę, a jednak tkwisz w chorym związku. Jeżeli nie chcesz skończyć jak mama, powinnaś kopnąć go w dupę i wynająć dobrego prawnika.

Patricia nic nie odpowiedziała, tylko na nią patrzyła. Mary i ja spojrzałyśmy po sobie. Nie potrafiłam stanąć po żadnej stronie, obie świetnie rozumiałam i kochałam, lubiłam też Seana. Jednak nawet gdy kogoś lubimy, nie zawsze pochwalamy jego postępowanie.

– Nienawidzę grzechu, a kocham grzesznika – powiedziała Mary po chwili milczenia. – Uważam, że najpierw trzeba mu pomóc wyleczyć się z uzależnienia. Nie przestaje się kochać człowieka tylko dlatego, że coś w życiu spieprzył.

– Dobry argument, Mary. – Claire wykonała taki gest, jakby odhaczała coś na niewidzialnej liście. – Ile razy może coś spieprzyć, zanim Pats go skreśli?

Mary się zawahała.

– To decyzja Patricii, nie nasza – odparłam, ściskając dłoń Pats.

– Claire ma rację – odezwała się Patricia. – Tylko że nie mogę po prostu wstać i wyjść. Nie potrafię.

– Wiem – przyznałam. – Wszystkie wiemy. Nawet Claire.

Claire tylko dzięki nadprzyrodzonym mocom zdołałaby wytrzymać gniewny wzrok trzech furii. Westchnęła i przez chwilę stała ze zwieszoną głową, po czym podniosła dłonie w geście poddania.

– Świetnie. Gdy wreszcie jestem pieprzonym głosem rozsądku, to zawsze wpadam w szambo.

Patricia westchnęła i rozejrzała się bezradnie.

– Nie będę mogła dołożyć się do przyjęcia dla rodziców. Zrobię album ze zdjęciami, jak obiecałam. Już wszystko kupiłam.

– Nie martw się tym – odparłam.

– Damy radę, siostrzyczko – potwierdziła Mary.

– Świetnie ci idzie, Pats. To będzie piękny prezent. – Claire dołączyła do pochwał.

– Dzięki – odpowiedziała Patricia z lekkim uśmiechem.

Hałasy dobiegające z korytarza zakończyły nasze spotkanie. Claire poszła rozsądzić spór, kto może teraz korzystać z czerwonego pisaka. Mary wyszła odebrać dzwoniącą komórkę. Patricia i ja wymieniłyśmy się spojrzeniami.

– Powiedz mi, Anne, że nie jestem taka jak mama.

– Nie jesteś. To nie to samo.

Jednak obie dobrze wiedziałyśmy, że to właśnie jest to samo.

Gdy wróciłam, Jamesa jeszcze nie było w domu, za to powitały mnie dźwięki spokojnej muzyki i wspaniałe zapachy z kuchni. Na piecu dusiły się pomidory na sos do spaghetti, czosnkowe bagietki aż prosiły, by ich spróbować, chociaż wcale nie byłam głodna. Złapałam szklankę mrożonej herbaty, zsunęłam pantofle i sięgnęłam po spinkę do włosów.

– Hej. – W drzwiach stanął Alex. – Jamie wróci późno. Chyba ma jakąś dodatkową robotę. Mieszają cement czy coś takiego...

– Skąd ja to znam. Znowu ugotowałeś obiad?

– Muszę przecież uczestniczyć w życiu domowym, żebym nie był ciężarem.

Wpatrywałam się w niego przez szklankę z napojem.

– Hm...

– Nie odpowiada ci to? – Zbliżył się do mnie.

Udałam, że się zastanawiam.

– Jak dajesz sobie radę z czyszczeniem toalet? – zapytałam.

Pochylił się nade mną. Chciałam, by mnie pocałował, ale nie zrobił tego.

– Przyłóż mi rzemieniem, a zrobię co w mojej mocy.

Potrzebowałam wytchnienia po popołudniu z siostrami. Problemy Patricii nie tylko mnie zasmuciły, lecz także otworzyły skrytkę z brudami, którą zwykle trzymałyśmy zamkniętą na cztery spusty. Spojrzałam mu prosto w oczy.

Alex to szansa na ucieczkę od problemów. Staliśmy naprzeciw siebie, nagle onieśmieleni. Zupełnie jakby nigdy mnie nie dotykał, nie całował. Skinął głową w stronę kuchenki.

– Jedzenie jest prawie gotowe. Zgłodniałaś?

Kilka minut wcześniej jedzenie było ostatnią rzeczą, jaka zaprzątała moje myśli, a teraz z głodu zaburczało mi w brzuchu.

– Tak. Wyjmę jeszcze z lodówki sałatę.

– Makaron dogotuje się za kilka minut. Zdążysz wziąć prysznic.

– A co? Nieładnie pachnę? – Próbowałam się uśmiechnąć.

– Skądże, ale wyglądasz, jakbyś potrzebowała kilku minut samotności i relaksu.

Zamarłam, kompletnie zaskoczona. Po chwili znalazłam się w jego ramionach, z twarzą wciśniętą w koszulkę, i się rozpłakałam. To był T-shirt Jamesa, ale pachniał już Alexem. Pogłaskał mnie i oparł brodę o czubek głowy. Nic nie powiedział, o nic nie wypytywał. Był po prostu przy mnie, inaczej niż James, który próbowałby namówić mnie na zwierzenia.

Nie płakałam długo. Mój wybuch był intensywny i, na szczęście, krótkotrwały. Szybko zmienił się w bardziej samolubne uczucie, do którego aż wstyd było się przyznać. Podniosłam zaczerwienioną i opuchniętą od płaczu twarz.

– Przepraszam.

– Nie musisz przepraszać. – Koniuszkiem palca odsunął mi kosmyk z czoła.

– Nie chcesz wiedzieć, co się stało?

Odchylił się, opierając dłonie na moich ramionach, spojrzał głęboko w oczy.

– Nie.

Zdziwiłam się.

– Nie?

– Jeśli będziesz chciała, sama powiesz. – Uśmiechnął się.

Prosta odpowiedź. Nie wiedziałam, czy mam ochotę mu się zwierzyć, czy nie. Ofiarowałam mu ciało, ale to coś innego, mniej ważnego niż wgląd w duszę.

– Chodzi o moją siostrę. – Opowiedziałam, co się stało, przemilczając niektóre szczegóły, szczególnie unikałam porównań do matki. – Boję się o nią. Chciałabym pomóc, ale nie wiem jak.

– I tak wiele robisz, bo dajesz jej oparcie.

– W tej sytuacji to chyba za mało.

– Anne, nie można zapobiec wszystkim nieszczęściom świata.

– Wiem.

– Chyba jednak nie.

– Co przez to rozumiesz?

– Wydaje ci się, że powinnaś rozwiązać problemy siostry. Chcesz wszystko naprawiać i nienawidzisz siebie za to, że nie potrafisz.

– Skądże – zaprzeczyłam żarliwie.

Uniósł brwi.

– To prawda.

– Absolutnie nie. Chodzi o to, że to moja siostra i chcę...

– Naprawić wszystko... – Jego uśmiech stawał się odrobinę szyderczy.

– Uważasz, że dobrze mnie znasz? Co cię do tego uprawnia? – Byłam coraz bardziej poirytowana. Z nerwów złapałam ściereczkę i wytarłam klinicznie czysty blat. Przynajmniej nie musiałam patrzeć na Alexa.

– Może tu nie chodzi o ciebie – powiedział po dłuższej chwili. Nadal nie podnosiłam wzroku. – Może tu chodzi o mnie.

Złapał mnie w pułapkę. Odrzuciłam ściereczkę i spojrzałam mu w oczy.

– Co?

Myślałam, że żartuje, ale był wyjątkowo poważny.

– Ciągle chcę coś naprawiać, ulepszać...

– No i...?

Znowu pojawiło się między nami napięcie zabarwione czymś, czego nie potrafiłam nazwać. Tym razem to on unikał mojego wzroku.

– Dajmy temu spokój – odparł po chwili. – Masz rację. Opowiadam głupoty, jestem w tym dobry. Niepotrzebnie się odezwałem.

Czasem obraz człowieka, który maluje inna osoba, jest dokładniejszy niż odbicie w lustrze. Na portrecie widzimy nie tylko swoją twarz, lecz także jak postrzegają ją inni.

– Nie potrafię wszystkiego naprawić – wyznałam głośno, zgodnie z prawdą.

– A chciałabyś.

– Kto by nie chciał?

– Nie każdy wini siebie za brak takich umiejętności. Większość ludzi zdaje sobie sprawę, że nie dźwiga na barkach problemów całego wszechświata. Nie dręczą ich wyrzuty sumienia, jeśli nie potrafią czegoś naprawić.

– Ty też masz siostry.

– Trzy. Wszystkie są ode mnie młodsze.

– I nigdy nie czułeś, że musisz im pomóc? Chronić je, zmienić coś w ich życiu?

– Tak, cały czas.
– I udawało ci się?
– Nie. – Przeczesał palcami włosy i złożył ramiona na piersiach, wciskając dłonie pod pachy. – I też czuję się z tego powodu paskudnie.
Uśmiechnęliśmy się do siebie porozumiewawczo. Z wieży stereo leciał jakiś powolny kawałek. Patrzyliśmy na siebie w milczeniu. Alex wyciągnął do mnie dłoń.
Chwyciłam ją. Przyciągał mnie powoli, aż nasze ciała się zetknęły. Jego koszulka nadal była wilgotna w miejscu, na którym wylewałam łzy. Przymknęłam powieki i poczułam zapach płynu do płukania, żelu pod prysznic i... Alexa. Przytrzymał mnie i po chwili nasze ciała zaczęły powoli i zgodnie poruszać się w rytm muzyki.
Tańczyliśmy. Jeden taniec po drugim. Nie dbaliśmy o słowa piosenek, wykonawcę czy rytm – mieliśmy własny. Nasze kroki zgrały się idealnie, poruszaliśmy się zgodnie i harmonijnie.
Tańczyliśmy w milczeniu. Nie dlatego, że nie mieliśmy o czym rozmawiać, ale dlatego, że nie musieliśmy w ogóle rozmawiać, by się rozumieć. Nie musieliśmy niczego tłumaczyć. Nic się nie zepsuło.
Nie musieliśmy niczego naprawiać.

To zadziwiające, jak szybko człowiek przyzwyczaja się do nowych sytuacji, do nowego otoczenia. Nasze poukładane życie z Jamesem roztopiło się i uformowało na nowo, wchłaniając Alexa.
Mieliśmy z tego korzyści. Seks. Trzecia para rąk do pomocy w domu. Jeszcze jedno konto bankowe,

z którego korzystaliśmy. Alex szczodrze wspierał nasz budżet. Mniej dostrzegalną, ale cenną korzyścią był brak wizyt teściowej. Od sześciu lat buszowała bezkarnie po moim domu, teraz obecność Alexa skutecznie ją powstrzymywała. Przestała nawet dzwonić na domowy numer, rozmawiała tylko przez komórkę z Jamesem.

Były też minusy. Dwa ciała w moim łóżku, podwójny seans chrapania. Więcej prania, składania i układania. Alex co prawda nigdy nie prosił, żebym robiła mu pranie, jednak ubrania rozrzucał po całym domu. Nigdy nie wiedziałam, które dżinsy należą do kogo, dopóki nie znalazły się w koszu z czystym praniem. Gdy nie uprawialiśmy seksu, czułam się czasami jak piąte koło u wozu. Nie rozumiałam żartów odnoszących się do konkretnych sytuacji, w których nie uczestniczyłam. Nie śmiałam się, gdy wspominali głupie kawały z czasów licealnych. Czasem czułam się, jakbym mieszkała z Beavisem i Buttheadem z kreskówki MTV.

– Dlaczego to robisz? – spytał Alex. James nie zwracał na nic uwagi, bo w skupieniu wpatrywał się w ekran telewizora. Znowu grali w grę wideo. Alex kupił najnowszą konsolę i godzinami siedzieli przykuci do telewizora.

– Co robię? – zapytałam, wychodząc z pokoju.

– Jeśli chcesz, żebyśmy przestali grać, po prostu powiedz, zamiast chodzić z naburmuszoną miną. – W odróżnieniu od watahy animowanych stworów biegających po ekranie, jego szczerze interesowało, co odpowiem.

– Powiedziałam to dwadzieścia minut temu.

– Nie, zapytałaś tylko, czy chcemy wyskoczyć na obiad i do kina dziś wieczorem. – Alex odłożył pad, co wreszcie zwróciło uwagę Jamesa, bo awatar Alexa przestał do niego strzelać. Na ekranie pojawił się potwór i odgryzł mu głowę. James zaczął marudzić.

– Najwyraźniej nie chcecie nigdzie iść – odparłam. Wszystkie gry wideo zawsze śmiertelnie mnie nudziły. W ogóle nie byłam ciekawa, ile zajmują pamięci albo jaką mają grafikę i czy trudno je dostać.

– Widzisz? Dlaczego to robisz? – Alex zaczął wstawać z podłogi. – Jesteś wkurzona.

– Co? – odezwał się James. – O co jest wkurzona?

– Bo ją ignorujemy – wyjaśnił Alex.

– Co? – James wyglądał jak przybysz z kosmosu. – Wcale nie.

– Tak, skurwielu, tak. – Alex próbował mnie objąć. Broniłam się, ale w końcu uległam. – Ignorujemy naszą Anne i to ją wkurza. Chcę tylko wiedzieć, dlaczego chodziłaś z taką miną, zamiast powiedzieć, żebyśmy ruszyli pieprzone dupska i zabrali cię na obiad i do kina.

Zawsze przed miesiączką przeżywałam stres i płakałam. Próbowałam odsunąć się od Alexa i pogrążyć się w posępnym nastroju, ale trzymał mnie mocno. Odruchowo napięłam mięśnie.

– Jamie, wyłącz tę głupią grę i chodź tutaj. Anne chce, byśmy zabrali ją do restauracji i do kina. Dlaczego nie traktujesz jej jak księżniczki? Przecież nią jest.

James poderwał się na równe nogi.

– Skarbie, trzeba było powiedzieć wcześniej. Natychmiast przerwalibyśmy grę.

Wzniosłam oczy do nieba.

– Dajcie spokój. Wcale nie chcę być traktowana jak księżniczka.

– Oczywiście, że chcesz.

– Alex – odrzekłam, już trochę mniej wkurzona. – Nie jestem żadną księżniczką.

– Owszem. – Przyciągnął mnie bliżej. – Księżniczką. Dobrze mówię, Jamie?

James uśmiechnął się i przytulił się do moich pleców.

– No jasne.

– Boginią.

Przycisnęli się jeszcze bliżej, tworząc trójwarstwowy sandwicz.

– Jesteś światłem naszego życia – ciągnął Alex. – Oddechem, musztardą w naszych hot-dogach.

– Jeśli jeszcze powiecie, że jestem wiatrem pod waszymi skrzydłami, to dostaniecie po pysku.

– Widzisz? O to mi właśnie chodziło. Dlaczego nie mówisz tego częściej?

Trudno było mi się skoncentrować, gdy James lizał mi szyję, a Alex wciskał udo między nogi.

– Co? Że chcę was obić po pysku?

– Jeśli tego pragniesz... Jasne, że tak. Jezu, czasem mam ochotę wykopać całe miłosierne gówno z dupy Jamesa. Szczególnie gdy pierdzi pod kołdrą, a potem udaje, że to nie on.

– Hej, pierdol się, chuju! – zaprotestował James. – To śpij u siebie.

Alex pochylił się i zaczął skubać wargami moją brodę.

– W moim łóżku nie ma Anne.

Przestałam już złościć się o gry wideo, ale nie zamierzałam im odpuścić.

– Obydwaj jesteście jak wrzody na tyłku, tyle wam powiem.

Alex odchylił się, by spojrzeć mi w twarz.

– No widzisz? Czy nie czujesz się już lepiej? Powiedz to jeszcze raz.

James prychnął śmiechem. Alex wymierzył mu kuksańca.

– No, dalej. Powiedz to jeszcze raz.

– Obydwaj jesteście jak wrzody na tyłku. – Odczekałam chwilę. Żaden z nich się nie przejął, dlatego spróbowałam ponownie. – Jeśli jeszcze raz wejdę do łazienki na siusiu i zobaczę podniesioną deskę, zacznę wrzeszczeć.

Chytry uśmieszek prześlizgnął się po ustach Alexa.

– A widzisz? Nie czujesz się od razu lepiej?

Czułam się lepiej. James objął mnie, oparł brodę na moim ramieniu, ja oparłam się o niego plecami.

– Naprawdę jesteśmy wrzodami na dupie? – zapytał James.

– Jesteśmy, stary. Jak dwa razy dwa. – Głos Alexa nie wyrażał smutku, raczej rezygnację. – Mężczyźni to świnie.

Wreszcie się roześmiałam.

– Nie jest z wami aż tak źle.

– To pójdziesz z nami na kolację i do kina? – upewniał się James. – Szofer! Limuzyna!

– Poczekajcie, nie jestem gotowa... – zaprotestowałam, chichocząc, gdy James podszczypywał moje boki.

– Co to znaczy? Dla mnie wyglądasz, jakbyś była. – James zmierzył mnie wzrokiem od stóp do głów.

– Ależ z ciebie dupek, Jamie – odezwał się Alex. – Nie wiesz nic o kobietach.

– Od kiedy jesteś takim ekspertem?

Podniosłam dłonie i odepchnęłam ich.

– Panowie! Dosyć sprzeczek. Dajcie mi dziesięć minut. Bez towarzystwa. – Ostatnie słowo wypowiedziałam, patrząc na Alexa, który nie rozumiał, że w tym pomieszczeniu potrzebuję i oczekuję prywatności. – Zabierzecie mnie do jakiejś dobrej restauracji, a nie do budki z hamburgerami.

– Tak, droga pani, wedle życzenia. – Alex ujął moją dłoń i pocałował.

Wróciliśmy do domu późnym wieczorem po wspaniałej kolacji i dobrym filmie. Potykaliśmy się w korytarzu, dotykając wzajemnie, całując, rozrzucając zdzierane z siebie ubrania. Dwóch mężczyzn robiło wszystko, by mnie jak najlepiej zaspokoić. Było cudownie. Potem leżałam między nimi. Słuchając chrapiącego duetu i spoglądając w sufit, zastanawiałam się, dlaczego Alex, który przecież mnie nie znał, zna tak dobrze, a James, który powinien znać najlepiej, wie o mnie tak mało.

ROZDZIAŁ TRZYNASTY

Nie powinnam była odbierać, ale gdy rozległ się dzwonek, odruchowo sięgnęłam po słuchawkę.

– ...ucham – zachrypiałam, nie otwierając oczu.

– Dzień dobry, Anne. Tu Evelyn. Jeszcze śpisz? – Ton jej głosu insynuował, że każdy, kto jeszcze wyleguje się w łóżku, jest cholernym leniem.

Podniosłam jedną powiekę i spojrzałam na budzik.

– Dopiero ósma rano.

– Sądziłam, że będziesz na nogach. Czy James nie wstaje wcześnie do pracy?

– Tak, wychodzi około wpół do siódmej. – Ziewnęłam, zakrywając usta dłonią, i potarłam oczy, do których ktoś najwyraźniej nasypał piasku. – Co się stało?

Boże, oby miała naprawdę ważny powód. Nie zniosłabym plotek, nigdy tego nie lubiłam. Dziś czułam się szczególnie źle, miałam wzdęty brzuch, co zapowiadało bolesne skurcze.

– Jadę dziś z dziewczętami na zakupy i pomyślałyśmy, że może wybrałabyś się z nami. Wpadniemy po ciebie o wpół do dziesiątej.

Sraka taka pierdaka.

Usiadłam na łóżku.

– Do jakich sklepów się wybieracie?

Wyświergotała całą listę, do tego centrum handlowe i salon piękności, o którym nie słyszałam.

– Będziesz gotowa o wpół do dziesiątej?

– Nie za bardzo, Evelyn... – Przewróciłam się na bok, by popatrzeć na Alexa. Zatopił twarz w poduszkę Jamesa. W chłodzie poranka czułam bijące od niego ciepło. Pogłaskałam jego jedwabiście lśniącą skórę na plecach. – Dziś jestem zajęta.

W słuchawce zaległa martwa cisza. Udało mi się doliczyć do pięciu.

– Naprawdę?

– Tak, przykro mi, ale mam już inne plany.

– Ach tak... – Ton głosu lekko się zmienił. Nadal pozostał uprzejmy, ale pojawiło się lekkie napięcie. – A co będziesz robić?

– Wzywają mnie obowiązki domowe.

– Pewnie wybierasz się na zakupy. – Jej głos zdradzał zadowolenie. – Pojedź z nami.

Tak naprawdę nie miałam żadnych obowiązków ani planów na początek dnia. No, zamierzałam tylko potrzymać w ustach członek Alexa, któremu potem wypadało potrzymać język na mojej łechtaczce. Nie były to zajęcia, o których mogłabym podyskutować z teściową. Próbowałam wymyślić jakąś wymówkę, jakąkolwiek. Alex poruszył się, podniósł głowę i spojrzał na mnie spod przymrużonych powiek.

– Naprawdę nie mam dzisiaj ochoty na zakupy. Przykro mi. – Wcale nie było mi przykro.

Znowu cisza w słuchawce. Potrafiłam wyobrazić sobie wyraz twarzy Evelyn. Lekko skrzywione, falujące nozdrza, jakby wyczuwała jakieś oszustwo. Zawsze zastanawiałam się, czy potrafi uśmiechać się chociaż w duchu, czy sygnały płynące z mózgu zawsze odbijały się w mimice.

– Cóż, skoro nie chcesz spędzić z nami trochę czasu... – zamilkła, najwyraźniej czekając, aż zaprotestuję.

I oczywiście zaprotestowałam, bo tego właśnie po mnie oczekiwano. Zrobiłam to, mimo że kwasy żołądkowe niemal przepaliły mi wnętrzności, a usta zacisnęły się ze złości.

– Chętnie spędziłabym z wami kilka godzin, ale po prostu mam już inne plany – powtórzyłam.

– Rozumiem. No dobrze. To może następnym razem.

Tylko spotkanie z królową angielską mogłoby być ważniejsze od zakupów z teściową i jej córkami. Zostałabym także usprawiedliwiona, gdybym dostała Nagrodę Nobla lub gdyby uprowadzili mnie Marsjanie.

Westchnęłam. Alex przewrócił się na plecy, jedną rękę podłożył pod głowę, drugą głaskał się po piersiach. W górę i w dół. Hipnotyzował mnie. Jego palce zsunęły się niżej, podążyłam za nimi wzrokiem. Gdy spojrzałam ponownie na jego twarz, zobaczyłam uśmiech.

– Dacie mi czas do dziesiątej?

– Nie chcę psuć ci planów.

– Chyba uda mi się to zorganizować, ale na wpół do dziesiątej nie dam rady.

– W porządku, poczekamy.

No to świetnie. Teraz będę jeszcze musiała okazać wdzięczność, że raczyły poczekać.

– Nie chcę sprawiać kłopotu, Evelyn.

– Nie sprawiasz – skwitowała.

„I tak będę ci to wypominać przez całą wieczność". Powiedziałaby to zapewne, gdyby mogła.

Alex uśmiechał się pod nosem i ruszał palcami, jakby miał na dłoni pacynkę, która parodiowała moje zachowanie. Odwróciłam się, żeby się nie roześmiać, a on rzucił się na mnie od tyłu. Chwycił w dłonie moje piersi, zaczął całować kark. Moje sutki natychmiast nabrzmiały. Westchnęłam zbyt głośno.

– Anne?

– Będę gotowa o... – Ręka Alexa zawędrowała pomiędzy moje nogi. – ... Dziesiątej...

– Powiedz jej, że o dziesiątej trzydzieści. – Zachichotał złośliwie, szarpiąc delikatnie moje kędziorki.

– Jesteś sama? – zapytała matka Jamesa. – Czy James poszedł do pracy?

– Tak, poszedł. – Próbowałam umknąć Alexowi, ale był zbyt silny i nie dałam rady. – Rozmawiałam z Alexem. Przed chwilą do mnie zajrzał.

– Ach tak. Jeszcze u was mieszka?

Wiedziała, że tak, bo jak znam życie, dzwoniła do Jamesa przynajmniej co drugi dzień.

– Tak.

Alex przyciągnął mnie; poczułam jego erekcję. Wciąż pieścił mnie palcami. Zrobiłam się cała mokra z podniecenia. Moje ciało reagowało drżeniem na każdy dotyk.

– To do zobaczenia o dziesiątej. – Teściowa odłożyła wreszcie słuchawkę. Odetchnęłam i oparłam się plecami o Alexa.

– Ty paskudo!

– Mówiłem, że jestem wrednym szubrawcem. – Pocałował mnie w ucho. Jego gorący oddech przyprawiał mnie o dreszcze. Palcami jednej dłoni drażnił mój sutek, a palcami drugiej pieścił moją łechtaczkę. – Dzień dobry.

Przekręciłam się, żeby na nim usiąść, teraz dzieliła nas tylko moja koszula nocna. Objęłam go za szyję, on mnie za pośladki.

– Dzień dobry.

– Lepiej zacznij się szykować. Teściowa niedługo tu będzie.

– Wiem.

Jednak żadne z nas nie ruszyło się z łóżka. Nasze oddechy przyspieszyły. Moja łechtaczka pulsowała. Kołysałam się lekko na Aleksie, masując kroczem członek. Przeczesałem palcami jego włosy.

– Obudziłeś się dziś wcześniej?

– Tak. Zjadłem śniadanie z Jamiem i wróciłem do łóżka.

Nawet nie usłyszałam, jak James wstawał.

– Dbasz o niego bardziej niż żona.

Spojrzał do góry, zwilżył wargi, mocniej ścisnął moje pośladki.

– Nie wiedziałem, że bierzemy udział we współzawodnictwie.

– A bierzemy? – Nie planowałam dyskusji na ten temat, ale skoro już zaczęłam, postanowiłam doprowadzić sprawę do końca.

– Ty mi powiedz – odparł Alex.

Puścił pośladki, podciągnął mi koszulę. Teraz skóra dotykała skóry, jego członek uciskał moją cipkę. Zamarłam na moment. Było mi tak dobrze. Jego ciepło i moja wilgoć. Wystarczyłby niewielki ruch, delikatne wygięcie pleców i ruch biodrami, a byłby we mnie, gdyby chciał. Gdybym ja chciała.

Nie poruszyliśmy się.

Alex ściągnął mi koszulę nocną. Sutkami dotknęłam jego piersi. Objął mnie, a ja poprawiłam dosiad i ścisnęłam udami biodra.

Poranne powietrze nadal było chłodne, ale ja czułam żar. Objęłam jego twarz i spojrzałam w oczy. Kciukami dotknęłam miękkich warg. Przekręcił odrobinę głowę i pocałował wnętrze mojej dłoni.

Gdy znowu spojrzał, zatraciłam się w tych oczach. Były głębokie i ciemne. Nie takie jak Jamesa – jasne jak letnie słoneczne niebo.

– Kochasz go? – zapytałam.

– Wszyscy kochają Jamiego.

– W takim razie dlaczego to robimy? – szepnęłam prosto w rozchylone usta. Oddychałam jego powietrzem, zawłaszczałam go w jedyny dozwolony sposób.

Jęknęłam, gdy położył dłoń z tyłu mojej głowy i przyciągnął do pocałunku. Pieścił tak mocno, że poczułam na wargach smak krwi. Przekręcił mnie na bok i położył się na mnie, po czym wzwiedzionym członkiem pocierał wewnętrzną część mojego uda.

– Bo nie potrafimy się powstrzymać – wyszeptał.

Doskonała odpowiedź i jakże wygodna. Nie miałam czasu odpowiedzieć, bo znowu zaczął mnie całować. Ocierał się całym ciałem. Ujęłam w dłoń członek, tworząc z palców tunel. Gdy ugryzł mnie w ramię, krzyknęłam. Byliśmy śliscy od potu, ale dzięki temu łatwiej było ocierać się o siebie.

Miał rację, gdy powiedział, że można robić mnóstwo rzeczy oprócz pieprzenia się. Wypróbowaliśmy wszystkie. Pieściliśmy się rękami, ustami, masowaliśmy się całą powierzchnią ciała. Podtrzymywałam piersi, by mógł wsunąć między nie członek, dotykając przy tym moich ust. Leżeliśmy nadzy, dotykając się i liżąc. Kładliśmy się w pozycji na łyżeczkę, by mógł pocierać członkiem szparę między pośladkami i równocześnie pieścić dłonią łechtaczkę.

Kotłowaliśmy się, turlaliśmy, ale i tak skończyliśmy twarzą w twarz, z rozchylonymi ustami, zbyt skupieni na tym, co działo się między naszymi nogami, żeby się całować. Wsunął członek między moją rękę i biodro. Dwoma palcami pieścił pochwę, a kciukiem pocierał łechtaczkę.

To była dziwna pozycja. Ciągnął mnie za włosy, a ręka na pewno dawno mu zdrętwiała. Nie przejmowaliśmy się tym. Byliśmy zbyt blisko spełnienia, by cokolwiek zmieniać, by się poruszyć czy zbyt gwałtownie oddychać. Poruszaliśmy się jednocześnie, mocno i rytmicznie, aż wezgłowie łóżka uderzało o ścianę.

– O kurwa... – westchnął Alex. – Ooo, właśnie tak...

Ścisnęłam go jeszcze mocniej. Jęknął z rozkoszy i wtulił twarz w moją szyję. Zadrżałam, wypchnęłam biodra, by poczuć intensywniej jego palce.

Zaczął mówić niskim tonem, stłumionym głosem, bo nie oderwał ust od mojego ciała. Mówił, jak uwielbia, gdy trzymam go w ustach, jak uwielbia pieścić mnie palcami, jak bardzo chce, bym szczytowała. Głównie szeptał moje imię, powtórzył je wiele razy. Czule, jakby chciał mnie przekonać, że dobrze wie, z kim się kocha.

Leżałam pod nim – smak mojego ciała na jego języku, mój oddech w jego płucach. Powtarzał moje imię, dopóki nie odpowiedziałam jego imieniem. Byliśmy jednością.

Rozkosz wypełniała mnie jak woda wypełnia studnię, rozpływała się po wszystkich zakamarkach. Czułam pulsujący rytm. Pochłaniała mnie. James miał rację, mówiąc, że Alex jest jak jezioro. Właśnie w nim tonęłam.

Osiągnęliśmy orgazm w sekundowych odstępach. Śliska, lepka wydzielina pokryła moje palce. Zachłysnęłam się jej zapachem. Wyczerpani, pozbawieni tchu, leżeliśmy, odpoczywając i powoli odzyskując energię.

Alex odsunął się odrobinę, bym mogła swobodniej oddychać. Jego ręka leżała na moim brzuchu, noga na moich nogach. Przez chwilę trwaliśmy tak wtuleni w siebie. W milczeniu.

– Złamaliśmy zasady – odezwałam się pierwsza, patrząc w sufit.

Alex, tak rozmowny kilka minut temu, nadal milczał. Odpowiedzi udzieliło jego ciało, przez które przebiegło kilka skurczy. Przewrócił się na plecy, odsunął ode mnie, wstał z łóżka i bez słowa wyszedł z pokoju. Chwilę później usłyszałam szum prysznica.

Spojrzałam na zegarek i wyskoczyłam z łóżka, klnąc, na czym świat stoi. Zostało dziesięć minut do przyjazdu teściowej, a musiałam się wykąpać i ubrać. Nie miałam czasu, by się zastanawiać, co oznaczało milczenie Alexa. Może to i lepiej. Dzięki temu ja również zostałam zwolniona z obowiązku skomentowania sytuacji.

Wypad na zakupy z Evelyn nie był taką porażką, jak przewidywałam. Owszem, próbowała się dowiedzieć, czy myślę o dziecku, ale dzielnie przetrwałam. Uśmiechałam się, niezmordowanie szczerzyłam zęby i zbywałam ogólnikami. Gdy wreszcie dotarłyśmy do domu, dopadł mnie ból głowy i pozostałe objawy napięcia przedmiesiączkowego.

– Ooo! James jest w domu – wykrzyknęła teściowa, jakby wygrała główną nagrodę na loterii. Zamiast zostawić mnie przed domem, zaparkowała i wyłączyła silnik.

– Wejdziesz do środka? – Moje pytanie wcale nie brzmiało jak zaproszenie.

– Oczywiście! – znowu krzyknęła, zmierzając w stronę kuchennych drzwi.

Nie wiem, co zobaczyła, bo gdy stanęłam za nią, dostrzegłam tylko dwóch zakłopotanych facetów. Cokolwiek robili, było tak szokujące, że odebrało Evelyn mowę. Zważywszy, że szczyciła się umiejętnością komentowania każdej sytuacji, widok oniemiałej teściowej był wart każdych pieniędzy.

– Mamo – odezwał się James. – Co tu robisz?

– Byłam z Anne na zakupach i właśnie ją odwiozłam. Zobaczyłam twój samochód i pomyślałam, że wpadnę się przywitać. – Evelyn wyprostowała się i poprawiła włosy, choć nie były potargane.

Rozejrzałam się, zastanawiając się, co ją tak wytrąciło z równowagi. Wszystko było na swoim miejscu. W popielniczce dopalał się papieros i chociaż nie pozwalałam nikomu palić w domu, to przecież nie można tego uznać za skandaliczne zachowanie. Alex rzucał Jamesowi ukradkowe spojrzenia i szybko odwracał wzrok, jakby się bał, że nagle wybuchnie śmiechem. James zupełnie go ignorował.

– Niedawno wróciłem, jakieś dwadzieścia minut temu. – W uśmiechu Jamesa dostrzegłam coś dziwnego. Był zbyt szeroki. Zbyt głupkowaty. Zbyt... sama nie wiedziałam jaki.

– Jak tam w pracy? – Evelyn stała blisko drzwi, więc musiałam się koło niej przecisnąć.

– Świetnie. Naprawdę dobrze.

Cokolwiek robili, z pewnością nie chcieli, by ktokolwiek ich na tym przyłapał. Wyglądali, jakby zostali złapani na gorącym uczynku, jakby przed chwilą... się obmacywali. Ponownie rozejrzałam się po kuchni i poza dymiącym papierosem w popielniczce wszystko wyglądało jak zawsze. Alex odzyskał panowanie nad sobą i uraczył Evelyn niewinnym uśmieszkiem.

– Witam, pani Kinney. Jak leci?

– Świetnie, Alex. A co u ciebie?

– Doskonale. Świetnie, naprawdę świetnie. – Jego uśmiech jeszcze się poszerzył.

Sama zaczęłabym coś podejrzewać, nawet gdybym nie zwróciła uwagi na jego reakcję. Spojrzałam na Jamesa przymrużonymi oczami, ale nie zerknął nawet w moją stronę. Obaj zaciskali usta, jakby za chwilę mieli wybuchnąć śmiechem.

– No dobrze, pójdę już – powiedziała Evelyn, a James tylko pomachał ręką.

– Pa, mamo. Do zobaczenia.

– Do widzenia, pani Kinney. – Alex skinął dłonią.

James i Alex stali obok siebie, uśmiechali się i machali na pożegnanie. Evelyn odwróciła się i wyszła bez słowa. Odprowadziłam ją wzrokiem do samochodu, patrzyłam, jak wsiada i wkłada kluczyk do stacyjki. Czekałam, by sprawdzić, czy straci panowanie nad sobą. Wykona jakiś gwałtowny gest lub zmieni wyraz twarzy, myśląc, że nikt jej nie widzi. Nic takiego się nie stało. Odjechała, a ja odwróciłam się do moich mężczyzn.

– O co chodzi? – zapytałam. James wybuchnął spazmatycznym śmiechem. Alex uśmiechał się przebiegle. Przyjrzałam im się z bliska. – O Boże! Jesteście na haju!

Powąchałam powietrze. Dym zwykłego papierosa tłumił zapach marihuany, który jednak nadal dawało się wyczuć. James otworzył lodówkę i wyciągnął popielniczkę ze skrętem.

– James?! Palisz trawkę?!

Zataczali się ze śmiechu, zupełnie nie zwracając na mnie uwagi. Podniosłam głos.

– James! – Wreszcie się odwrócili. – Dlaczego włożyłeś go do lodówki?

– Żeby ukryć przed matką – wyjaśnił Alex i parsknął śmiechem.

– Widziała, jak palicie?

– Nie sądzę. – James odchrząknął i rzucił Alexowi ostrzegawcze spojrzenie. – My trochę tak... szarpaliśmy się, gdy weszła i...

– Wyrwał mi jointa i schował do lodówki – uściślił Alex.

– Na pewno wszystko widziała. – Nie spuszczałam z nich wzroku.

Spojrzeli po sobie, wreszcie zakłopotani.

– Nie widziała skręta – oznajmił James zdecydowanie.

– No to co? Jak się szarpiecie? Nie byłaby taka zszokowana. Wyglądała, jakby była świadkiem morderstwa.

Alex chrząknął.

– Daj spokój, Anne. Przecież Evelyn zawsze tak wygląda.

– Wygłupialiśmy się trochę. – James wyszedł zza wyspy i objął mnie ramieniem. – Ogarnęło nas małe szaleństwo. I tyle.

Poczułam ucisk w żołądku. „Wygłupiać się" może oznaczać prawie wszystko. Czy naprawdę tylko walczyli o skręta? Może za długo trwali w uścisku? Może się całowali?

Alex wsunął skręta w usta i przypalił. Zaciągnął się, mrużąc powieki. Przytrzymał dym w płucach i wypuścił. Wyciągnął rękę w moją stronę.

– Sztachniesz się?

– Nie.

– Jamie, a ty?

– Jasne.

Nie odezwałam się więcej. Po prostu zostawiłam ich w kuchni, by mogli dokończyć, co zaczęli, cokolwiek to było. Poszłam do sypialni i zatrzasnęłam drzwi. Próbowałam czytać, ale nie potrafiłam się skoncentrować.

Głowę zaprzątało mi pytanie: czy oni się całowali? A jeżeli tak, czy powinnam się tym martwić? Dlaczego byłam zazdrosna, skoro z Alexem pozwalaliśmy sobie na o wiele śmielsze pieszczoty?

A może jednak brałam udział we współzawodnictwie?

Układ, w jakim funkcjonowaliśmy, mógłby łatwo zniszczyć nasze małżeństwo, ale nic nie wskazywało, że tak się stanie. James nie był zazdrosny o Alexa, święcie wierzył, że bez względu na to, ile razy Alex doprowadzi mnie do orgazmu, i tak będę kochać tylko jego. Ta niezachwiana pewność siebie Jamesa pozwoliła naszej trójce robić to, co robiliśmy tak chętnie i często.

Nie był zazdrosny o najlepszego przyjaciela, więc jak mogłabym być zazdrosna o Alexa? I konkretnie o co? O dowcipy, których nie rozumiałam? O wspomnienia? Obydwaj byli przy mnie, oddawali mi się bez reszty, próbowali w pełni zaspokoić. Czasem aż nazbyt gorliwie.

– Wystarczy – powiedziałam tej nocy, gdy skurcze w podbrzuszu, przesyt i dzień spędzony z Evelyn sprawiły, że seks wydał się raczej uciążliwym obowiązkiem niż zmysłowym doznaniem. – Koniec, nawet gdyby pojawił się tu fiut Brada Pitta.

– Cholera, było ostro. – Alex oparł się o wezgłowie. Koszulę miał już rozpiętą, spodnie jeszcze nie. Spojrzał na Jamesa, który właśnie wyszedł spod prysznica. – Słyszałeś, stary? Twoja żona porównuje nasze klejnoty do kutasa Brada Pitta. To nieuczciwe.

Nie miałam siły się roześmiać. Chętnie wzięłabym długą kąpiel przy świecach, może trochę poczytała.

– Nie porównuję. Mówię tylko, że dzisiaj nie dam rady. Tak mnie wymasowaliście w różnych miejscach, że aż dostałam skurczy.

– Orgazmy pomogą ci się rozluźnić. – James podszedł do mnie od tyłu, objął rękami i zaczął szczypać zębami ucho.

– Nie słyszałeś, co powiedziałam?

– Coś o jakimś fiucie – mruknął, uśmiechając się

i sięgając do moich piersi. – Lubię, gdy używasz wulgaryzmów. Powiedz to jeszcze raz.

– Ona nie chce, Jamie. Dajmy jej spokój. Już nas nie kocha – odezwał się Alex.

– Nie? – James potarł moje sterczące sutki. – Jesteś pewna?

Syknęłam z niezadowolenia i wyślizgnęłam się z jego ramion.

– Jestem zmęczona, James. I cała obolała.

– To komplement czy oskarżenie? – zapytał Alex.

Odwróciłam się do niego, by przeszyć ironicznym spojrzeniem.

– Jesteście nienasyconymi satyrami, a ja marzę o gorącej kąpieli i dobrej książce. Nie chcę dzisiaj uprawiać seksu. Ani z tobą, ani z Jamesem. Z nikim.

– Nawet Brad Pitt jest bez szans. – James rzucił ręcznik na fotel i bez cienia zażenowania podszedł nago do komody.

– Kochanie, czy mam czyste bokserki?

– Miałbyś, gdybym zamiast na okrągło bzykać się z wami w łóżku, mogła zrobić pranie!

Alex się przeciągnął.

– Anne, tak naprawdę, to ostatni raz nie był w łóżku, tylko na podłodze w salonie – powiedział z udawaną powagą.

Próbowałam wtedy zrobić listę zakupów na rocznicowe przyjęcie rodziców. James zaczął mi masować stopy, Alex kark i barki. Skończyło się jak zwykle.

James rzucił na łóżko bokserki.

– Te są twoje, stary.

– Faktycznie. Nigdzie nie mogłem ich znaleźć. Pewnie twoje są u mnie.

Żaden z nich o nic mnie nie oskarżał, ale szalejące hormony popchnęły mnie na ścieżkę bezrozumnego gniewu.

– No, bardzo przepraszam, panowie! Dobrze wiecie, że to nie majtkowa wróżka podrzuca wam gatki do szufladek. Robię pranie, składam czyste ciuchy i chowam na miejsce! Nosicie ten sam rozmiar! Przepraszam za rażące niedopatrzenie. Może następnym razem sami zrobicie to zasrane pranie!

Po takim wybuchu od razu poczułam się lepiej. Zobaczyłam wytrzeszczone ze zdziwienia oczy i to dodało mi animuszu. Zrzędziłam dalej.

– A jak będziecie w łazience, to umyjcie sedes, bo któryś nie trafia do środka.

Zamrugali, prawie równocześnie. James, cały czas nagi, cofnął się. Alex się wyprostował, jakby szykował się do wygłoszenia przemówienia, ale nie pozwoliłam sobie przerwać.

– A jak będziecie napaleni – krzyczałam – to sami sobie ulżyjcie. Albo niech jeden zrobi dobrze drugiemu! Ja nie jestem dzisiaj zainteresowana!

Weszłam do łazienki i zatrzasnęłam z rozmachem drzwi. Tak mocno, że ze ściany spadł paskudny obrazek ze wstrętnymi kociakami w kąpieli. Powiesiła go Evelyn, gdy zmieniała wystrój gościnnej łazienki w swoim domu. Upadając na kafelki, ramka pękła. Na szczęście szybka też tylko pękła, a nie rozprysła się na drobne kawałki.

Odetchnęłam głęboko, czekając na wyrzuty sumienia. Nie pojawiły się. Nadal czułam się świetnie. Zdawałam sobie sprawę, jak głupio się zachowałam. Nie byłam wściekła z powodu większej ilości ciuchów do prania. Właściwie wcale nie byłam wściekła, więc... postanowiłam puścić mój histeryczny wybuch w niepamięć.

No tak. To wszystko było popieprzone i dobrze o tym wiedziałam, ale uśmiechnęłam się i podniosłam z podłogi resztki obrazka z kotkami. Kiedy wrzuciłam je do kosza, od razu poczułam się lepiej.

– Pieprzcie się, pieprzone koteczki w kąpieli – szepnęłam.

Kiedy wanna wypełniła się wodą, byłam już zupełnie spokojna. Czy naprawdę powiedziałam, by zajęli się sami sobą? Mogliby to zrobić?

Wypróbowaliśmy różne pozycje, ale Alex i James nigdy się nie dotykali. Robiłam z nimi wszystko, co tylko kobieta może zrobić z mężczyzną. Często leżeli jeden tuż obok drugiego, ale nigdy się nie pocałowali.

Może to była kolejna zasada i tajemnica, której nie chcieli wyjawić?

Po kąpieli wypuściłam wodę z wanny i narzuciłam szlafrok. Gdy otworzyłam drzwi, James i Alex spojrzeli z lekkim niepokojem, jakby spodziewali się kolejnego wybuchu. Leżeli na łóżku, ubrani tylko w bokserki. W telewizji leciał sport. Na nocnych stolikach stały puszki z piwem. Wyglądali jak stare dobre małżeństwo, doskonale zgrane i zżyte. W takim związku nie oburzasz się, kiedy partner beknie albo zacznie dłubać w nosie.

– Dlaczego nigdy się nie dotykacie? – zapytałam.

Jedno, drugie, trzecie mrugnięcie.

James odpowiedział pierwszy, ale chyba dlatego, że Alex postanowił trzymać gębę na kłódkę. Mądra decyzja.

– Co?

Podeszłam do łóżka, złapałam pilota i wyłączyłam telewizor.

– Dlaczego się nie dotykacie, nawet gdy robicie mi dobrze?

Do tej pory nie widziałam, by James się czerwienił. Mrugał gwałtownie, kręcił się nerwowo po pokoju, ale rumieńce wstydu? Nigdy. Teraz na piersiach pojawiły się mu czerwone plamy, powoli rozlewały się na szyję i gardło aż do policzków.

Co ciekawe, Alex zachowywał się, jakby pytanie go nie dotyczyło. Wyciągnął rękę za głowę i wpatrywał się we mnie, zachowując stoicki spokój. Uśmiechał się tajemniczo, a równocześnie bezczelnie.

James zerknął na niego i się odsunął. Na pozór niewinny gest, ale w danej sytuacji bardzo wymowny. Alex uważnie obserwował moją reakcję.

– No i? – Wysunęłam hardo brodę.

– Nie jestem ciotą – odparł James, znowu zerkając na przyjaciela. – Oczywiście nie mam nic przeciwko pedziom.

Alex nie poczuł się urażony.

– On nie jest ciotą, Anne.

Ta odpowiedź trochę mnie uspokoiła. Nie wiedziałam, jakiej odpowiedzi oczekuję. Chciałam tylko sprawdzić, czy James się zawaha. A może musiałam usłyszeć, co odpowie, by upewnić się, że to mnie kocha najbardziej.

– A ja wcale nie jestem zwolenniczką poliamorii. Tak jakoś samo wyszło, że nagle pieprzę się z dwoma facetami.

– Poli-amo-czego? – zdziwił się James.

– Poliamoria to inaczej wielomiłość. Czyli angażujesz się w związek miłosny, nie tylko seksualny, z więcej niż jedną osobą – wyjaśnił spokojnie Alex, jakbyśmy omawiali prognozę pogody.

James zmarszczył brwi. Spojrzał na mnie i na Alexa, znowu na mnie.

– To nie tak – powiedział.

– A jak? – zapytałam, krzyżując ramiona.

James pokręcił głową.

– To jest...

Alex i ja patrzyliśmy na niego w skupieniu. Czekaliśmy. James uśmiechnął się, jakby chciał dodać sobie odwagi.

– To po prostu przyjemność. Takie nasze szaleństwo. Fajna letnia przygoda. Prawda?

– Jasne, stary – potwierdził Alex.

Milczałam.

– A co ty o tym myślisz, Anne?

Ugryzłam się w policzek, aż poczułam smak krwi.

– Oczywiście. Przyjemność.

James wstał, obszedł łóżko i objął mnie.

– Co się stało, kochanie? Wydawało mi się, że ci się podoba.

Pokręciłam głową.

– Nic. Już nic.

James pocałował mnie, ale nie odwzajemniłam pocałunku.

– No, dalej. Powiedz, dlaczego jesteś taka naburmuszona? Chcesz, żebyśmy wyłączyli telewizor, bo jesteś śpiąca?

Jeszcze miesiąc temu w takiej sytuacji w ogóle nie zapytałby, czego chcę i jak się czuję. Wiedziałam, że zmienił się pod wpływem Alexa. Ta myśl zirytowała mnie równie mocno, jak wspomnienie wcześniejszej obojętności. Nagle stał się taki troskliwy i czuły...

– Nie – burknęłam.

– To o co chodzi? – Próbował mnie uspokoić, ale bezskutecznie.

– O nic! – wykrzyknęłam. – Zupełnie o nic!

Alex wstał z łóżka.

– A ty dokąd? – zaatakowałam go z furią.

Wzruszył ramionami.

– Potrzebujecie teraz prywatności.

Roześmiałam się szyderczo.

– Prywatności? Zawsze kręcisz się w pobliżu, gotów wsadzić mi fiuta w usta, ale gdy jestem w złym nastroju, to wolisz się zmyć, tak?

– Jezu, Anne – wtrącił James, zszokowany moją wypowiedzią. – Co cię napadło?

– Wychodzę na chwilę, musicie pobyć sami – oświadczył Alex, ruszając do drzwi.

To było głupie, nakręciłam się jak nienormalna, zupełnie bez powodu. Mogłam winić hormony, ale po co się oszukiwać? Nie umiałam usprawiedliwić swojego zachowania, a mimo to atakowałam dalej.

– I co zrobisz? Skoczysz do klubu? Poderwiesz jakiegoś faceta i obciągniesz mu laskę?

– Boże, Anne. Co z tobą, do licha? – James patrzył na mnie zdegustowany.

Twarz Alexa stała się zimna i obojętna. Oddalał się ode mnie, a ja nie potrafiłam tego znieść.

– To nie twoja sprawa – stwierdził.

– Owszem, moja! Już po wszystkim wrócisz do mojego domu, do mojego łóżka i... do mojego męża!

– Rozbolało mnie gardło od wrzasku. James zwiesił głowę.

Alex nie wyglądał na dotkniętego.

– Anne, jeśli chcesz, żebym się wyprowadził, wystarczy powiedzieć. Nie musisz od razu zachowywać się jak wściekła zdzira.

Jęknęłam. Czekałam, aż James weźmie mnie w obronę. Spojrzałam na niego. Wpatrywał się w podłogę. Przeniosłam wzrok na Alexa. Dostrzegłam w uśmiechu cień triumfu, który chętnie starłabym z tej twarzy mocnym ciosem.

Odwróciłam się na pięcie, weszłam do łazienki i jednym szarpnięciem zdjęłam szlafrok. Spojrzałam w dół i zobaczyłam ściekającą po nodze krew.

– Kurwa-jebana-wdupę-pizda-chuj! – wrzasnęłam na jednym oddechu.

Gdyby obrazek od teściowej nie był rozbity, z pewnością roztrzaskałabym go teraz. Cóż, musiałam zadowolić się trzaskaniem drzwiczkami szafki, gdy sięgałam po tampon. Umyłam się, walcząc z płaczem. Czułam się jak idiotka.

Zazdrosna idiotka.

Chora na mózg.

Kończyłam myć ręce, gdy usłyszałam pukanie do drzwi. Wszedł James. Westchnęłam i wytarłam twarz, czekając na wykład o kulturze osobistej. Zasłużyłam na to bez dwóch zdań.

– Anne, jeśli chcesz, żeby się wyprowadził... – zaczął.

– Nie, chodzi o inne sprawy. Mam tyle na głowie. Impreza dla rodziców, problemy Patricii.

– Co za problemy?

Wyjaśniłam, o co chodzi.

– I teraz ona nie ma pojęcia, co robić – powiedziałam.

– Ale my możemy coś zrobić dla niej! – James wyglądał na przejętego. Poczułam, jak moja miłość do męża wzrasta z sekundy na sekundę. – Pomożemy jej, prawda?

Wyciągnęłam ramiona, a on pozwolił mi się w siebie wtulić, choć na to nie zasłużyłam.

– Boli mnie żołądek i głowa, no i mam okres.

Zrobił minę z rodzaju: „aha, wszystko jasne", ale był na tyle inteligentny, by nie powiedzieć tego na głos. Pogłaskał mnie po plecach i przytulił. Masował mnie, bezbłędnie odnajdując sploty nerwowo-mięśniowe, o których istnieniu nie miałam pojęcia, dopóki nie zaczął ich ugniatać.

– No i do tego jeszcze twoja matka.

– Co znowu zrobiła?

– To samo co zawsze. Najpierw namawia mnie, żebym wybrała się z nią na zakupy, a potem traktuje jak piąte koło u wozu. I bez przerwy wypytuje, kiedy wreszcie zajdę w ciążę. Po prostu cały czas mi przywala!

– To nie jest zamierzona złośliwość. Dlaczego tak się tym przejmujesz?

– Robi to złośliwie – odparłam, ponownie rozwścieczona. – Jeśli jeszcze raz zapyta, kiedy zaczniemy robić dzieci, wybiję jej to pytanie z głowy.

Ostre i nieprzyjemne słowa. James na moment przestał mnie masować, po chwili powrócił do tego zajęcia. Przycisnęłam twarz do jego piersi, zamknęłam oczy. Zachowałam się podle, nienawidziłam się za to, ale stało się.

– Nie powinnaś pozwalać, by tak cię denerwowała – odezwał się w końcu.

Westchnęłam. Przez chwilę milczeliśmy, dopóki delikatnie mnie od siebie nie odsunął. Spojrzał mi w twarz i pocałował tak czule, że zachciało mi się płakać.

– Jesteś niezadowolona?

Nie miałam pojęcia, o co mu chodzi.

– Z jakiego powodu?

– Masz okres, więc nie jesteś w ciąży.

Pokręciłam głową.

– To może trochę potrwać – ciągnął. – Może nawet kilka miesięcy. Niektórzy ludzie próbują latami.

Staliśmy teraz po dwóch stronach bardzo głębokiej rozpadliny, którą własnoręcznie wykopałam. Nie powiedziałam mu, że nie zrezygnowałam z zastrzyków. Nawet gdybym chciała mieć teraz dziecko, mój napompowany hormonami organizm nie sprostałby temu zadaniu. I było coś jeszcze. Nie przyznałam się, że nie jestem gotowa na dziecko, a on najwyraźniej myślał, że marzę o macierzyństwie.

– James... – zaczęłam i zamilkłam, szukając właściwych słów. Szczerość mogła ranić równie mocno jak kłamstwa. Nie chciałam go skrzywdzić. – Powiedziałam ci już wcześniej, że to nie najlepszy moment na dziecko. Gdy skończy się lato i Alex się wyprowadzi...

Udało mi się go uspokoić. Odsunął mi włosy z twarzy.

– No dobrze kochanie, bo już myślałem, że się tym zamartwiasz.

– James, nie... – Pokręciłam głową. Nie dokończyłam zdania, bo zaczął mnie całować. Mogłam nie odwzajemnić pocałunku, mogłam go odepchnąć i wyznać prawdę, którą już dawno powinien poznać.

To był długi i głęboki pocałunek. Taki jak na filmach. Był doskonały pod każdym względem, ale – inaczej niż w filmach – nie zmienił niczego na lepsze, nie rozwiązał żadnego problemu.

ROZDZIAŁ CZTERNASTY

Rzadko kłóciłam się z Jamesem, nie umiałam długo się na niego gniewać. Niezłomnie wierzył, że nie jest zdolny do złych uczynków, a ja zawsze dbałam o to, żeby wszystko grało i nie było powodów do sprzeczek. Po awanturze wystarczyły całus w policzek i przeprosiny, i życie wracało do normy.

Nie wiedziałam, jak przeprosić Alexa. Określiliśmy nieprzekraczalne granice współżycia seksualnego, ale nigdy nie rozmawialiśmy o tym, co czujemy, gdy się kochamy.

Tak było bezpieczniej. Nie zachowałam się zbyt mądrze, przyznając, że to wszystko zaszło dalej, niż powinno. Pragnęłam jego ciała i dotyku, uwielbiałam radosny śmiech. Przyzwyczaiłam się do jego obecności w łóżku, do zapachu i tego, że nosił ciuchy Jamesa.

Nie chciałam się w nim zakochać, a jednocześnie martwiłam się, że on mnie nie kocha.

Po naszej wielkiej awanturze Alex zamknął się w sobie. Codziennie wychodził z domu na spotkania biznesowe. Wiedziałam jedynie, że próbuje nawiązać kontakty w Cleveland. Wracał do domu późnym wieczorem. Wyglądał na zmęczonego. Niewiele mówiąc, znikał w swoim pokoju, zanim zdążyłam zapytać, jak mu minął dzień.

Bolało mnie jego zachowanie.

Próbowałam go unikać, żebyśmy wszyscy mogli udawać, że on nie unika mnie. Słyszałam, jak w nocy James z nim rozmawia. Czasem podnosili głos, czasem całymi godzinami w ogóle ich nie słyszałam. Kiedy James przychodził do sypialni i wślizgiwał się do łóżka, przysuwałam się do niego, próbując wyczuć zapach Alexa. Nigdy mi się to nie udało.

Tak było przez tydzień, ale to był chyba najdłuższy tydzień w moim życiu. Skończył mi się okres, co jak zwykle przyniosło ulgę i poprawę humoru. Firma Jamesa rozpoczęła pracę na nowej budowie. Wracał do domu wcześniej i mieliśmy więcej czasu na domowe obowiązki, takie jak praca w ogrodzie czy zamontowanie nowej huśtawki.

Alex zachowywał się teraz jak idealny gość. Bardzo uprzejmie. Z dystansem. Jak ktoś prawie obcy, co mnie dobijało.

Próbowałam ukrywać, jak bardzo mnie to zżera od środka. To odrzucenie było niczym olbrzymia kłująca drzazga, której nie potrafiłam wyciągnąć. Nawet nie spoglądałam mu prosto w oczy, by nie zobaczył w nich, co naprawdę czuję. Pożądanie. Bałam się, że James dostrzeże, jak bardzo pragnę, żeby wszystko wróciło do poprzedniego stanu.

Zupełnie nieoczekiwanie z pomocą przyszła mi Claire. W przeszłości zwierzałam się Patricii, ale skoro nie wyjawiłam jej, że sypiam z Alexem, teraz nie mogłam opowiedzieć o związanych z nim rozterkach. Z Mary nie dało się rozmawiać o seksie, zresztą wyjechała na tydzień do Pensylwanii.

Musiałam z kimś pogadać, dlatego pewnego dnia opowiedziałam wszystko Claire. Przyniosła kilka rzeczy na imprezę rodziców. Właśnie siedziałam przy komputerze i próbowałam spłodzić CV. Stukałam w klawiaturę, ale z miernym efektem.

Ucieszyłam się, gdy zobaczyłam ją na ganku, bo mogłam przerwać zajęcie, do którego się zmuszałam. Claire podała mi torbę z pomidorami z ogródka mamy i kilka zaproszeń, które wylądowały na wycieraczce rodziców, zamiast w mojej skrzynce.

– Rozumiesz, znaczek kosztuje majątek – stwierdziła ironicznie Claire, sięgając do lodówki po jedzenie i picie. Wyłożyła wszystko na stół i zaczęła robić kanapki.

– Chyba przyjadą wszyscy, których zaprosili – powiedziałam. – Boże! Żeby tylko się zmieścili...

– Nie martw się. Kumple tatki będą tak nawaleni, że niczego nie zauważą, a Kinneyowie zachowują się, jakby mieli wetknięte w dupy kije, więc pewnie szybko wyjdą.

– Nawet mi o nich nie przypominaj – westchnęłam. Robiło mi się słabo na myśl, że Kinneyowie mogliby próbować zaprzyjaźnić się z moimi rodzicami i ich znajomymi.

– A jak miewa się nasza ponura dwójka, Evelyn i Frank? – Claire roześmiała się i sparodiowała minę, którą często robił Frank. – Nie mogę doczekać się spotkania z nimi. Chyba specjalnie włożę koszulkę odsłaniającą brzuch, żeby ich wszystkich wkurzyć. Ciekawe, ile czasu minie, zanim zauważą, że przytyłam.

– Dobry Boże, Claire! Nie rób tego na imprezie rodziców.

– A czemu nie? – odparła, stawiając na stole talerz z kanapkami.

– Zdecydowałaś się urodzić?

Właśnie odgryzła wielki kawał chleba i musiałam poczekać, aż przełknie.

– Tak.

– A college? A pieniądze?

– Pozostały mi tylko trzy zajęcia do zaliczenia. Mogłabym je odbębnić w ostatnim semestrze. Zaczęłam szukać pracy. Wszystko się ułoży.

Była znacznie bardziej pewna siebie, niż ja byłabym w jej sytuacji.

– Jak zwiążesz koniec z końcem?

– Dostanę trochę kasy od tego popierdolonego skurwysyńskiego onanisty, który tak mnie urządził, tylko zapomniał powiedzieć, że jest żonaty.

Przekleństwa zabrzmiały w jej ustach jak słodka pieszczota. Uśmiechnęła się pogodnie.

– Da ci pieniądze?

– Piętnaście tysiaków.

Zakrztusiłam się z wrażenia.

– Co? Claire?! Jak go do tego zmusiłaś?

– Zagroziłam, że zrobię testy, by potwierdzić ojcostwo. Oczywiście poinformuję o dziecku żonę i radę pedagogiczną. Opowiem też, jak kazał mi przebierać się w strój uczennicy, kładł mnie na kolanie i smagał rózgą.

– I wycenił twoje milczenie na piętnaście tysięcy?

Jej uśmiech już nie był słodki, raczej triumfujący.

– Mam zdjęcia oraz dowody wskazujące na to, że bierze lewe prowizje za zamówienia dla jego szkoły.

– Jego szkoły?

– Jest tam dyrektorem. Posuwał niewłaściwą walniętą dziwkę, Anne.

– Cholera. – Nie wiedziałam, czy powinnam ją podziwiać, czy raczej się jej bać. – Niezły skandal.

– Niepotrzebnie kłamał – stwierdziła chłodnym głosem. – To mógł być zwykły romansik jakich wiele. Ten skurwiel popełnił błąd, powiedział, że mnie kocha. I oczywiście będzie płacić na dziecko.

– Naprawdę chcesz urodzić?

– Tak – odpowiedziała znad kanapki. – Może i jego ojciec to złamany chuj, ale... to także moje dziecko.

– Powiedziałaś rodzicom?

– Mama wie. Domyśliła się. Tata oczywiście nie ma zielonego pojęcia. Powiem im po imprezie. Nie chcę psuć atmosfery.

– Nieźle to wszystko zaplanowałaś.

Claire się roześmiała.

– Zobaczymy. Mogę jeszcze jedną kanapkę?

Ja nawet nie zaczęłam pierwszej.

– Jasne.

– No więc... co się stało? – zapytała.

– Z czym?

– Nie z czym, tylko z kim. Z Alexem.

– Nic się nie stało. – Ugryzłam kanapkę i zaczęłam przeżuwać.

– Przestań, Anne! Kiepsko kłamiesz.

– Wręcz przeciwnie. Jestem dobrą kłamczuchą.

– Tak tylko mówisz. No, dalej, wyrzuć to z siebie, siostruniu. Co się stało? James się wściekł?

– Nie.

Przeżuła, połknęła, odgryzła kolejny kawałek, nie spuszczając ze mnie wzroku.

– Rozkleiłam się. Każdemu może się zdarzyć, prawda?

– Skąd mam wiedzieć? Nigdy nie byłam w takiej sytuacji. To znaczy, oczywiście bzykałam się więcej niż z jednym facetem w tym samym czasie, tyle że oni o tym nie wiedzieli.

– Nie pomagasz mi, Claire.

Wyszczerzyła zęby.

– Sorki. Powiedz wreszcie, co się stało. Bo zacznę cię torturować beknięciami. Anne, nie zmuszaj mnie do tego.

– Już ci powiedziałam. Rozkleiłam się. Nie wiem dlaczego. Gdy jestem z Alexem sam na sam, zachowuje się poważnie. Ledwie dołączy do nas James, zaczynają się wygłupiać jak nastoletnie głupki.

– No tak, czyli niezbyt seksownie.

– No właśnie. Łączy ich mnóstwo spraw, o których nie mam pojęcia. Jest coś jeszcze...

Przez kilka minut jadłyśmy w milczeniu. Zastanawiałam się, co i jak powiedzieć, żeby nie postawić się w złym świetle. Jak przyznać się do zazdrości i kłamstw, a jednocześnie nie stracić twarzy?

Nie musiałam długo kombinować, bo Claire od razu przeszła do sedna sprawy, zadziwiając mnie błyskotliwością spostrzeżeń. W lot pojęła, o co chodzi.

– Chcesz ich obu dla siebie, ale ich też łączy bardzo silna więź.

– Tak. Czy w związku z tym jestem zaborczą zdzirą?

– Raczej tak. – Uśmiechnęła się ironicznie. – To normalne.

– Pokłóciliśmy się. Ja zaczęłam, Alex nie reagował, zachowywał spokój. Jakby to dotyczyło kogoś innego. Teraz traktuje mnie z dystansem, zachowuje się, jakbyśmy się ledwie znali.

– A co na to James?

– Nie skomentował sytuacji. Nawet jeśli o tym rozmawiali, nic mi nie powtórzył.

– Anne. – Claire się roześmiała. – Faceci nie prowadzą poważnych rozmów, tylko pieprzą o głupotach.

– Wiem, ale z nimi jest inaczej. Nie wiem tylko, czy rozmawiali akurat o mnie.

– A jeżeli rozmawiali, to o czym dokładnie? Jak myślisz? – Claire westchnęła, odchyliła się i poklepała po brzuchu, który był już lekko zaokrąglony. Beknęła, długo i powoli. – Aaa... to było za dziesięć punktów.

– Mam wrażenie, że nic go nie obchodzę, że chodzi tylko o seks.

Claire spojrzała na mnie smutnym wzrokiem.

– Anne, a może tak właśnie jest.

Rozpłakałam się. Zawstydzona, ukryłam twarz w dłoniach.

– Ale dlaczego? Dlaczego nie kocha mnie tak samo jak Jamesa?

Claire poklepała mnie po plecach. Pospiesznie otarłam łzy serwetką.

– Przepraszam – szepnęłam.

Wzruszyła ramionami.

– Chciałabym ci poradzić, ale nie umiem. Kochasz go?

– Kogo? Alexa?
– Nie. Króla Anglii.
– Przecież w Anglii jest królowa.
– No coś ty... wiem.
– Nie mam pojęcia.
– Hej, posłuchaj. Jeśli nie kocha cię ktoś, kogo ty też nie kochasz, to rzeczywiście dramat.
– Trafna ocena sytuacji i jaka błyskotliwa.
– Kiedy wyjeżdża?
– Nie mam pojęcia. Pewnie niedługo. Mieszka tu już od dwóch miesięcy.
– Spróbuj go wypłoszyć, wtedy nie będziesz musiała o nim myśleć.
Gdyby to było takie proste, westchnęłam w duchu.
– Dzięki za radę.
– Anne, co bardziej cię martwi? To, że on być może kocha Jamesa, czy to, że nie kocha ciebie?
– Czuję się jak idiotka. Zaplanowali grę, w której uczestniczę. W dodatku bardzo chętnie, do niczego nie musieli mnie zmuszać.
– Mówiłam ci. Lubisz te klocki!
Uśmiechnęłam się.
– Później to stało się dla mnie czymś więcej, ale nie dla niego.
– Jesteś pewna?
– Prawie ze mną nie rozmawiał przez cały tydzień. Kiedy powiedziałam, że ten układ przekroczył ustalone granice, milczał. Gdy zapytałam, dlaczego ciągle to robimy, odpowiedział, że po prostu nie potrafimy przestać.
– Nie potraficie przestać? Interesująca uwaga
– I prawdziwa. Ja też nie potrafiłam przestać. Chociaż wiedziałam, że to już coś więcej niż zwykły seks.

Że ja... ja coś... czuję. – Tym razem udało mi się powstrzymać łzy. – Wiem, dlaczego jest najlepszym przyjacielem Jamiego. Wiem, dlaczego Kinneyowie nigdy go nie lubili. Bo James przy Aleksie jest zupełnie innym człowiekiem. To Alex jest słońcem, wokół którego krąży James. Nic dziwnego, że teściowa go nienawidzi. Zabrał jej synka i, w odróżnieniu ode mnie, nie pozwala sobą pomiatać.

– Czy oni się kiedyś pieprzyli? A może nadal to robią? – zapytała Claire.

Odpowiedziałam na pytanie tylko dlatego, że zadała je bardzo rzeczowym tonem.

– Nie sądzę.

– To może powinni. Wtedy przestaną o tym ciągle myśleć.

Przycisnęłam powieki palcami, żeby powstrzymać kolejny atak łez.

– Wydaje mi się, że sypiają ze mną, bo nie mogą sypiać ze sobą. Alex zapragnął mnie, bo... bo nie mógł mieć Jamesa. Czy on w ogóle mnie pożądał?

No proszę. Najgorszy wniosek z możliwych. Pragnęłam osoby, która mnie nie chciała. Pomagałam stworzyć namiastkę czegoś, czego bardzo chcieli, ale po co żaden z nich nie ośmielił się sięgnąć.

James chrapał, ja nie mogłam zasnąć. Położyliśmy się do łóżka kilka godzin temu. Sami. Alex wyszedł i nie wrócił wieczorem. Czekałam, nasłuchując chrzęstu opon na podjeździe, odgłosu otwieranych drzwi, znajomych kroków w korytarzu.

Wyczułam, że stanął w progu, i jednocześnie to usłyszałam. Starał się zachowywać cicho, jak każdy zawiany facet, czyli hałasował jeszcze bardziej niż zwykle. Uderzył ramieniem w futrynę. Stanął przy brzegu łóżka z mojej strony. Wpatrywał się we mnie, choć nie widziałam jego oczu.

Kliknęła sprzączka paska. Wyjął go ze szlufek, potem rozpiął rozporek.

Zapach whisky otulał mu szyję jak szal. Chciałam go wypić. Chciałam zatopić się w nim.

Ubranie z szelestem upadło na podłogę. Otworzyłam szeroko oczy, choć ciemność nie pozwalała mi dostrzec szczegółów. Widziałam tylko zarys sylwetki. Chciałam sprawdzić, czy na mnie patrzy.

Pierwsza go dotknęłam, trafiając ręką na udo. Wzięłam do ust członek, tak głęboko, jak potrafiłam. Przeczesywał mi włosy. Był taki twardy, taki gruby. Udławiłabym się, gdybym go nie objęła palcami u nasady. Trzymałam, kontrolując jego ruchy.

Chciałam więcej, ale pociągnął mnie za włosy i powstrzymał. Oddychaliśmy głęboko. Odchyliłam głowę i zobaczyłam go w świetle wpadającym przez okno. Zarys miękkich ust, błysk jego oczu.

– Obudź go. – Jego głos dochodził z ciemności, głęboki i zachrypnięty od zbyt wielu wypalonych papierosów.

– James – szepnęłam, a po chwili trochę głośniej: – James, obudź się.

James chrapnął i stęknął, przewracając się w moją stronę, ale się nie obudził.

– Jamie – odezwał się Alex. – Obudź się.

Za plecami usłyszałam marudzenie Jamesa. Alex puścił moje włosy, popchnął na poduszkę. Podniosłam usta w oczekiwaniu pocałunku, ale nie zrobił tego.

James oparł się na łokciu.

– Cześć, stary. Gdzie ty się, kurwa, podziewałeś?

– Gdzieś.

Alex ukląkł między nami, opierając pośladki na piętach, zaczął się masturbować.

– Zajebiście. – Głos Jamesa zdradzał poirytowanie, ale nie z powodu zachowania Alexa. On nie czekał na niego tak jak ja.

– Anne. Chcę patrzeć, jak obciągasz Jamiemu. Jamie, chodź tutaj.

James roześmiał się, ale też ukląknął.

– Jesteś nawalony.

Ja się nie śmiałam. Sięgnęłam po Jamesa. Jego penis już twardniał. Kilkoma ruchami doprowadziłam go do pełnej erekcji. Wzięłam do ust. Jęczał, gdy go ssałam. Zazdrościłam obydwu, że tak łatwo się podniecają i szybko osiągają orgazm. James kołysał biodrami, w zgodnym rytmie z ruchami moich warg i języka. Objęłam jego jądra i leciutko ścisnęłam. Prawie podskoczył.

Zostawiłam Jamesa i sięgnęłam po Alexa. Obejmowałam go ustami, badając różnice w budowie ich penisów. Poruszałam głową do przodu i do tyłu, aż rozbolała mnie szczęka i musiałam uklęknąć. Teraz pieściłam ich dłońmi, obu równocześnie.

Znowu byliśmy razem, w trójkącie. Przesuwałam palcami po ich wzwiedzionych członkach, pochyliłam się i ssałam sutki Jamesa, całowałam jego piersi. Alex położył dłoń na moim karku. Podniosłam głowę i pocałowałam najpierw męża, potem kochanka. Oni odwzajemnili się pocałunkami, odnaleźli w ciemności moje piersi, biodra, uda. Moją łechtaczkę. Dwie różne dłonie oparły się na moich biodrach, dwie wsunęły się pomiędzy uda.

Napieraliśmy na siebie. Trzymałam ich członki, a oni wciskali je głębiej między moje palce, wyjmowali i wkładali. Pocałowałam głęboko mokre i otwarte usta Jamesa. Potem Alexa. Zaczęłam całować ich na zmianę przy wtórze ocierających się mokrych ciał i skrzypiących sprężyn materaca. Jeden z nich musnął mokrymi palcami moje biodro, potem pośladek. Ścisnął i przysunął bliżej. Moja łechtaczka pulsowała z każdym ruchem, ocierając się o opuszki ich palców. Nieważne, czyje to były palce. Wiedziałam, że za chwilę będę miała orgazm.

Odchyliłam głowę, wysuwając biodra. Już ich nie całowałam, byłam skupiona na zbliżającym się orgazmie. James krzyknął, pchnął mocniej, zacisnął mi dłoń na ramieniu. Alex zaczął posapywać, jego członek pulsował mi w dłoni. Pieścił moje krocze, pocierał czułe miejsca, aż nagle poczułam przesyt. Za dużo wrażeń. Jęknęłam, by zaprotestować, ale właśnie wtedy przyszedł drugi orgazm. Wygięłam plecy, jakby poraził mnie prąd.

Alex położył rękę na karku Jamesa. Znałam ten dotyk. Byli tak blisko siebie, że niemal ocierali się rzęsami. Odetchnęłam i odsunęłam się, bo nagle zabrakło mi powietrza. Oni nadal leżeli blisko siebie. Miałam otwarte oczy, oni przymknięte. Wcześniej całowałam ich na przemian, teraz zostawiłam samym sobie.

Poruszali się w zgodnym rytmie. Żar i wilgoć ich wytrysku spłynęły mi na dłonie, potem na brzuch. Przysunęli się do siebie. Z rozchylonymi ustami, gotowi...

Alex wycofał się pierwszy.

Otworzył oczy. Puścił Jamesa, który zamrugał powiekami jak przebudzony z głębokiego snu.

– Alex – zachrypiał cicho, ale Alex odsunął się od nas, jakbyśmy parzyli.

Zerwał trójkąt. Wstał tak szybko, że James musiał się mnie przytrzymać, by nie stracić równowagi. Alex przez chwilę patrzył na nas w milczeniu, potem zebrał rzeczy i wyszedł.

James puścił mnie i oparł się o wezgłowie. Bezwiednie głaskał bliznę na piersiach. Mnie zmroziło; zesztywniały mi kolana, zaczęłam się trząść, ale już nie z rozkoszy.

– O co chodzi, do kurwy nędzy... – Głos Jamesa był beznamiętny.

Spojrzałam na niego, ale było zbyt ciemno, bym mogła zobaczyć wyraz jego twarzy. Usłyszałam odgłos otwieranych drzwi do łazienki na końcu korytarza. Chwilę później rozległ się szum wody. Leżeliśmy bez ruchu, nie wiedząc, co robić.

James ujął mnie za dłoń. Spletliśmy palce. Czekałam, aż coś powie, ale milczał. Pocałowałam go w rękę i wstałam z łóżka, włożyłam na siebie szlafrok i poszłam na koniec korytarza.

Alex był pod prysznicem, zasłonka falowała pod naciskiem strumienia wody. Odsunęłam ją. Klęczał na czworakach, opierając głowę o krawędź brodzika.

Weszłam do środka. Nie było tu zbyt wiele miejsca dla dwóch osób, ale nam udało się zmieścić. Wyciągnęłam ręce. Objął mnie. Oparłam się plecami o zaokrągloną krawędź brodzika, Alex wtulił twarz w moją szyję. Woda leciała na nas z góry, jakby padał deszcz. Było nam dobrze.

– Nie wiedziałem, że rodzice mogą naprawdę kochać dzieci, dopóki nie poznałem Kinneyów – zaczął Alex. – Mój stary to kawał gnoja, gdy jest trzeźwy, i wściekły skurwiel, kiedy pije, czyli prawie zawsze. Kiedyś połamał na moich plecach nogę od krzesła, potem przerzucił się na pas. Zacząłem pieprzyć się z facetami, bo wiedziałem, że to jedyna rzecz, która go wkurzy.

– Co zrobił, gdy się dowiedział?

– Nic. Nigdy się nie przyznałem.

– Dlaczego?

– Bałem się, że znienawidzi mnie jeszcze bardziej.

Przyciągnęłam go, zaczęłam głaskać po włosach.

– W domu Jamiego wszystko było takie ładne – ciągnął Alex. – Zawsze. Pani Kinney piekła ciasteczka. Pan Kinney grał z nami w piłkę. Przygarnęli mnie i sprawili, że poczułem się kochany i akceptowany, bo byłem przyjacielem ich syna. Urządzili imprezę, bo jako jedyni pamiętali o moich urodzinach. Przyjechali po mnie samochodem, żebym nie zmókł na rowerze. Praktycznie mieszkałem u nich przez cztery lata, dopóki Jamie nie pojechał do college'u. Cztery lata, Anne. Dzień po wyjeździe Jamiego poszedłem do nich, by sprawdzić, czy pani Kinney nie potrzebuje pomocy. Miałem wtedy pierwszy samochód, mógłbym na przykład przywieźć jej zakupy.

– A ona nic nie chciała...

Alex westchnął ciężko.

– Otworzyła drzwi, ale nie wpuściła mnie do środka. Powiedziała, że Jamesa nie ma w domu i żebym wpadł, kiedy on przyjedzie podczas przerwy semestralnej. I zamknęła drzwi przed nosem.

– Co za... – Chciałam powiedzieć „dziwka”, ale słowo ugrzęzło mi w gardle.

– Nigdy o tym nie powiedziałem Jamiemu. Gdy przyjechał do domu, poszedłem go odwiedzić, jakby nic się nie stało. Jednak kiedy nie było go w mieście, musiałem zapomnieć, że ma rodziców. Na ich widok odwracałem głowę i przechodziłem na drugą stronę ulicy. Jamie o niczym nie wie

– Tak mi przykro, Alex.

– On jest jedyną osobą w moim popierdolonym, żałosnym życiu, która sprawia, że nie czuję się jak śmieć. Gdy zapytałaś, czy go kocham... Jak mógłbym go nie kochać? Dzięki niemu zrozumiałem, czym jest miłość. Pokochałem go od pierwszego wejrzenia, chociaż wyglądał jak palant w tej pieprzonej różowej koszulce polo z aligatorem i podniesionym kołnierzykiem.

Alex wstał, zakręcił wodę i sięgnął po ręczniki. Wyszliśmy spod prysznica. Alex usiadł na desce klozetowej. Owinęłam się ręcznikiem, drugim zaczęłam wycierać mu włosy. Poczekał, aż skończę, wziął mnie za rękę. Usiadłam na brzegu brodzika.

– Pojechałem odwiedzić go w college’u, powiedziałem, że wyjeżdżam z kraju... Naprawdę chciałem, by mnie powstrzymał! Nie poprosił, żebym został. Gadał jak nakręcony, że jest ze mnie dumny. Oto otwiera się przede mną wielka życiowa szansa, szansa na sukces. Wiedzieliśmy, co mnie czeka w Sandusky. Nigdy nie dostałbym tu dobrej pracy, ale i tak chciałem, żeby mnie zatrzymał. Dlatego powiedziałem mu prawdę, całą prawdę. Pracę zaproponował mi facet, którego pieprzyłem.

– James się wściekł, pobiliście się. Wiem.

Uśmiechnął się smutno.

– Chyba jednak nie wiesz wszystkiego. Trochę ci powiedział, ale to i owo przemilczał. Nie rozumiesz do końca, o co chodzi.

– Opowiadaj.

– Upiliśmy się i dostałem to, po co przyjechałem. Poprosił, żebym nie wyjeżdżał. Tak, wściekł się. Chciał wiedzieć, dlaczego można dawać dupy obcemu i pieprzyć jakiegoś tam faceta. Tak właśnie powiedział. A potem próbował mnie pocałować.

Przyglądałam się bacznie jego twarzy. Wierzyłam mu.

– Tego mi nie mówił.

– Był wtedy pijany. Próbował, ale mu nie pozwoliłem.

– Dlaczego?

– Bo tak. Bo Jamie nie jest... On nie jest taki...

– To oczywiste, że nie.

Alex pokręcił głową.

– Nie, to nigdy nie jest do końca oczywiste, ale on nie jest ciotą. Kochałem go, jasne, ale nie... nie w taki sposób. To by nas zniszczyło. Jestem pojebany. Nie potrafię nic zrobić porządnie. Nie chciałem, żebyśmy spierdolili sobie nawzajem życie.

– A ta bójka?

– No jasne. Biliśmy się. Walnął mnie w twarz i nazwał pierdoloną, rżnącą się w dupę ciotą. Przewróciliśmy się na stolik do kawy ze szklanym blatem i Jamie się poharatał. Zabrałem go na pogotowie. Resztę znasz.

– Wyjechałeś do Singapuru.

– Zanim wyjechałem, poszedłem jeszcze raz do Kinneyów. Chciałem się dowiedzieć, jak się czuje. Pani Kinney powiedziała, że nie jestem wart brudu spod jego paznokci i zabroniła przychodzić. Czułem, że mnie nie lubi, ale nigdy nie sądziłem, że aż tak nienawidzi. Nie wiem, jaką wersję jej sprzedał, ale wystarczyło, żeby się wściekła.

Pogłaskałam go po twarzy.

– Alex, tak mi przykro.

– Chciałem przyjechać na wasz ślub. Przecież mogłem wziąć urlop i przylecieć. Zacząłem się pakować, ale ochłonąłem i pomyślałem, że nie dam rady. Nie widziałem Jamiego tyle lat, miałbym teraz patrzeć, jak idzie uśmiechnięty do ołtarza? Przysłałem prezent.

– Bardzo ładny. Nadal go mamy. – Uśmiechnęłam się. On też.

– Wysłałem mu kartkę. Utrzymywaliśmy luźny kontakt. No i wylądowałem tutaj. I po raz kolejny wszystko spierdoliłem.

– Nieprawda.

Wyciągnął ramię, położył mi dłoń na karku, przyciągnął tak, że zetknęliśmy się czołami. Przymknęłam powieki, czekając na pocałunek, który nie nastąpił.

– Nie zasłużyłem na ciebie.

Westchnęłam cicho i załkałam.

– Myślałam, że ty...

– Ciii. – Objął mnie.

Było dziwnie i niewygodnie, ale nie zmieniłabym pozycji nawet za milion dolarów.

– Co teraz zrobimy? – zapytałam szeptem.

– Nic.

– Musimy coś zrobić. – Odsunęłam się, by widzieć jego twarz. Przyłożyłam mu dłoń do policzka. – To jest to coś.

Odsunął się.

– Nie, liczy się tylko to, co łączy ciebie i Jamesa. A to jest... nic, pamiętasz? Mały letni romansik. Wyprowadzę się, a ty musisz zapomnieć, że to się kiedykolwiek wydarzyło.

– Nie zapomnę. On też nie.

Uśmiechnął się ironicznie.

– Zdziwiłabyś się, jak wiele Jamie potrafi zapomnieć, gdy chce.

– Ja nie zapomnę – oświadczyłam gwałtownie, walcząc ze łzami. – Nigdy.

Pocałował mnie w czoło.

– Zapomnisz.

– A ty? – zapytałam.

Kiedy wszystko wokół nas się zmienia, dowiadujemy się, jacy naprawdę jesteśmy. To bardzo ważna i cenna wiedza. Poznajemy nasze prawdziwe pragnienia. W odmętach chaosu odkrywamy prawdę.

Serce prawie pękło mi z bólu.

Alex znowu pocałował mnie w czoło, delikatnie i czule.

– Anne, ja już zapomniałem

Wyszedł i zostawił mnie samą.

ROZDZIAŁ PIĘTNASTY

Dobre rzeczy nigdy nie trwają długo. Za to przykre ciągną się bez końca. Alex zniknął rano, została po nim tylko sterta brudnych ręczników i ledwie wyczuwalny zapach na poduszkach w pokoju gościnnym. Dom był cichy i pusty. James poszedł już do pracy. Nie musiałam się bać, że ktoś usłyszy, jak płaczę, przyciskając twarz do poduszki. Długo wdychałam zapach Alexa, zanim zmieniłam pościel.

Zamówiłam obiad na wynos z chińskiej restauracji i zostawiłam na blacie kuchennym, żeby James mógł podgrzać jedzenie po powrocie z pracy. Poszłam do łóżka wcześnie, zmęczona dniem spędzonym na szorowaniu podłóg, sprzątaniu patio i myciu lodówki. Zajęłam się obowiązkami domowymi, które zaniedbałam, byle tylko nie myśleć za dużo i nie wspominać. Szukałam zapomnienia. Nie udało się.

Nie mogłam zasnąć. James wślizgnął się do łóżka trochę później. Objął mnie delikatnie, a ja przytuliłam się mocno do jego nagiej piersi.

– Co się stało wczoraj w nocy? – zapytał szeptem, jakby bał się, że jeśli odezwie się zbyt głośno, stanie się coś złego.

– Powiedziałam mu, że musi się wyprowadzić. – To kłamstwo okazało się najłatwiejsze ze wszystkich, jakie kiedykolwiek wypowiedziałam. – No i się wyprowadził.

Zastanawiałam się, czy James zacznie mnie wypytywać. Miał prawo być zły, ale tylko westchnął głęboko i przytulił się mocniej. Więcej już nie rozmawialiśmy. Po dziesięciu minutach dotyk, do tej pory delikatny, stał się bardziej natarczywy. Znałam te pieszczoty, ale wydały mi się obce. Tylko jedna para rąk, jedne usta i jedno ciało obok mnie... Czegoś... kogoś brakowało.

Kochaliśmy się inaczej niż zwykle. Nie eksperymentowaliśmy, nie wypróbowaliśmy nowej pozycji, ale udawaliśmy, że jest fantastycznie. Szukał moich ust, a ja odwracałam twarz. Wszedł we mnie i posuwał tak długo, że zupełnie wyschłam. Mruczałam i jęczałam, co można by zinterpretować jako oznaki przeżywanej rozkoszy, ale tak naprawdę zgrzytałam zębami ze złości. Podrapałam mu całe plecy, lecz nie w miłosnej ekstazie. Wytrysnął, jęknął i opadł na mnie. Odpoczywał, czekając, aż go odepchnę.

Dopiero gdy zaczął oddychać spokojnie i uznałam, że śpi, odsunęłam się. Patrzyłam w ciemność nocy i żałowałam, że to nie ja zadecydowałam o zakończeniu przygody z Alexem.

Claire rozglądała się po poczekalni, ja usiadłam. Przerzuciła materiały o opiece zdrowotnej, adopcji i badaniach kontrolnych podczas ciąży. Dłużej wertowała pogniecioną broszurę centrum adopcyjnego.

– Dlaczego prawie wszystkie agencje adopcyjne są wyznaniowe? – zapytała.

– Nie wiem. Kościół potępia aborcję, może dlatego proponuje kobietom inne rozwiązanie. – Przeglądałam stare kolorowe magazyny, ale nie znalazłam nic ciekawego.

Chrząknęła, przewracając strony broszury.

– Tu jest napisane, że umieszczą „mój mały cud życia" w rodzinie chrześcijańskiej w niedalekiej okolicy. A co z „niechrześcijańskimi" rodzinami? Nie zasługują na prawo do adopcji?

Odłożyłam magazyn i spojrzałam na nią.

– Co cię obchodzą organizacje adopcyjne?

– Nic. Tak tylko chciałam pogadać.

Była zdenerwowana i próbowała to pokryć agresją. Rozglądała się wokół jak wystraszone zwierzątko. Złożyła ręce na brzuchu. Był to nieświadomy gest, ale bardzo wymowny.

– Wejdziesz ze mną, dobrze? – zapytała.

– Skoro chcesz.

Była już pod opieką rejonowej, bezpłatnej przychodni, ale przekonałam ją, by pozwoliła się obejrzeć doktor Heinz. To była pierwsza wizyta. Domyślałam się, że czekają ją badania i USG. W takiej chwili też nie chciałabym być sama.

Gdy wywołano jej nazwisko, Claire podniosła wzrok. Przez moment myślałam, że nie ruszy się z miejsca. Pociągnęłam ją za rękaw.

– No, dalej. Na pewno polubisz doktor Heinz.

– Jasne, przecież nie mogę żyć bez keczupu.

Poszłyśmy za pielęgniarką do tego samego gabinetu, w którym byłam dwa miesiące wcześniej. Plakaty na ścianach zostały wymienione na nowe, ufundowane przez inną firmę farmaceutyczną. Czasopisma były te same. Claire rozebrała się i usiadła na przykrytej papierowym prześcieradłem kozetce.

– No i jak? – zapytała, wskazując na połę szlafroka w kwiatki. – Czy to jeszcze jestem ja?

– To twój nowy wizerunek. – Uśmiechnęłam się, by dodać jej otuchy.

– Czy ty wiesz, ile rzeczy może się zdarzyć podczas ciąży?

Nie wiedziałam, przynajmniej nie z własnego doświadczenia.

– Wszystko będzie dobrze, zobaczysz.

– Zanim dowiedziałam się, że jestem w ciąży, dużo piłam i paliłam. To może zaszkodzić dziecku. – Claire wetchnęła i spojrzała w lustro wiszące na ścianie. – Wyglądam jak jakiś pasztet.

– Nie jest tak źle. Bardziej jak punkówa.

– Serio?

Dyskretne pukanie do drzwi zapowiedziało wejście doktor Heinz. Ginekolog uśmiechnęła się i wyciągnęła rękę na powitanie.

– Pani Byrne?

Doktor Heinz nie skojarzyła, że Claire jest moją siostrą. Miała wielu pacjentów, a ja przecież nosiłam już inne nazwisko. Była jednak spostrzegawcza. Kiedy kilka raz zerknęła na mnie zaciekawiona, wszystkie się roześmiałyśmy.

– Anne jest moją siostrą. Poleciła mi panią. – Głos Claire nie zdradzał wcześniejszej nerwowości. Brzmiał dojrzale. Mocno uścisnęła rękę doktor Heinz.

– Anne, dobrze cię widzieć – powiedziała doktor, uśmiechając się ciepło. Po chwili obróciła się ku Claire. – No to zobaczmy, co tu mamy.

Moja obecność dodawała siostrze otuchy. Siedząc w rogu gabinetu, słuchałam, jak doktor Heinz wyjaśnia Claire szczegóły związane z ciążą i porodem, opowiada o badaniach i zmianach, które zajdą w jej organizmie. Claire zadawała inteligentne pytania, tak jakby przeczytała sporo poradników. Poczuła już ciężar odpowiedzialności za siebie i dziecko.

Doktor Heinz przystąpiła do badania ultrasonografem. Widok maleństwa w brzuchu zrobił na mnie duże wrażenie.

– Tu jest główka, a tu rączki i nóżki.

– Ma już paluszki! – szepnęła zachwycona Claire.

Paluszki, oczka, nosek, buźkę... to już było dziecko. Prawdziwe, choć takie malutkie.

Ja poroniłam i byłam z tego bardzo zadowolona. Poczułam ulgę. Cieszyłam się, widząc, że krwawię, wiedząc, że dziecko się nie urodzi. Nie opłakiwałam go.

Widząc teraz na ekranie, co straciłam, odczułam żal.

Wyszłam do łazienki i opryskałam twarz zimną wodą. Oparłam się o umywalkę i zastanawiałam, czy zaraz zwymiotuję, ale nic się nie działo. Przyłożyłam do karku zmoczony papierowy ręcznik i czekałam, aż ustąpią mdłości.

Jak wyglądałoby moje życie, gdybym nie straciła dziecka? Gdybym zdobyła pieniądze i usunęła ciążę albo gdybym zdecydowała się urodzić? Gdybym miała odwagę podjąć jakąkolwiek decyzję, zamiast zdać się na łaskę losu?

Czy po urodzeniu dziecka poznałabym Jamesa i wyszła za niego? Wątpliwe. Moje życie potoczyłoby się zupełnie inaczej. Nawet gdybym oddała je do adopcji i tak wszystko by się zmieniło. Nigdy nie wyszłabym za Jamesa.

I nigdy nie spotkałabym Alexa.

No proszę, wróciłam myślami tam, skąd pragnęłam uciec. Poczułam się kompletnie zagubiona. Tak jakby los odebrał mi prawo do swobodnego wyboru. Zdecydował za mnie, że spotkam Alexa, tak samo jak zajął się moją ciążą. Dał mi to, czego chciałam, ale zaraz potem odebrał.

Byłam sama, nie musiałam nadrabiać miną ani zmuszać się do uśmiechu. Oto ja. Rozdarta wewnętrznie, zdruzgotana i załamana.

Kobieta w lustrze próbowała się uśmiechać.

– „Kocham go” – poruszyła bezgłośnie ustami.

– Wiem – odpowiedziałam szeptem.

– „Nie powinnam” – stwierdziło odbicie.

– To też wiem. Nienawidzę go – szepnęłam i szybko zamknęłam oczy, żeby nie patrzeć w lustro.

– „Nie” – odszepnęło odbicie. – „To nieprawda”.

Po chwili zebrałam się w sobie. Jak zawsze. Wyparłam wstyd i nieprzyjemne wspomnienia, poprawiłam ich resztę i osłoniłam piękną, niemal idealną otoczką. Niestety takie akcje przychodziły mi z coraz większym trudem.

Gdy wróciłam do gabinetu, Claire była już ubrana, a w rękach trzymała jakieś kolorowe kartki papieru i rozkoszną torbę na pieluszki.

– Zobacz, Anne! Obłowiłam się!

– No ładnie. – Zajrzałam do środka. – Gryzaczki, pieluszki, grzechotki... Jesteś przygotowana.

– No jasne! – Claire się roześmiała.

– Możemy iść?

Skinęła głową i pogłaskała się po brzuchu.

– Ciąża zaczyna być widoczna. Zapytałam doktor Heinz, czy naprawdę jestem w ciąży, czy może tylko ostatnio pochłaniam za dużo batoników i czekolady.

Przyjrzałam się jej uważnie. Zawsze była szczupła. Podobała się facetom, większość z nich postrzegało ją jako seksowną laseczkę.

– Masz teraz większe cycki – powiedziałam.

– Pewnie.

Uśmiechnęłam się, widząc jej dumną minę.

– Brzuszek nadal niewielki.

Wstała, wyprostowała się i odwróciła bokiem.

– Przypatrz się dobrze.

– To przez te batoniki – odparłam, żeby się z nią podroczyć.

Pokazała mi środkowy palec.

– Jesteś po prostu zazdrosna.

– Zobaczymy, czy powiesz to samo podczas porodu.

Uśmiechnęła się szeroko i poklepała mnie delikatnie po plecach.

– Spoko, siostruniu. Chodź, zabieram cię na lunch.

– Możemy iść na lunch, ale ja stawiam.

– Nie martw się. Mam trochę gotówki od tego... – Prawdopodobnie chciała użyć jak zwykle niesłychanie barwnych wyzwisk, ale powstrzymała się, widząc poczekalnię pełną ludzi. – Stać mnie dziś nawet na burgera i frytki.

– Świetnie.

Gdy mijałam pielęgniarkę obładowaną stertą teczek, usłyszałam, że woła mnie doktor Heinz. Odwróciłam się.

– Tak? – zapytałam zdziwiona.

– Możemy zamienić kilka słów? – Zaprosiła mnie do malutkiego pokoiku. – Skoro już przyszła pani z siostrą, to pomyślałam, że możemy od razu zrobić zastrzyk antykoncepcyjny, o ile pani chce.

Byłam jej wdzięczna za troskę i początkowo zamierzałam się zgodzić. Jednak po chwili zastanowienia, która trwała całą wieczność, pokręciłam głową.

– Nie, dziękuję. Kończę z zastrzykami.

Doktor Heinz się uśmiechnęła.

– Wyznaczymy termin wizyty, bym mogła porozmawiać z panią o innych metodach?

Odwzajemniłam jej uśmiech.

– Nie. Ja i mąż zdecydowaliśmy się na dziecko.

– Aha. – Kiwnęła głową. – Zapiszę pani na karteczce nazwy środków ułatwiających zajście w ciążę. Można je dostać w każdej aptece.

Życzyła mi szczęścia i pożegnałyśmy się serdecznym uściskiem dłoni. Po wyjściu z przychodni poszłyśmy z Claire na lunch i gadałyśmy o wielu różnych sprawach, ale niewiele z tego zapamiętałam.

Przez następne dwa tygodnie rozmawialiśmy z Jamesem o wszystkim i o niczym. Na pewno nie o Aleksie, który nagle przestał istnieć. To były krótkie, miłe i neutralne pogaduszki. Twarz Jamesa przypominała mi o zdradzie, chociaż nie umiałam rozstrzygnąć, kto zdradzał, a kto był zdradzany.

Co noc kochałam się z Jamesem. Łączyło nas pożądanie, ale czy naprawdę jedno pragnęło drugiego? Pieprzyliśmy się szybko i ostro. Za każdym razem miałam orgazm. Wiedziałam, dlaczego to robię. Nie pytałam Jamesa, dlaczego on tak się zachowuje. Dlaczego dotyka i całuje mnie wszędzie, jakby ponownie brał w posiadanie, oznaczał terytorium, które należy tylko do niego. Potem byłam zawsze posiniaczona i obolała. Próbowaliśmy wypełnić pustkę, zamiast tego pogrążaliśmy się w próżni.

Nie wiem, skąd Evelyn dowiedziała się, że Alex wyjechał, ale znów dzwoniła do nas trzy razy w tygodniu. Poprosiłam Jamesa, by odbierał telefon. Kiedy nie było mnie w domu, włączałam automatyczną sekretarkę i po powrocie kasowałam bez odsłuchiwania pozostawione wiadomości. Gdy James zapytał, czy moglibyśmy zaprosić teściów na obiad, odmówiłam. Mimo to przyjechali. Umknęłam do sypialni, wymawiając się bólem głowy. Przeczekałam tam całą wizytę.

– Może Anne powinna pójść do lekarza – powiedziała teściowa podczas kolejnego obiadu, gdy znów oświadczyłam, że mam migrenę. Jej głos, upiorny i dokuczliwy jak warkot wiertarki, niósł się z kuchni przez cały korytarz. – Ostatnio często niedomaga...

Nie byłam nawet ciekawa, co odpowie James. Zamknęłam się w łazience i stałam pod prysznicem, aż wyczerpałam zapas gorącej wody z bojlera. Gdy wyszłam, już ich nie było.

James dopadł mnie następnego dnia, gdy myłam naczynia.

– Anne.

Odwróciłam się, nie skupiając na nim całej uwagi.

– Nie jesteś szczęśliwa?

Musiałam zastanowić się nad odpowiedzią, ale wzruszyłam tylko ramionami i wróciłam do mycia naczyń.

– Nie wiem, o co ci chodzi.

Westchnął.

– Przestałaś się uśmiechać.

Strzepnęłam pianę z dłoni i sięgnęłam po ścierkę. Wycierałam dokładnie palec po palcu, chwilę to trwało. Stanęłam twarzą do niego i się uśmiechnęłam. Hardo, nieustępliwie.

– O taki uśmiech ci chodzi?

– Nie.

Ponowiłam próbę. Skrzywiłam usta, zmrużyłam oczy. Leniwy, wyluzowany uśmiech.

– A teraz?

– Ten już wygląda lepiej. Dzięki.

Odwróciłam się z powrotem do zlewozmywaka. Czułam, że James zbliża się do mnie. Zesztywniałam, czekając na jego dotyk.

– Będziesz się jeszcze do mnie uśmiechać?

– Właśnie to zrobiłam, James.

– Szczerze czy dlatego, że poprosiłem? – zapytał.

Zanurzyłam dłonie w wodzie, odnalazłam zmywak. Zaczęłam mocno szorować patelnię. Wykonując jednostajne koliste ruchy, wprawiałam się w stan podobny do hipnozy.

– Nie wiem – odparłam.

Zamarłam, gdy położył mi dłonie na ramionach.

– Chciałbym, żebyś uśmiechała się szczerze.

Chętnie uległabym jego dotykowi, odprężyła się. Niestety, ciało kpiło z moich próśb, nie reagowało na pieszczoty.

– Ja też bym chciała.

Pocałował mnie w szyję. Wyciągnęłam dłonie z gorącej wody, oparłam o brzeg zlewu. Przymknęłam powieki. Czekałam, aż James mnie obejmie, mocno przytuli. Zmusi, abym mu wybaczyła, bo wtedy mogłabym wybaczyć też sobie.

– Muszę skoczyć do sklepu po nowe buty robocze. Może czegoś potrzebujesz?

– Nie.

Uścisnął mnie delikatnie i wyszedł. Skrobałam garnki i patelnie, aż rozbolały mnie palce. Wrócił do domu bardzo późno. Śmierdział piwem i papierosami.

Nie pytałam, gdzie był.

Do przyjęcia dla rodziców pozostały tylko dwa tygodnie. Oczekiwałam najgorszego, i rzeczywiście nie miałam chwili spokoju. Siostry dzwoniły, dopytując się o szczegóły związane z cateringiem i podziałem obowiązków. Wcześniej też przejmowałam się imprezą i chociaż tego nie okazywałam, byłam równie podekscytowana jak one. Teraz zachowywałam spokój i nic nie było w stanie wyprowadzić mnie z równowagi. Problemy? Lepiej wrzucić na luz, jakoś to będzie.

– Jest piękny – zapewniłam Patricię, która prawie płakała. Nie umiała podjąć decyzji, czy zostawić w albumie kilka wolnych stron na wpisy gości. – Zostaw kilka pustych kartek – poradziłam.

– Wtedy trzeba będzie wyłożyć album, żeby goście mieli do niego dostęp. Ktoś na pewno uświni go jedzeniem – jęczała. – Okropność!

Trzymałam słuchawkę między ramieniem a głową i mieszałam w garnku. Ostatnio nie miałam apetytu.

James zadzwonił, że wróci później. Nawet nie zapytałam dlaczego.

Patricia miała zmęczony głos, ale powiedziała, że z Seanem układa się trochę lepiej. Załatwił gotówkę na opłacenie kredytu hipotecznego, choć nie wiedziała, skąd wziął pieniądze. Wracał do domu wcześniej, nie opuszczał pracy, nie jeździł na wyścigi. Zgodził się na wizyty u psychologa rodzinnego.

– Wykładaj po jednej kartce koło stolika z drinkami – zaproponowałam. – Podczas imprezy będziesz sprawdzać, czy kartka jest zapisana, i wtedy wyłożysz kolejną. Tę zapisaną dołączysz do albumy, który możesz trzymać w bezpiecznym miejscu.

– Dobry pomysł – stwierdziła z westchnieniem ulgi. – Kamień spadnie mi z serca, jak już będzie po wszystkim.

– Nie tylko tobie. To było dość stresujące lato.

– Nic mi nie mów. – Patricia zaśmiała się smutno. – Chyba tylko ciebie nie spotkało żadne nieszczęście.

– Jestem w czepku urodzona.

– Boję się, czy Claire sobie poradzi – ciągnęła Patricia. – Nie jest gotowa na dziecko. Chce urodzić i cieszy się z ciąży. Nie spodziewałam się tego po niej, a ona naprawdę dokonała słusznego wyboru.

– Też tak uważam.

– A Mary... Nie jestem pewna, czy dobrze robi, wynajmując mieszkanie z Betts. Co, jeśli nic z tego nie wyjdzie? Rozumiem, że chce zaoszczędzić, ale...

– Pats, jestem pewna, że Mary i Betts wszystko obgadały.

Patricia westchnęła głośno.

– Nie wiem, czy to dobry pomysł.

– Nie przesadzaj. Wyluzuj.

– No dobrze. Przynajmniej ona nie zajdzie w ciążę.

To beznamiętne stwierdzenie poraziło mnie jak strzał prosto między oczy. Po chwili zaczęłam się z niego śmiać, wręcz zanosiłam się śmiechem. Patricii udzielił się mój nastrój. Mało brakowało, a nie usłyszałabym pikania w słuchawce.

– Poczekaj chwilę. Mam drugą rozmowę.

– Anne – usłyszałam głos w słuchawce. – Musisz natychmiast przyjechać.

Nie od razu rozpoznałam głos szepczącej Mary.

– To ty, Mary? – upewniłam się.

– Musisz przyjechać – powtórzyła. – Nie wiem, co robić. Ty sobie z nim poradzisz.

Poczułam ukłucie w żołądku.

– Moment. Co się dzieje?

– Chodzi o ojca – odpowiedziała. Nie musiałam pytać o nic więcej. Rozłączyłam się i wróciłam do rozmowy z Pats.

– Ja też pojadę. Będę za dwadzieścia minut – zareagowała natychmiast Patricia. – Dzieciaki są u rodziców Seana, a on na spotkaniu.

Na podjeździe przed domem rodziców pojawiłyśmy się niemal jednocześnie, mimo że Patricia mieszkała trochę dalej. Samochód Mary stał zaparkowany przed garażem, samochodu mamy nie zauważyłam. Przez chwilę nasłuchiwałyśmy odgłosów z domu. Nic nie słyszałam, co nie znaczyło jeszcze, że wszystko jest w porządku.

Claire otworzyła drzwi, gdy tylko stanęłyśmy na ganku. Włosy miała związane w kucyk, twarz bez makijażu, oczy zaczerwienione jak po płaczu.

– Chodzi o ojca. Zupełnie ześwirował. Musisz z nim porozmawiać, Anne. Tylko ciebie posłucha. Po prostu odleciał.

Wymieniłam porozumiewawcze spojrzenia z Patricią i weszłyśmy do domu. Większość świateł była pogaszona. Z drzwi na końcu ciemnego korytarza sączyła się smuga światła. Ruszyłyśmy za Claire.

Ojciec siedział przy kuchennym stole. Przed nim stała prawie pusta butelka jego ulubionej whisky. Oczy czerwone, włosy potargane. Spojrzał na nas, gdy weszłyśmy.

– Tutaj jest – zawołał, kiwając głową w stronę Claire. – Powiedziała wam? Powiedziała, co zrobiła?

– Tak, tato – odpowiedziała Patricia.

Ojciec zaśmiał się ostro, wulgarnie.

– Przeklęta zdzira! Pokazuje się tutaj, wypina brzuch, jakby miała powody do dumy...

Obserwowałyśmy, jak nalewa whisky do szklanki i pije. Mary oparła się o blat. Claire spokojnie sączyła wodę. Ojciec z rozmachem uderzył szklaneczką od whisky w blat.

– Powinienem wywalić cię na ulicę!

– Nie musisz – odparła Claire. – Już ci mówiłam, że znalazłam mieszkanie. – Claire podniosła wzrok na mnie. – Powiedziałam ojcu, że się wyprowadzam. Spytał dlaczego.

– Myśli, że jestem głupi i nic wcześniej nie zauważyłem. Cały świat już wie, tylko nie ojciec.

– Bo wiedziałam, że właśnie tak się zachowasz! – zawołała Claire, unosząc gwałtownie ręce. Tylko ona tak potrafiła odbijać piłeczkę, odpowiadać oskarżeniem na oskarżenie.

– A teraz jeszcze mówi, że urodzi tego bękarta!

– Tato, litości! – warknęła Claire. – Nikt już nie używa tego słowa!

– Zamknij gębę, ty mała wywłoko!

Te słowa musiały ją zaboleć. Wzniosła oczy i nakreśliła palcem kółko na czole. Ojciec wstał od stołu tak szybko, że krzesło przewróciło się na podłogę. Rzucił szklanką, celując w głowę Claire. Chybił, szklanka rozbiła się tuż obok Patricii, która odskoczyła z krzykiem.

Ojciec wymierzył palec w Claire.

– Ty pieprzona dziwko! Jesteś zupełnie jak twoja matka!

– Nie mów tak o mamie! – wrzasnęła Claire. – Zamknij gębę, ty gnoju!

Ojciec upijał się bardzo różnie. Bywał sentymentalny lub porywczy, zawadiacki, ponury, przybity, a czasem wulgarny i złośliwy. Nigdy nie uderzył jednak ani nas, ani mamy. Gdy ruszył w stronę Claire, naprawdę myślałam, że zacznie ją bić.

– Ty mała zasrana suko! – Alkohol spowolniał ruchy. Gdy potknął się, Mary stanęła między nim a Claire, Patricia i ja po bokach. – Ty przeklęty kurwiszonie!

Stałyśmy tak bez ruchu jak żywy pomnik dysfunkcyjnej rodziny. Ojciec zamachał ramionami, przy okazji uderzając mnie i Patricię. Wrócił do stołu po butelkę, wypił do dna.

– A gdzie jest wasza matka, co? Znowu się włóczy? – Odwrócił się do nas gotowy do konfrontacji. – Nooo?! Gdzie jest?!

– Pojechała do sklepu – odpowiedziała Mary.

– Naprawdę? Anne, chodź tu.

Nie chciałam, ale nogi same ruszyły do przodu.

– Pomóż mi wejść po schodach. Muszę się położyć.

– Musisz wytrzeźwieć – warknęła Claire.

Przekręcił się w jej stronę, łapiąc się mojego ramienia, by utrzymać równowagę. Aż mnie przygięło pod ciężarem. Przewrócilibyśmy się na podłogę, gdyby w ostatniej chwili nie odzyskał równowagi.

– Co powiedziałaś? – zapytał takim tonem, jakby oskarżyła go o coś, czego nie zrobił.

Claire odwróciła się od niego.

– Nic.

Rozejrzał się wokół.

– A może któraś ma jeszcze coś mądrego do powiedzenia?

Nie odpowiedziałyśmy.

– Tak myślałem – wycharczał szyderczo.

Dlaczego patrząc na rodziców, tak często wracamy wspomnieniami do dzieciństwa? Czy sprawiają to słowa, czy może niektóre gesty? Ta scena już się wydarzyła. Też stałyśmy w kuchni, ojciec opierał się na moich barkach, a ja pomagałam mu wczołgać się po schodach. Mary i Patricia śledziły każdy nasz krok. Małe dziewczynki, które bały się wybuchnąć płaczem.

Claire wtedy nie było. Kiedy teraz na nią spojrzałam, dotarło do mnie, że już dawno nie jesteśmy małymi dziewczynkami, które boją się pokazać, co naprawdę czują.

– Dalej, tato. Idziemy na górę.

Wielokrotnie pomagałam mu na schodach. Teraz było łatwiej, bo byłam większa. Rzucił się z westchnieniem na łóżko, a ja rozsznurowałam i zdjęłam mu buty.

Zasłoniłam żaluzje i włączyłam klimatyzator. Znowu poczułam się, jakbym miała dziesięć lat, i osiem, i pięć. Czekałam na mamę, która mi pomoże. Czekałam, aż ojciec zaśnie i w domu wreszcie zapanuje błogi spokój.

– Zawsze byłaś dobrym dzieckiem, Annie. – Z mroku dobiegł przytłumiony głos.

– Dzięki, tato.

– Przepraszam, że krzyczałem na Claire. Powiesz jej, dobrze?

– Sam powinieneś jej powiedzieć.

Milczenie.

– Gdzie jest matka?

– Pojechała do sklepu.

– Kiedy wraca?

– Nie wiem.

– Zostawiła mnie kiedyś... Pamiętasz tamto lato?

– Pamiętam. Chcesz koc?

Nie słuchał mnie. Gdzieś odpłynął.

– Tak bardzo ją kochałem, że chciałem umrzeć z miłości... Wiedziałaś, Anne?

Nie wiedziałam. Niby skąd?

– Nie, nie wiedziałam.

Westchnął i znowu zamilkł. Myślałam, że zasnął. Na wszelki wypadek wyciągnęłam koc z szafy.

– Uciekła ode mnie, zostawiła, a ja chciałem wtedy umrzeć.

Gdy kładłam koc na łóżku, ojciec poderwał się i złapał mnie za nadgarstek. Przyciągnął tak, że musiałam usiąść koło niego.

– Pamiętasz tamto lato, prawda?

– Już ci mówiłam, że pamiętam.

– Zawsze byłaś dobrym dzieckiem. Opiekowałaś się siostrami. Małą Mary. I Patricią. Była dobrą dziewczyną. A ona odeszła i nas zostawiła, pamiętasz to?

Westchnęłam i poklepałam go po dłoni.

– Tak, tato.

– Zabrała malutką Claire. – Roześmiał się głośno. – A teraz Claire będzie miała dziecko. Słodki Jezu!

– Podać ci coś? Bo wychodzę.

– Powiesz Claire, że ją przepraszam? Dobrze? Nie chciałem jej obrazić.

Przywykłam do takich gadek. Zamiast irytacji, czułam smutek. Ten człowiek był moim ojcem, na dobre i na złe.

– Tak, powiem jej.

– Wcale nie uważam, że jest dziwką.

– Wiem, tato.

– Jesteś dobrym dzieckiem, Anne.

– Wiem, tato. Zawsze byłam. – Moje słowa miały gorycz piołunu, ale nie zwrócił na to uwagi. – Idę już.

– Tego lata wziąłem cię na łódkę.

Zaczęło mnie mdlić.

– Tak.

– To był piękny dzień, prawda? Tylko ty i ja na łódce. Płynęliśmy po wodzie. Po falach. To był piękny dzień.

Wcale tak nie uważałam.

– Może to był ostatni piękny dzień lata.

Mama opuściła dom z malutką Claire dwa dni po fatalnym rejsie. Koszmar nie zaczął się od jej ucieczki, tylko wcześniej, gdy o mało nie utonęłam.

– Były inne piękne dni – odparłam.

– Powinienem to zrobić. Powinienem wtedy ze sobą skończyć.

Nie odpowiedziałam. Tak naprawdę nie rozmawiał ze mną, ale z dziesięcioletnią Annie.

– Wsadzić lufę w usta i pociągnąć za spust. I byłby... koniec... spokój. – Coraz bardziej bełkotał. – Byłoby lepiej dla wszystkich, gdybym to zrobił.

Słyszałam już te wyznania wielokrotnie. Kilka razy towarzyszyły im błagania matki, by tego nie robił.

– Powinienem to zrobić – powtórzył, a ja odpowiedziałam tak samo jak zawsze.

– Nie, tato. Nie powinieneś.

– Dlaczego nie? – zapytał głębokim głosem.

Łzy szczypały mnie w oczy.

– Bo my cię kochamy.

Byłam pewna, że zasnął. Oddech uspokoił się, ręka zwiotczała. Wstałam, zamierzając wyjść. Jego głos zatrzymał mnie przy drzwiach.

– Anne, nauczyłaś się żeglować?

– Nie, tato. Nigdy.

– Powinnaś – mruknął. – Przestałabyś się bać.

Kiedy zaczął chrapać, wyszłam na palcach z pokoju.

ROZDZIAŁ SZESNASTY

Na dzień, w którym miało się odbyć przyjęcie z okazji rocznicy ślubu rodziców, zapowiadano deszcz. Skoro świt zadzwoniła Patricia, by pojęczeć z tego powodu. James odebrał, mruknął „słucham", podał mi słuchawkę i ruszył do łazienki.

– Wszystko będzie dobrze, Pats. Przecież mamy namiot.

– Tam będą stoły z jedzeniem. A co z gośćmi? Wszyscy nie zmieszczą się w domu.

– Może dopisze nam szczęście i większość nie przyjdzie.

– Bardzo śmieszne.

Wcale nie było mi do śmiechu. Ziewnęłam i spojrzałam na zegarek. O tej porze zazwyczaj słodko spałam.

– Uspokój się, Pats. Wszystko będzie dobrze.

– Świetnie ci to wychodzi, wiesz? – stwierdziła, wzdychając.

– Co takiego?

– Zarządzanie wszystkim. Umiesz znaleźć wyjście z każdej sytuacji.

Przez na wpół otwarte drzwi łazienki widziałam, jak James drapie się po miejscach, których nie chciałam oglądać. Przewróciłam się na bok.

– Wcale nie, Pats.

Znowu westchnęła i odezwała się po sekundzie.

– A może nie będzie burzy?

– No właśnie.

– Jakoś musimy przeżyć ten dzień i wszystko wróci do normy. I będzie po wszystkim.

– Po wszystkim.

Roześmiała się.

– Przepraszam cię, jestem taka upierdliwa. Ja... po prostu...

– Wiem. – Rzeczywiście wiedziałam. Ostatnio działo się tak wiele, i to nie tylko w związku z przyjęciem. – Mama i tata będą zadowoleni. Odwiedzą ich przyjaciele, my będziemy się grzać w blasku chwały i zbierać pochwały za świetny pomysł i bezbłędną organizację. Pomyśl, następna impreza dopiero za trzydzieści lat.

– Jasne.

James wrócił do łóżka, ale nadal miał na wpół przymknięte oczy. Wsunął się pod kołdrę i przyciągnął mnie. Pozwoliłam się objąć, bo trudno jest walczyć, rozmawiając jednocześnie przez telefon. Wtulił twarz w moje włosy, objął pierś. Fuknęłam na niego, ale zupełnie się nie przejął.

– Wszystko będzie dobrze – zapewniłam po raz kolejny. – Słońce wyjdzie zza chmur, nie będzie padać. Przyjdą goście, najedzą się i pójdą, a jutro przyjęcie pozostanie tylko miłym wspomnieniem. Wracaj do łóżka i prześpij się jeszcze, Patricio. Ja na pewno właśnie tak zrobię.

– Jak możesz spać? – oburzyła się Patricia. – O której przyjechać? Co przywieźć? Czy...

– Przyjedź w południe. Nic nie przywoź. Do widzenia – przerwałam jej i odłożyłam słuchawkę.

– To Patricia? – zapytał James.

– Tak. – Nie wysunęłam się z jego ramion, ale też nie przytuliłam się do niego.

– Zaczyna świrować?

– Tak. – Czułam, że już nie zasnę. Za kilka godzin pojawi się tu ponad setka ludzi. Zapewniałam Patricię, że wszystko będzie OK, ale i mnie zaczęły nachodzić wątpliwości.

Barometr wiszący w kuchni nie poprawił mi nastroju. Strzałka wskazywała czarne chmurki zwiastujące burzę. Wyjrzałam za okno. Niebieskie niebo mogło w każdej chwili zmienić kolor. Westchnęłam ciężko.

Namiot został rozstawiony bez problemów. Firma cateringowa przybyła na czas. Działali sprawnie jak szwajcarski zegarek. James wystawił głośniki na zewnątrz. Zdecydowaliśmy się na muzykę z iPoda. Pozostały dwie godziny do przyjęcia. Patricia i Mary już przyjechały, nadal nie było Claire.

– Powiedziała, że musi spotkać się z tym swoim palantem – wyjawiła Mary, pomagając rozkładać papierowe talerzyki i sztućce na stołach. – Pewnie pojechała po pieniądze.

– Z tym cholernym zasrańcem? – Rozejrzałam się po ogrodzie. Wszystko było pod kontrolą.

– No tak, z nim. – Mary roześmiała się, spoglądając na podjazd. – Miała przywieźć rodziców. Wiesz...

– Wiem, żeby ojciec nie musiał prowadzić.

Na patio pojawił się James i zaczął ustawiać fotele. Jest dobrym mężem, pomyślałam. Pomagał od samego rana bez słowa skargi. Nawet dwa razy pojechał do sklepu, by kupić drobiazgi, o których zapomnieliśmy. Był w dobrym nastroju. Kochałam go. Tylko dlaczego, gdy spoglądałam na niego, czułam się tak, jakbym miała za chwilę zemdleć?

– Dobrze się czujesz? – Mary zamachała mi ręką przed oczami. – Ziemia do Anne. Halo?

– Świetnie. A ty?

– Też.

Spojrzałyśmy po sobie, wiedząc, że obie kłamiemy.

– Zaprosiłam Betts. Nie pogniewasz się?

– Skądże.

– Dzięki. – Mary poprawiła ustawienie kilku nakryć. – Anne...

Przyglądałam się Jamesowi. Gdy do mnie pomachał, odwzajemniłam gest.

– Hm?

– Skąd wiedziałaś, że chcesz spędzić resztę życia z Jamesem?

– Znikąd – odparłam, nadal na niego patrząc.

– Jak to znikąd? Przecież wyszłaś za niego!

– Wiedziałam, że go kocham, Mary, ale nie miałam pojęcia, czy będziemy razem do końca życia. Może się udać, ale nie musi.

– Dlaczego nie?

– Bo dobre rzeczy szybko się kończą.

– Rany... Mam nadzieję, że to nieprawda.

Wzruszyłam ramionami.

– Anne?

– Mary, poczujesz, kiedy dopadnie cię miłość. Cudowne uczucie, nie da się z niczym porównać. A potem jest „i żyli długo i szczęśliwie". Koniec bajki. Chciałabym dodać ci otuchy, ale nie jestem właściwą osobą. Przykro mi.

– Zawsze uważałam, że ty i James jesteście świetnym małżeństwem.

– No tak, ale dobre rzeczy nie trwają długo.

– Szkoda.

Posmutniała, a mnie zrobiło się głupio. Po co gasiłam jej entuzjazm? Powinnam była zachować ponure rozważania dla siebie.

– Nie przejmuj się moim gadaniem, Mary. Przecież z tobą może być zupełnie inaczej.

– Macie jakieś problemy? To znaczy... pewnie musicie mieć... Rozwód?

– Raczej nie. Ostatnio rzadko rozmawiamy na poważne tematy.

– Tak tylko pomyślałam. Przepraszam, Anne.

– Ciebie też coś gryzie, prawda?

Mary się roześmiała.

– No tak.

Byłyśmy do siebie podobne. Kręcone, ciemnokasztanowe włosy, niebiesko-szare oczy po mamie. Wyglądałyśmy jak bliźniaczki, ale różniło nas podejście do życia.

– Posłuchaj, Mary. Nie kieruj się tym, co powiedziałam. Nie rezygnuj z szukania szczęścia.

Żałowałam, że nie potrafiłam powiedzieć czegoś mądrzejszego. Patricia się myliła. Wcale nie radziłam sobie z problemami. Na szczęście Mary nie wyglądała na zbytnio przejętą. Podeszła i położyła mi rękę na ramieniu.

– Wszystko się ułoży – powiedziała z tajemniczym uśmiechem. – Wiem, że tak będzie.

– A niby skąd, mądralińska?

Spojrzała na Jamesa, który właśnie rozmawiał z kucharzami z cateringu.

– Bo wy się kochacie.

Łzy nie zawsze pomagają i oczyszczają. Czasem płacz powoduje, że czujemy się jeszcze gorzej. To nie był dobry czas, żeby roztkliwiać się nad sobą. Miałam tyle spraw na głowie. Muszę dopilnować, by wszystko przebiegło sprawnie i goście dobrze się bawili. Muszę... uratować moje małżeństwo. Zaledwie o tym pomyślałam, rozpłakałam się.

Mary nie zadawała pytań, po prostu podała mi kilka serwetek. Ukryłam za nimi twarz, żeby nie patrzeć na obsługę grilla. Musieli zauważyć, co się ze mną dzieje.

– Połóż się, odpocznij – poradziła Mary. – Patricia i ja wszystkiego dopilnujemy.

– Nie – odparłam, wycierając policzki. – To nie byłoby w porządku. Już wszystko dobrze.

– Anne...

– Jest dobrze, Mary – odparłam tonem sugerującym, że nie życzę sobie dalszej dyskusji na ten temat. Wszystko będzie dobrze. Wezmę się w garść, będę się uśmiechać i żartować, jak zawsze. Właśnie tego wszyscy oczekiwali. Bo byłam dobrą córką i dobrą żoną. Nie dopuszczę, by moje osobiste problemy zepsuły przyjęcie. Wiele rzeczy może pójść nie tak, dlatego muszę teraz być silna.

Na podjazd wjechał samochód. Odwróciłyśmy się w tamtą stronę. Uśmiech Mary przygasł, gdy zobaczyła, że to Kinneyowie. Ja z pewnością zrobiłam równie entuzjastyczną minę.

– Dlaczego twoja teściowa zawsze wygląda, jakby właśnie wdepnęła w psie gówno?

Wybuchłyśmy zgodnym śmiechem.

– Witajcie, dziewczyny! – zawołała Evelyn. – Co was tak śmieszy?

– Muszę zobaczyć, co robi Pats... z tym... wiesz...

Mary zostawiła mnie samą. Evelyn uśmiechała się promiennie. Odwzajemniłam uśmiech. Czekała, ale nie zamierzałam się odzywać. Przyjechała za wcześnie, jak zwykle. Frank zniknął w domu. Prawdopodobnie oczekiwała, że uściskam ją na powitanie. Nic z tego, pomyślałam zgryźliwie, nadal się uśmiechając.

– Przyjechałam wcześniej, bo może potrzebujecie pomocy.

– Nie, już nie. – Manifestowałam radość zdolną przenosić góry. – W zasadzie wszystko jest gotowe.

Rozejrzała się dookoła, zlustrowała uważnie namiot, ogród, stoły.

– Rzeczywiście, nieźle wygląda. – Próbowała być miła. Doceniłam to, bo wiedziałam, z jakim trudem przechodzą jej przez gardło komplementy, zwłaszcza pod moim adresem.

– Dzięki. James jest w środku.

– Zatem to trzydziesta rocznica ślubu twoich rodziców?

Skinęłam głową, uśmiechając się szeroko, aż rozbolały mnie mięśnie twarzy.

– Tak.

Może liczyła, ile mam lat. Dwadzieścia dziewięć, urodziny obchodziłam w kwietniu. A może chodziło o coś innego. Znowu zrobiła minę, jakby rzeczywiście wdepnęła w psie gówno.

– Niezły wynik. W grudniu minie czterdziesta piąta rocznica mojego ślubu z Frankiem. – Rozejrzała się ponownie. – Przyjęcie rocznicowe dla rodziców to bardzo dobry pomysł .

Nawet nie chciałam myśleć, że miałabym planować imprezę dla Kinneyów. Nigdy w życiu! Mieli syna i dwie córki, wszyscy wystarczający bystrzy, żeby zorganizować przyjęcie. Tyle że również zbyt leniwi i wygodni, by angażować się w takie upierdliwe przedsięwzięcie. A w dupę, nie pomogę im.

– James jest w środku – powtórzyłam, nadal się uśmiechając.

Spojrzała na mnie dziwnie.

– Wiem, już mi mówiłaś.

– Nie chcesz się przywitać?

Widocznie wychwyciła gorycz w moim głosie, bo skrzywiła się i spojrzała pytająco.

– Dobrze się czujesz?

– Świetnie. Doskonale. Po prostu mam dużo na głowie, sama wiesz. Wejdźcie do środka, bo muszę jeszcze porozmawiać z kucharzami. – Uśmiechałam się tak szeroko i z taką zaciętością, że zaczęło mi pulsować w skroniach.

Na szczęście Evelyn odpuściła. Może się trochę przestraszyła. Świetnie, właśnie o to chodziło.

Pojawili się pierwsi goście, parkowali na podjeździe i na wąskiej uliczce. Zaprosiliśmy też sąsiadów – tych, których lubiliśmy, i tych, których nie znosiliśmy – żeby nie narzekali na parkujące wokół samochody. Słońce wyszło zza chmur, zrobiło się gorąco. Zapowiadało się kolejne miłe sierpniowe popołudnie. Znad jeziora dolatywała od czasu do czasu rześka bryza. Namiot i drzewa w ogrodzie zapewniały gościom cień. Niektórzy poszli nad jezioro, zamoczyć stopy, pochlapać się, powygłupiać.

Było dużo jedzenia, choć Patricia oczywiście martwiła się, że nie wystarczy. Całe stosy steków i wołowych kotletów podawanych z chrzanem i sosem barbecue. Góry chrupiących bułeczek. Salaterki z sałatkami – ziemniaczaną, z makaronu, z białej kapusty. Rozmaite desery. Goście jedli, pili, rozprawiali z ożywieniem.

Ojciec siedział na plastikowym fotelu na środku trawnika jak udzielny książę. Trzymał butelkę piwa, jakby to było berło. Matka usługiwała mu wiernie, przynosząc talerzyki z jedzeniem i puszki coli, której wcale nie pił. Zaczął od piwa, ale szybko przerzucił się na ulubiony drink – wysokie szklaneczki z mrożoną herbatą, które z czasem zawierały coraz mniej herbaty, a coraz więcej alkoholu.

Mary większość czasu spędziła w towarzystwie Betts. Patricia latała między domem i namiotem, pilnując, by nikomu nie zabrakło jedzenia. Dzieci bawiły się pod bacznym wzrokiem Claire. Ku zdziwieniu wszystkich, okazała się świetną opiekunką. Maluchy ją uwielbiały, bo bawiła się z nimi w ich ulubione gry. Ubrała się w elegancką i dopasowaną spódnicę i bluzkę. Strój nie ukrywał zaokrąglonego brzuszka, nie pozostawiając wątpliwości co do jej stanu.

Przyjęcie naprawdę się udało. Przybyli wszyscy

przyjaciele i rodzina. Trzydziesta rocznica ślubu jest powodem do świętowania, bo nie każdej parze udaje się wytrwać tak długo w związku. Rozmawiałam z ludźmi, których nie widziałam od wielu lat. Przyjaciele rodziny podziwiali dom i gratulowali udanej imprezy. Większość oczywiście zaczynała rozmowę od stwierdzenia, że „jestem już taka dorosła", bo zapamiętali mnie jako małą dziewczynkę wiecznie zatopioną w lekturze.

– Zawsze trzymałaś książkę. Co najchętniej czytałaś? – zapytał Bud Nelson. Pamiętałam go jako korpulentnego mężczyznę o czerwonej twarzy, pogodnego i roześmianego. W kieszeni zawsze miał ćwierćdolarówkę dla dziewczynki, która na pewno chętnie „skoczy po jeszcze jedno zimne". Schudł i wyglądał na ciężko chorego. Rachityczne ramiona i nogi prezentowały się groteskowo w za luźnych ciuchach. Skóra wisiała na nim, jakby ktoś odessał z organizmu cały tłuszcz. Miał żółte zęby i żółte białka oczu.

– Prawdopodobnie historie o Nancy Drew. – Uśmiechnęłam się. Zawsze się do niego uśmiechałam.

– O dziewczynce, która rozwiązywała zagadki kryminalne? Zawsze pakowała się w kłopoty, co? Ojciec co i rusz musiał płacić kaucję, żeby wyciągnąć ją z aresztu.

Nie byłam w stanie przypomnieć sobie treści tych opowiadań i nie zamierzałam o nich dyskutować.

– To były tylko zmyślone historyjki.

Bud roześmiał się i wsunął rękę do kieszeni.

– Hej, Anne. Dam ćwierciaka za przyniesienie mi...

– ...jeszcze jednego zimnego – dokończyłam za niego.

Skinął głową i opadł na fotel, jakby sięgnięcie do kieszeni bardzo go wyczerpało.

– Nie musisz za to płacić, Bud.

– Jesteś dobrą dziewczyną, Annie. Zawsze byłaś.

Słyszałam to dzisiaj wiele razy. Zawsze grzeczna i skromna Annie. Tak chętna do pomocy. Zamiast protestować, z uśmiechem wykonywałam polecenia. Annie to, Annie tamto. Annie.

Od lat nie słyszałam zdrobnienia mojego imienia i nagle znowu poczułam się jak dziewczynka. Latałam po zimne piwo dla ojca i jego kumpli. Uśmiechałam się, oni głaskali mnie po głowie.

Przyjęcie coraz bardziej się rozkręcało. Goście tańczyli na patio i na trawniku. Zostało niewiele jedzenia, resztki wyglądały żałośnie i niezbyt apetycznie. Zupełnie jakby nawiedziła nas plaga szarańczy. Dzień był gorący, parny i duszny. Nad jeziorem zbierały się chmury, jeszcze białe, ale już lekko poszarzałe.

Weszłam do domu, by się ochłodzić, wypić szklaneczkę wody z lodem i może pobyć przez moment sama. Patricia, która od tygodni zamartwiała się organizacją przyjęcia, przez cały czas śmiała się od ucha do ucha i promieniała. Za to ja powoli opadałam z sił i pogrążałam się w ponurym nastroju.

Nie z powodu przyjęcia, po prostu zaczynałam odczuwać na barkach ciężar wydarzeń mijającego lata. Z winy Evelyn. Alexa i Jamesa. Ciągłe naprawianie wszystkiego po wszystkich skrajnie mnie wyczerpało. Chciałam przez chwilę odpocząć w ciszy sypialni. Pooddychać swobodnie, pomilczeć i przestać szczerzyć zęby w uśmiechu. Pragnęłam samotności, choćby przez krótką chwilę.

Dom był tak samo zatłoczony jak ogród. Było tu jeszcze więcej gości, w dodatku panował większy hałas. Przemknęłam przez kuchnię, modląc się, by nikt nie odważył się wejść do sypialni. Przed imprezą zamknęłam drzwi, a zostawiłam inne otwarte. Większość ludzi doskonale wie, co to znaczy. Zamknięte drzwi to zakaz wstępu, za nimi kryje się prywatne schronienie gospodarzy, azyl. Goście rozumieją, że nie mają tam dostępu.

W tej części domu było odrobinę ciszej. Prawie wszyscy kłębili się w salonie, gabinecie i kuchni. Jedna z moich kuzynek siedziała w pokoju gościnnym, usypiając niemowlę. Uśmiechnęłyśmy się do siebie w milczeniu. Przymknęłam drzwi, by miała więcej spokoju. Drzwi do łazienki były zamknięte, ale otworzyły się, właśnie gdy koło nich przechodziłam. Śmiejąc się, zręcznie minęłam wychodzącą kobietę.

Dotarłam do drzwi sypialni, które z pewnością zamknęłam. Teraz były uchylone na kilka centymetrów. Położyłam rękę na gałce, ale zatrzymałam się, przysłuchując się rozmowie dobiegającej ze środka.

– ...no tak, nic dziwnego... – Natychmiast rozpoznałam ten głos. – Jej siostra jest w ciąży, przecież widać na pierwszy rzut oka. Nie zauważyłam obrączki na palcu. A ten ich ojciec! Słyszałam to i owo, ale... ale nie wiedziałam, że jest takim pijaczyną.

Boże. Ludzie nadal używali tego słowa? Najwyraźniej, a na pewno Evelyn Kinney.

Zawahałam się. Może powinnam odpuścić? Przez dziesięć sekund zastanawiałam się, czy chcę pozostać dobrą i skromną dziewczynką z uśmiechem na buzi. Ona by po prostu odeszła, udając, że nic się nie stało.

W jedenastej sekundzie pchnęłam drzwi, otwierając je na oścież.

Nagle nastrój pogorszył mi się znacznie. Nawet bardzo znacznie. Nad wyraz znacznie. Do granic niezwykłej wściekłości.

Evelyn stała obok małego sekretarzyka. Należał do babci Jamesa, i choć nie używałam go często do pisania, to w szufladkach przechowywałam prywatną korespondencję. Pocztówki z sentymentalnymi pozdrowieniami od Jamesa, stare fotografie, kalendarz. Nie taki duży, który wisiał w kuchni i na którym zaznaczałam daty wizyt u lekarza albo terminy przeglądów samochodów. To był mój mały terminarz, który traktowałam jak podręczny dziennik. Zapisywałam wydarzenia mijającego dnia, dosłownie kilka zdań, by pamiętać, co robiłam albo jak się czułam.

Gdy weszłam do pokoju, Evelyn odłożyła go na blat sekretarzyka. Margaret, siostra Jamesa, pochłaniała piernik, niemiłosiernie krusząc. Miała przynajmniej na tyle przyzwoitości, że opuściła oczy. Widziałam, że jest zażenowana

– Cześć, Anne.

Przez moment nic nie widziałam. Oślepiła mnie biała błyskawica, pozostawiając po sobie w polu widzenia jedynie rozmazaną niebieską plamę. To była chwila, w której przestałam być grzeczną dziewczynką.

– Co robicie w mojej sypialni?

– Ach. – Evelyn zaśmiała się perliście. – Patricia powiedziała, że w domu jest wyłożony album ze zdjęciami rodziców, w którym można wpisywać gratulacje.

– Jest wyłożony na stole w salonie.

– Tego już nie powiedziała. – Nozdrza Evelyn zaczęły drgać. Była coraz bardziej zdenerwowana i niezbyt zręcznie pokrywała to słodziutkim uśmiechem.

– Postanowiłyście poszukać w sypialni?

– Chciałam pokazać Margaret ten sekretarzyk. Może powinna sobie taki kupić. James pozwolił nam tu wejść.

Nawet nie udawałam, że jej wierzę. Margaret przełknęła ostatni kawałek ciasta i wytarła palce w serwetkę. Zaczerwieniona ze wstydu, zaczęła przesuwać się w stronę drzwi. Najpierw musiała minąć mnie, a ja nie zamierzałam się odsunąć. Przecisnęła się bokiem i uciekła.

Tchórzliwe babsko.

– Weszłaś do mojego pokoju i zaczęłaś się szarogęsić, tak? – zwróciłam się do Evelyn.

Teściowa nie spodziewała się konfrontacji. W końcu tak długo znosiłam pokornie jej zachowanie i trzymałam gębę na kłódkę. Nie spodziewała się też, że przyłapię ją na gorącym uczynku.

– Szukałam albumu.

– I pomyślałaś, że może być w szufladkach mojego sekretarzyka, tak? Chyba by się tam nie zmieścił, prawda? – Mówiłam powoli i wyraźnie, ale jeszcze nie podniosłam głosu.

Wewnątrz cała się trzęsłam. Ręce zwiesiłam luźno po bokach. Jeszcze nie wypadłam z roli, jeszcze mogłam udawać, że jestem spokojna i opanowana.

– Anne, po co tak się denerwujesz?

Odprężyła się, gdy zaczęłam się śmiać.

– Chyba jednak mam powód. Evelyn, czy mój kalendarzyk wygląda jak album ze zdjęciami rodziców? Odpowiedz, to proste pytanie.

Próbowała zbyć mnie milczeniem i wyjść. Cóż, właśnie tego się po niej spodziewałam. Nikt nie lubi krytyki, zwłaszcza uzasadnionej. Zyskałaby w moich oczach, gdyby przyznała, że rzeczywiście myszkowała w prywatnych rzeczach. Prawdopodobnie odsunęłabym się i pozwoliła wyjść, gdyby tylko przeprosiła i przyznała się do winy. Niestety, teściowa nigdy nie przyznawała się do pomyłek, w dodatku tę fajną malutką wadę przekazała w darze kochanemu synkowi.

Nie posunęła się do tego, by odepchnąć mnie na bok, więc stałyśmy obie jak zamurowane. Byłam od niej wyższa, ale ona szersza. Klasyczny impas.

– Czy to wygląda jak album? – zapytałam.

Pokręciła głową. Uparta bestia.

– Nie chcę tego słuchać.

– Po prostu odpowiedz na pytanie.

Czerwone plamy wypełzły jej na szyję i policzki. Cieszyłam się, widząc ją w takim stanie. Wiła się jak robak na haczyku. Byłam zachwycona, że udało mi się postawić ją w niezręcznej sytuacji.

– Czy to wygląda jak album?

– Nie!

– To dlaczego zaczęłaś przeglądać?

Poruszała ustami jak ryba wyrzucona z wody. Jednak nawet niebiosa nie skłoniłyby jej do skruchy. Po prostu nie umiała przyznać, że postąpiła niewłaściwie.

– Oskarżasz mnie, że szperałam w twoich rzeczach?

– Nie oskarżam, stwierdzam fakt.

Wygięła usta w szyderczym uśmiechu. Zapewne uważała, że ma prawo do świętego oburzenia. Większość ludzi, którzy coś spieprzyli, doskonale sobie radzi z wynajdywaniem wiarygodnych usprawiedliwień.

– Jesteś pozbawioną szacunku... – zaczęła.

Straciłam nad sobą panowanie. Pękła nić, która powstrzymywała mnie od wybuchu. Nie zdziwiłabym się wcale, gdybym teraz zamiast włosów miała na głowie kłębowisko jadowitych żmij. Zawładnęła mną furia. Trzymała i nie chciała puścić.

– Jak śmiesz oskarżać mnie o brak szacunku? Przychodzisz do mojego domu, myszkujesz w moich rzeczach, wykorzystując zamieszanie podczas przyjęcia, naruszasz moją prywatność. Jak w ogóle śmiesz mówić o szacunku? Ty nawet nie znasz znaczenia tego słowa!

Udało mi się kompletnie wytrącić ją z równowagi. Pewnie bała się, że zaraz ją uderzę, chociaż nawet nie podniosłam głosu.

– Nie pozwolę, byś mnie traktowała jak wścibską złośnicę! – wrzasnęła, zalewając się krokodylimi łzami.

– Nie uważam, że jesteś zła – oświadczyłam lodowatym głosem. – Tylko niewiarygodnie arogancka i zadufana. Skoro w dodatku nie potrafisz przyznać, że zrobiłaś coś niewłaściwego, to jesteś też głupia!

Aż otworzyła usta ze zdziwienia. Nie była w stanie odpowiedzieć. Udało mi się sprawić, by zamilkła. Nawet nie marzyłam, że kiedykolwiek tego dokonam. Zalało mnie uczucie triumfu, tak wielkiego, jakbym właśnie dokonała niezwykle bohaterskiego czynu.

– Nie wierzę, że to powiedziałaś – odparła, gdy odzyskała głos. Nadal oburzona, gotowa walczyć w imię prawdy. Prawdziwa męczennica, niesłusznie oskarżona przez kogoś, na kogo nie warto splunąć.

Może i ona odczuwała satysfakcję? Może kłótnia przyniosła jej ulgę? Utwierdziła w przekonaniu, że nie pomyliła się w ocenie, bo jestem tak podła, jak zawsze podejrzewała? Przecież od dawna intuicyjnie wyczuwała, że jestem zdolna do najgorszego. Zachowałam się okropnie, jednak gdyby mi wybaczyła, okazała zrozumienie, uznałabym sprawę za zamkniętą.

Nic z tego. Brnęła dalej, pogrążając się coraz bardziej.

– Oczywiście. Właśnie tego powinnam się spodziewać – dodała świętoszkowatym tonem, od którego zawsze chciało mi się rzygać. – Biorąc pod uwagę twoje pochodzenie...

Tak oto zakończyły się moje stosunki z teściową. Zaprzepaściła szansę na rozejm. Zanim padły te słowa, mogłyśmy spróbować. Uspokoić się, przeprosić, wybaczyć. Teraz było już za późno. Po prostu koniec.

– Moja rodzina przynajmniej wie, jak należy zachowywać się w cudzym domu. Nie masz prawa ich osądzać. – Mój chłodny ton chyba rozsierdził ją jeszcze bardziej niż uprzednia złość. Nie radziła sobie z logicznymi argumentami, umiała jedynie odpowiadać złością na złość. – Nie zamierzam tego dłużej słuchać, rozumiesz? To moja rodzina i mój dom. Żądam, abyś stąd wyszła. Natychmiast.

– Nie masz prawa mnie wyrzucać!

– Zabieraj tyłek w troki i wypad z mojego domu! Wynoś się! Nie jesteś tu już mile widzianym gościem! Najlepiej w ogóle przestań nas odwiedzać!

– Jak... śmiesz...

Pochyliłam się nad nią. Nie dlatego, żeby ją zastraszyć. Chciałam tylko wzmocnić efekt, by dobrze zrozumiała, co do niej mówię.

– Moje życie – wysyczałam – to moja sprawa!

– Anne? – Obydwie odwróciłyśmy się natychmiast. W drzwiach stała Claire. – Tata zaraz wzniesie toast.

Claire spojrzała na nas z zainteresowaniem. Evelyn przepchnęła się koło nas, pociągając nosem. Jej obcasy wystukiwały w korytarzu głośne *staccato*.

– Jasna cholera – szepnęła Claire. – Co zrobiłaś teściowej? Zagroziłaś, że wylejesz na głowę kubeł lodowatej wody?

Ze zdenerwowania trzęsły mi się nogi. Było mi niedobrze, ale zarazem lekko, jakbym pozbyła się ogromnego ciężaru. Położyłam się na łóżku.

– Powiedzmy, że przywaliłam jej prosto z mostu.

– Wyglądała, jakby ktoś zaserwował jej miskę pełną robaków, wmawiając, że to makaron z włosów anielskich.

– I przypuszczalnie tak właśnie się czuła. Boże, ależ to paskudna jędza.

– Wiadomo.

– Nigdy mi tego nie wybaczy. Mówię ci, ale była awantura.

– A co ma ci wybaczyć? Wezwałaś ją na dywanik za niewłaściwe zachowanie? Anne, gdy pozwalasz, by ktoś zachowywał się jak kompletny głupek, wcale nie wyświadczasz mu przysługi.

– Nie mogłam milczeć i przejść nad wszystkim do porządku dziennego. Nie dałam rady, Claire. Gdy zobaczyłam, co robi... wściekłam się. Cały czas wtrącała się w nasze życie. Krytykowała i udzielała rad, chociaż jej o to nie prosiłam. Długo to znosiłam, ale dzisiaj coś we mnie pękło.

– A co ona, do cholery, zrobiła?

Opowiedziałam Claire o wszystkim.

– Niemożliwe! – wykrzyknęła, zafascynowana, a jednocześnie przerażona.

– Możliwe. Nie wiem, ile przeczytała, ale widziałam, jak przeglądała mój terminarzyk kartka po kartce.

– Ja pierdolę! – Claire pokręciła głową. – I nie dałaś jej kopa w dupę?

– Nie zamierzałam robić jej krzywdy.

Claire zasłoniła usta dłonią, patrząc na sekretarzyk.

– Ode mnie dostałaby na odlew.

– Coś ty, Claire. – Znowu się roześmiałam, tym razem już bardziej rozluźniona.

– Powaga. Nic dziwnego, że się wkurzyłaś. Co za wścibska rura!

– Tak. Gdyby była sprytniejsza, zamknęłaby drzwi i nie zobaczyłabym, co robi. A może uważa, że ma prawo grzebać w moich rzeczach? – Opowiedziałam Claire o całej awanturze, niemal słowo po słowie.

– I po tym wszystkim jeszcze śmiała obrazić naszą rodzinę? – Claire była wstrząśnięta. – Zaraz dorwę się jej do dupy, zobaczysz!

– O Boże! – zawołałam, śmiejąc się. – Claire, nie!

Też się roześmiała.

– No coś ty. Ona nie jest warta moich nerwów. Wstrętna ropucha!

– Chodź, bo ominie nas toast.

– Żadna tragedia. Cały czas wznoszą jakieś toasty. Impreza zmierza w kierunku sentymentalno-pijackiej biby. Poza tym Sean przywiózł nowiutką kamerę i wszystko nagrywa. Obejrzysz film po wyjściu gości, na spokojnie.

– Boże, czy ten dzień się wreszcie skończy?

– Na pewno.

– Claire, jak mogłam tak namieszać?

– Coś ty, po prostu pokazałaś teściowej, gdzie jej miejsce.

– Nie to miałam na myśli.

– Ach. Chodzi o Alexa?

– Też.

– A jest jeszcze coś? – zdziwiła się. – Cholera, kobieto! Ile masz sekretów?

– Claire, nie pamiętasz tego lata, gdy mama uciekła od ojca. Byłaś za mała. Zabrała tylko ciebie. Nie wiesz, co się działo... – Głos uwiązł mi w gardle. Przełknęłam ślinę, ale zamiast pomóc, zabolało.

– Coś słyszałam. Mary i Pats trochę mi opowiedziały. Ty nigdy o tym nie mówiłaś. Musiało być ciężko. To znaczy... chyba nigdy nie byliśmy zgodną i szczęśliwą rodziną, co?

– Byliśmy, zanim tata zaczął pić. Prawie w ogóle się nie kłócili.

Claire przycisnęła kolana do piersi i objęła.

– Ups. Brzuch zaczyna przeszkadzać. – Opuściła ręce. – Anne, nasz tata jest alkoholikiem i niewiele na to poradzimy.

– Po ucieczce mamy zaczął pić jeszcze więcej. Nigdy nie opowiadałam mamie, co stało się na żaglówce. Łódka prawie się wywróciła, bo ojciec był zbyt pijany, by sterować. Gdybym wszystko opowiedziała, może by została, a on wziąłby się w garść. Ach... dajmy już temu spokój.

Claire patrzyła na mnie wielkimi, mokrymi od łez oczami. Usta jej drżały, wygięły się w podkówkę.

– Nie wiń się za to, co zrobił czy jak się zachowywał. Byłaś dzieckiem, co niby mogłaś zrobić? Chyba rzeczywiście nie warto do tego wracać.

– Wiem. Bez przerwy powtarzacie, że tylko ja wiem, jak z nim postępować.

– Przestań się zadręczać.

– Przeczytałam dużo książek, studiowałam psychologię. Alkoholizm to choroba. To nie jego wina, ani nasza. Wiem, ale...

– Musisz jeszcze w to uwierzyć – szepnęła i ujęła mnie za dłoń.

– Tak. To najtrudniejsza sprawa. Czasem myślę, że gdybym wtedy powiedziała mamie, co się stało, nie uciekłaby od niego. A on nie zmarnowałby sobie życia. Mama nie wyprowadziłaby się do cioci Kate.

Palce Claire zacisnęły się na mojej dłoni. Wytarła łzy.

– Nie pojechała do ciotki Kate.

Chyba się przesłyszałam.

– Co?

Claire pokręciła głową.

– Nie pojechała do ciotki Kate. Tak mówili, ale kłamali.

– To... dokąd? Gdzie mieszkała? – Spodziewałam się najgorszego. Bywają takie dni, gdy los z rozkoszą nas nokautuje. Raz za razem.

– Przeprowadziła się do faceta o nazwisku Barry Lewis. – Claire była zmieszana jak nigdy wcześniej. Ona, zawsze taka pewna siebie i buńczuczna. – Miała z nim romans. Tamtego lata zostawiła ojca. Chciała się z nim rozwieść.

ROZDZIAŁ SIEDEMNASTY

Evelyn nie opuściła przyjęcia, mimo tego, że wyraziłam się dostatecznie dobitnie. Dostrzegłam ją na drugim końcu ogrodu, gdy rozmawiała z Jamesem. Wyglądał na przejętego i złego. Niestety, nie słyszałam, o czym rozmawiali.

Nie przegapiłam toastów. Ktoś udekorował mamę naszyjnikiem z losów na loterię, a ojca koroną z papieru i plastikowych widelców. Wszyscy śmiali się i dołączali do życzeń.

Jedna wielka ściema. Nigdy nie uważałam małżeństwa rodziców za udane. Ojciec pracował na rodzinę, matka dzielnie udawała, że niczego nam nie brakuje. Czy tak powinien wyglądać dobry związek? Nie. To stanowczo za mało, by mówić o szczęściu.

Wdała się w romans. Zostawiła ojca dla innego. Wiedza o tym oczyściła mnie, ale wcale nie poczułam się lepiej. Zostawiła dzieci. Zostawiła mnie, żebym dbała o niego, podczas gdy to on powinien dbać o nas. Odeszła, a ojciec rozpadł się na kawałki. A potem było coraz gorzej...

Śmiejąc się i kręcąc głową, mama odmówiła zabrania głosu. Tata był wolny od fałszywej skromności. Wstał, wyciągnął rękę ze szklaneczką. Rozejrzał się po tłumie. Nikt nagle nie zamilkł, ale rozmowy przycichły stopniowo.

– Co za dzień, co? Co za dzień!

– To prawda, Bill. Dalej!

– Gratulacje, Bill!

Niektórzy klaskali, inni gwizdali na wiwat. Evelyn słuchała z rękami założonymi na piersiach. Wyglądała jak rozwścieczona czarownica.

Ojciec zaczął od dziękowania wszystkim za przybycie i mamie, że wytrzymała z nim tak długo. Obok mnie stanął James. Objął mnie od tyłu, przytulił. Spięłam się, czekając, aż powie coś o matce. Nie odezwał się, ale Evelyn bacznie nas obserwowała. Wszyscy musieli dostrzec malującą się na jej twarzy niechęć. Znowu się zdenerwowałam. To nie było jej święto, a zachowywała się, jakby domagała się uwagi.

– Wypijmy za moje córki, Anne, Pat, Mary i Claire – powiedział ojciec. – Dziękuję, że zorganizowały takie wspaniałe przyjęcie.

Goście wyłuskali nas z tłumu. Patricia obejmowała Seana w pasie, dzieci stały tuż obok. Mary i Betts obok siebie, ale nie za blisko. Claire była pogrążona w rozmowie z wysokim facetem, którego chyba nie znałam. Ja tkwiłam w objęciach Jamesa, zapewniających mi wątpliwe bezpieczeństwo.

Wszyscy na coś czekali.

– Chcą, żebyś zabrała głos – szepnął James. – No, dalej.

– Nie ma mowy – odparłam, a on ścisnął moje splecione palce, jakby próbował dodać mi otuchy.

– Pół roku temu – zaczęłam – Patricia wpadła na szalony pomysł, by zorganizować przyjęcie z okazji trzydziestej rocznicy ślubu rodziców. Jeżeli dobrze się bawicie – tu nastąpiły wiwaty – to jej należą się podziękowania. A jeśli w ogóle się nie bawicie lub czujecie okropnie, to... też jej podziękujcie.

Rozległy się śmiechy.

– Cieszymy się, że przyszliście świętować z nami trzydziestą rocznicę ślubu Billa i Peggy. Byli ze sobą na dobre i na złe. – Zawahałam się, łzy spłynęły mi do gardła. James znowu ścisnął moją dłoń. Lekko, bym poczuła, że jest przy mnie. – Takie jest życie. Składa się z dobrych i złych chwil, które każda rodzina przeżywa wspólnie. Dzielimy się radościami, pomagamy sobie w trudnych chwilach. – Próbowałam błysnąć elokwencją, ale obecność tak wielu ludzi peszyła mnie, zdobyłam się jedynie na wyświechtane banały i ogólniki. – Niektórzy znają moich rodziców od trzydziestu lat. Wielu z was zna mnie i moje siostry od urodzenia. Niektórych z was poznaliśmy dopiero dzisiaj. Wszyscy jesteście współodpowiedzialni za to szaleństwo. A skoro już przyszliście, to staliście się częścią rodziny. Dlatego po zakończeniu imprezy zapraszam zgromadzonych tu gości na wielkie sprzątanie. – Wiwaty i śmiech. – Zatem... wznieśmy toast za moich rodziców, Billa i Peggy. Za ich wspólne trzydzieści lat. – Nie miałam kieliszka, ale wszyscy posłusznie wznieśli swoje. – Za kolejnych trzydzieści lat.

– Świetnie się spisałaś – szepnął James.

Pocałował mnie, uścisnął i mocniej przytulił. Nie protestowałam. Nie chciałam go stracić. Nigdy.

– Kocham cię – szepnęłam prosto w jego pierś.

– Też cię kocham – odparł, wplatając palce w moje włosy.

– James? – Głos Evelyn przerwał te czułości.

Nie wypuścił mnie z ramion.

– Tak, mamo?

– Wyjeżdżamy. Teraz.

Nadal trzymał mnie w objęciach.

– No to pa. Dzięki, że wpadliście.

– Powiedziałam, że wyjeżdżamy – powtórzyła, jakby nie dotarło do niego.

– Słyszałem – zapewnił ją. – Do widzenia.

Goście chyba znowu zgłodnieli, bo ruszyli hurmem w stronę domu po ciasta, które upiekła Patricia. Ton Evelyn sprawił, że kilka osób zerknęło ciekawie w naszą stronę. Miałam ochotę skomentować jej zachowanie, ale oparłam się pokusie. Nie byłam pewna, czy nie zaczęłabym kląć.

– Nie odprowadzisz nas do samochodu?

James nawet nie odwrócił się do niej.

– Przecież znasz drogę.

Próbowałam odrobinę się odsunąć.

– Jeśli chcesz... – zaczęłam.

James pokręcił głową.

– Nie. Jest dobrze. Pa, mamo. Zadzwonię do ciebie.

– A ona ci pozwoli? – Ten komentarz był ohydny, nawet jak na nią.

James potrafił trzymać nerwy na wodzy. Odpowiedział milczeniem, co, muszę przyznać, było najlepszym sposobem. Milczenie nie stwarzało okazji do dalszej wymiany ciosów. Evelyn odwróciła się na pięcie i wyszła, a raczej wymaszerowała. Gdy tylko zniknęła za narożnikiem domu, odetchnęłam z ulgą.

James poklepał mnie po plecach.

– Później o tym porozmawiamy.

– Okay – odpowiedziałam, chociaż to była ostatnia rzecz, o której chciałabym rozmawiać.

– Znajdźcie sobie pokój na schadzkę, wy... ekshibicjoniści! – zawołała wesoło Claire, podchodząc do nas i opierając się o barierkę patio.

James wyciągnął rękę, by zmierzwić jej włosy, na co zareagowała piskiem i zręcznym unikiem.

– I kto to mówi?

– Hej! – zawołała do nas Patricia. – Mam podać tort?

– Tort! – Claire zaklaskała radośnie. – Głosuję za!

– Jestem za.

– Za czym głosujecie? – zapytała Mary, która wyłoniła się zza rogu.

– Za podaniem tortu – wyjaśniłam.

– Zdecydowane tak.

Siostry weszły do domu, by przynieść tort – replikę tortu z wesela rodziców. Wtedy wszyscy się nim zachwycali, lecz w porównaniu z modnymi teraz wielopiętrowymi wypiekami prezentował się skromnie. Składał się z trzech warstw pokrytych białym lukrem. Na środku pysznił się plastikowe figurki państwa młodych.

Siostry zagoniły rodziców do krojenia. Claire puściła z iPoda kawałek *Pokaż mi twój najlepszy cios*. Rodzice, jak na niemym filmie, rzucili w siebie kawałkami tortu. Patrząc, jak ojciec zlizuje z palców lukier, a mama wyciera go serwetką, coś zrozumiałam.

Oni naprawdę się kochali. Bez względu na to, co wydarzyło się w przeszłości, nadal darzyli się prawdziwym uczuciem. Skoro dotrwali razem do tej rocznicy, to znaczy, że dokonali świadomego wyboru. Nie potrzebowali już pomocy, świetnie sobie radzili.

Przyjęcie zbliżało się ku końcowi, zachodziło słońce. Żegnaliśmy gości, pakowaliśmy resztki jedzenia do plastikowych pojemników dostarczonych przez firmę cateringową. Zapłaciliśmy rachunki i pomogliśmy rozebrać namiot. Gdy zapadła noc, wszystko było uprzątnięte i zostałam sama z Jamesem.

– I deszcz wcale nie padał. – James otworzył jedną z ostatnich butelek piwa i pociągnął długi łyk. Spojrzał na jezioro. – Niezła impreza, Anne, doskonale się spisałaś.

Opadłam z westchnieniem na huśtawkę.

– Nie zrobiłam wszystkiego sama. Pomogłeś mi. Dzięki.

James usiadł koło mnie. Bujaliśmy się razem. Dopił piwo i objął mnie tak, bym mogła oprzeć się głową o jego ramię. Niebo pozostało zachmurzone, bezgwiezdne, ale nie zanosiło się na deszcz. Noc była parna, choć od czasu do czasy pojawiał się chłodniejszy powiew znad wody. Bardzo prawdopodobne, że w nocy rozpęta się burza.

James ziewnął.

– Będę spał do południa.

– Dobry pomysł.

Masował mi głowę, przeczesując włosy. Było miło. Już wiedziałam, dlaczego głaskane koty mruczą.

– Słyszałem, że ty i mama miałyście spięcie?

– Weszłam do sypialni i zastałam ją z moim terminarzem w ręce.

– Podobno wyrzuciłaś ją z domu.

– No... tak. Po tym, jak próbowała mi wmówić, że wcale nie myszkowała w moich szufladach, i po tym, jak obraziła moją rodzinę.

Westchnął głęboko.

– Anne, przecież znasz moją matkę.

– Bardzo dobrze. Tylko nie próbuj jej bronić, nie zniosłabym tego.

– Nie będę – odparł po chwili.

– Świetnie, bo od teraz już do końca świata ona będzie wyłącznie twoim problemem.

– A wcześniej było inaczej?

– Próbuję powiedzieć, że nie będę się uśmiechać jak jakiś głupkowaty manekin, gdy będzie mnie obrażać albo włazić na głowę.

– Nie musisz się uśmiechać.

– No to świetnie.

– Mama chciała tylko, żebyś ją lubiła.

– Tak ci powiedziała?

– Tak.

Roześmiałam się.

– Ach, dlatego była taka otwarta i akceptowała mnie przez tyle lat. Dlatego zostałam przyjęta do rodziny. Wszystko jasne.

– Uważa, że od początku jej nie znosiłaś. Za miłość odwdzięczyłaś się agresją.

– Agresją? No tak, powiedziałam, żeby dała mi święty spokój. Jednak myśl, że grzebała w moich rzeczach...

– Jesteś pewna, że...

– Co? A może potknęła się i upadła akurat na mój kalendarz? I tak się przypadkiem złożyło, że się otworzył, a ona zaczęła czytać?

– Tego nie powiedziałem. – James wypuścił mnie z objęć i usiadł prosto.

Huśtawka wciąż się kołysała, zatrzymałam ją i wstałam gwałtownie.

– Uważasz, że nie stało się nic wielkiego?

– Tak. Przecież to tylko kalendarz.

– To nie jest zwykły kalendarz. Zapisywałam w nim najważniejsze wydarzenia i myśli. To intymne, bardzo osobiste zapiski. Gdybym chciała dzielić się nimi z innymi, wyłożyłabym kalendarz na stolik w salonie.

Widziałam, że bagatelizuje problem i nie rozumie mojego oburzenia. Wsparłam ręce na biodrach. James rozbujał się mocno. Mało brakowało, by mnie przewrócił.

– Ja tam zapisywałam wszystko, James. – Huśtawka zatrzymała się gwałtownie.

– Wszystko?

– Tak, wszystko. Wszystko o tobie i o mnie, i... o Aleksie.

– Cholera!

– Tak, cholera! Zabawne, jak nagle zacząłeś się przejmować, gdy sprawa dotyczy ciebie!

– To nieuczciwe!

Był zdenerwowany, ale zamiast przestać, postanowiłam zdenerwować go jeszcze bardziej.

– Taka jest prawda. Nie wkurzyłeś się, że matka dowiedziała się, o co pokłóciłam się z siostrą, ile whisky wypił miesiąc temu mój ojciec, kiedy dostałam okres lub ile kosztowały moje sandały. O tym wszystkim mogła czytać do woli. Natomiast gdy chodzi o twój romans...

Zrobił groźną minę, zerwał się z huśtawki.

– Nie był tylko mój.

– Masz rację. Nie tylko. Tyle że mnie nie obchodzi, czy ktoś dowie się, że robiłam laskę Alexowi Kennedy'emu. A ciebie tak.

Złapał mnie za ramiona, tak mocno, że sam się przestraszył. W każdym razie bardziej niż ja. Sprowokowałam go. James nie lubił myśleć o sobie jako o facecie, którym można pomiatać.

– To nie był romans. – Nadal czułam jego palce na ramionach. – Prawda?

– Ty mi powiedz – odparłam spokojnie.

– Jeśli chcesz coś dodać, zrób to teraz.

– Alex opowiedział mi, co naprawdę wydarzyło się tego wieczora, gdy się zraniłeś i wylądowałeś na pogotowiu. – Dotknęłam blizny. James chwycił moją dłoń, ścisnął palce.

– Przecież ci o tym opowiadałem.

– Pominąłeś kilka szczegółów.

Przyciągnął mnie tak blisko, że musiałam odchylić głowę, by móc patrzeć mu prosto w oczy.

– Co ci powiedział?

– Wpadłeś we wściekłość, gdy przyznał, że pieprzy jakiegoś faceta.

– Oczywiście, że się wściekłem!

– A dlaczego? – To pytanie zadałam ciszej, niż zamierzałam. Nie oskarżałam, po prostu chciałam poznać prawdę.

– Bo mnie zaskoczył.

– Naprawdę? Był twoim najlepszym przyjacielem, znałeś go od lat. Czy naprawdę tak mało o nim wiedziałeś? A może byłeś wściekły, że pieprzy jakiegoś obcego faceta, a nie ciebie?

– Jezu, Anne! Co to za pytanie?!

Cierpliwie czekałam na odpowiedź.

– Spotykał się z różnymi dziewczynami. Puknął tyle lasek, że przy nim zawsze będę się czuł jak prawiczek. Gdy byliśmy w drugiej klasie, sypiał z dziewczynami z ostatniej klasy.

– Byłeś zazdrosny.

– Trochę tak. Mógł mieć każdą dziewczynę, której zapragnął.

Uśmiechnęłam się.

– Jakoś mnie to nie dziwi.

James się skrzywił.

Nadal nie odpowiedział na moje pytanie.

– Jednak wściekłeś się z innego powodu.

– Tak.

– Bo sypiał z facetem?

– Wywalił kawę na ławę, zaskoczył mnie... Jak miałem zareagować?

Wzruszyłam ramionami.

– Mogłeś spróbować zrozumieć. Przecież był twoim najlepszym przyjacielem.

– Nie wiedziałem nawet, że lubi facetów. Wypiliśmy za dużo. Może pewne rzeczy wymknęły się spod kontroli...

Nakryłam dłonią szramę na jego piersi.

– Może wszystko wymknęło się spod kontroli...

Nastąpiła długa chwila ciszy. Ziemia wciąż wirowała wokół własnej osi, a my z nią. Pocałował mnie.

Czule, delikatnie i słodko. Przytulił, a ja przylgnęłam do niego mocno.

– Przepraszam. Nie sądziłem, że to wszystko tak się skończy.

– Wiem.

Kołysaliśmy się delikatnie w rytmie narzucanym przez szum wiatru i wody. James ocierał się policzkami o moje włosy i twarz. Rozchyliłam usta do pocałunku i poczułam smak piwa.

Oparłam dłoń na jego piersiach, odsunęłam się trochę. Spojrzałam mu prosto w oczy.

– Nie kocham go tak, jak kocham ciebie, James.

Uśmiechnął się, jakby dostał najpiękniejszy prezent. Rozmawiając, ruszyliśmy do domu. Zawadziłam obcasem o próg, ale się nie przewróciłam. Zsunął dłonie na moje pośladki, ścisnął. Objęłam go za szyję, a on wziął mnie na ręce i zaniósł prosto do sypialni, mimo moich udawanych protestów. W ciemności natrafiłam ręką na włącznik światła.

Upadliśmy na łóżko. Nagle zaczęłam postrzegać jego ciało zupełnie inaczej. Jakby było cięższe, twardsze. Wreszcie wydał mi się w pełni realny. Po raz pierwszy, odkąd mogłam sięgnąć pamięcią, nie wyczekiwałam chwili, kiedy wszystko się rozwieje i zniknie.

Spojrzał mi prosto w oczy.

– Będzie dobrze. Zobaczysz.

Przyciągnęłam go. Zgłodniałymi ustami sięgnęłam jego ust. Wyssał ze mnie oddech, a potem oddał. Nasze wargi i języki wydawały się nienasycone. Wsunął mi dłoń pod głowę, drugą docisnął moje biodra do swoich, aż na brzuchu poczułam jego erekcję.

– Widzisz, jak na mnie działasz? – szeptał mi prosto w usta, pocierając wzgórek łonowy.

Wsunęłam dłonie pod jego koszulkę, potem pod spodenki. Przez chwilę masowałam mu jądra i pośladki.

– Zdejmij to.

Zaczął się rozbierać. Pomogłam mu. Kiedy znów położył się na mnie, już tylko w bokserkach, poczułam bijący od niego żar.

Pocałował mnie mocniej, przyciskając do poduszki, jednocześnie unosząc biodra, bym mogła rozebrać go do naga.

Potem on rozebrał mnie. Wreszcie, oboje nadzy, przylgnęliśmy do siebie. Tak mocno, że kępka włosów na jego podbrzuszu łaskotała mnie w łono. Sutki nabrzmiały mi do tego stopnia, że zaczęły boleć. James wziął jeden do ust i zaczął ssać. Jęczałam, wyginając ciało w łuk.

– Uwielbiam, gdy wydajesz z siebie takie dźwięki. – Zsunął się jeszcze niżej. Polizał delikatną skórę na biodrach, co wyzwoliło kolejną falę jęków. – I takie również.

Zsunął się między moje nogi, ale na chwilę spojrzał mi w oczy. Pogłaskałam go po włosach. Jego oczy błyszczały, odbijając światło lampki nocnej. Wydawały się jeszcze bardziej błękitne niż zawsze.

– O czym myślisz? – zadał nietypowe dla mężczyzn, a przede wszystkim dla niego, pytanie.

– O twoich błękitnych oczach. – Koniuszkami palców pogłaskałam go po brwiach.

Podziękował mi słodkim pocałunkiem w pępek.

– To dobrze.

– A sądziłeś, że o czym?

– Bałem się, że o nim.

– Och, James. – Powinnam wysilić się na coś błyskotliwego, ale zamiast tego postawiłam na szczerość. – Nie tym razem.

Zamknął oczy. Przycisnął usta do mojego podbrzusza, głaskał po udach. Jego wilgotny oddech jeszcze bardziej mnie rozpalał. Pocałował mnie delikatnie. I znowu. Czułe, delikatne jak dotyk piórka pocałunki łaskotały i zadawały rozkoszne męki. Zsunął się niżej.

Na początku małżeństwa, gdy kochaliśmy się, często wystarczało mi, że leżałam rozluźniona na plecach i pozwalałam, by robił, na co mu przyszła ochota. Nawet jeśli nie potrafił odnaleźć czułych miejsc. O wiele później poprosił, bym powiedziała, co lubię i czego oczekuję. Tutaj. Tam. Mocniej, delikatniej.

Teraz też leżałam rozluźniona, a James robił, na co miał ochotę, tyle że nie musiałam go już instruować. Wiedział, co lubię, a czego nie. Nauczyliśmy się siebie. Odkryliśmy, jakie pieszczoty sprawiają nam największą przyjemność.

Jednak gdy dotknął ustami łechtaczki i zaczął lizać, poczułam, że jest inaczej niż kilka tygodni temu. Zmieniłam się, on też. Oboje nauczyliśmy się nowych rzeczy.

Wsunął we mnie palec, naciskając na górną ścianę pochwy, nie przestając lizać. Zaczęła wypełniać mnie rozkosz. Czułam się, jakby przepływał przeze mnie prąd. James przekręcił się na bok, żebym widziała, jak drugą ręką obejmuje członek i porusza nim w takim samym rytmie, w jakim mnie masował.

Podniecił mnie, zapragnęłam go dotknąć, posmakować. Chciałam go ostro wypieprzyć i chciałam, żeby zrobił to samo. Wypowiedziałam szeptem jego imię. Spojrzał na mnie. Przyciągnęłam go, byśmy mogli się całować. Jego członek spoczywał na mojej nodze, ale marzyłam, by poczuć go w dłoni, w ustach, we mnie, pomiędzy piersiami.

Popchnęłam go i przewróciłam na plecy. Znudziło mnie już leżenie jak kłoda. Chciałam więcej. Chciałam dostać wszystko. Chciałam go całego. To było desperackie pożądanie. Wiedziałam mniej więcej, z czego wynika, ale teraz nie było sensu roztrząsać takich skomplikowanych kwestii.

Usiadłam mu na udach, ujęłam członek i zaczęłam masować. W górę i w dół. James uniósł nieco biodra. Wyprężył plecy. Sięgnął do wezgłowia łóżka.

Choć robiliśmy wiele rzeczy, o których nie opowiedzielibyśmy nawet w „niegrzecznym" towarzystwie, nigdy nie bawiliśmy się w dominację i uległość. Nie trzymałam w szufladzie kajdanek ani rózgi. Musiały wystarczyć słowa i jego podporządkowanie się moim rozkazom.

– Nie puszczaj łóżka, dopóki ci nie pozwolę – powiedziałam.

James rozluźnił palce, ale natychmiast zacisnął ponownie na prętach wezgłowia.

– Tak?

– Tak.

Puściłam członek i zaczęłam pieścić sutki. Uwielbiałam, gdy twardniały pod dotykiem moich palców. Lubiłam też, gdy członek ocierał się o moje podbrzusze.

– Nie mogę cię dotykać – narzekał James.

– Powiem, kiedy będzie ci wolno.

Powiedziałam to bez cienia złości. Nie chodziło o dominację, po prostu postanowiłam bardziej kontrolować tę sferę wspólnego życia. Przez dwa miesiące dwóch mężczyzn robiło, czego tylko zapragnęłam. To był dar, który przyjęłam, bo mi się należał. Miałam prawo do rozkoszy i zaspokojenia. Teraz musiałam zadowolić się Jamesem. Tak jakbym zamiast pudełka ulubionych czekoladek dostała kilka lizaków.

– Rozepnij włosy, chcę je czuć na ciele – wyszeptał James.

Zdjęłam spinkę. Potrząsnęłam głową i rozczesałam palcami poskręcane pukle. Moja duma i zarazem utrapienie.

– Wyglądasz bardzo wojowniczo, gdy tak robisz. Jak Amazonka.

– Naprawdę?

– Tak, groźna wojowniczka.

Jeszcze nigdy tak się nie czułam, nigdy też tak o sobie nie pomyślałam.

– Czy to cię podnieca? – zapytałam, przeczesując włosy.

Poruszył udami.

– A co, nie widać?

Spojrzałam na wyprężony członek. Zaczęłam masować. James aż syknął z rozkoszy.

– A może powinnam pójść po swoją włócznię? – mruknęłam, nie przerywając masażu.

Miło było zobaczyć, jak się uśmiecha. Miło było cieszyć się sobą. Często uprawialiśmy seks, ale prawie nigdy nie doznaliśmy tak silnej psychicznej więzi, takiego zespolenia.

– Jeśli tylko chcesz.

– Chyba zaniosłam ją do czyszczenia. – Posuwałam dłonią po członku. W górę, w dół. Stwardniał jeszcze bardziej. Był niewiarygodnie twardy.

– Czy mogę już puścić wezgłowie?

Spojrzałam na niego ostro.

– Nie.

Potrzebowałam czasu, by na nowo nauczyć się jego ciała. Chciałam zdusić wspomnienia o innym mężczyźnie i doznaniach, których zakosztował również James. Nie zamierzałam go męczyć ani torturować, ale nie przeczę, dominacja bardzo mi się spodobała. Triumfowałam, słysząc, jak pojękuje, gdy biorę jego członek w usta albo głaszczę.

Był grzeczny. Nie puścił łóżka nawet w chwili, gdy doprowadziłam go na skraj orgazmu i nagle przestałam pieścić. Potem znów to zrobiłam. Nie puścił wezgłowia, gdy napiął wszystkie mięśnie, a ja ssałam i ściskałam. Ani wtedy, gdy odsunęłam się i dosiadłam go, masturbując się.

W końcu i ja dotarłam do granic wytrzymałości. Torturując go, zaczęłam przeżywać męki niespełnienia. Nagle staliśmy się sobie bliżsi. Tak jakbyśmy nie poznali smutku ani złości.

– Teraz możesz puścić – zgodziłam się łaskawie.

Dotknął mnie. To było stare, ale jednocześnie zupełnie nowe uczucie. Znajome i obce. Czułam, jakbyśmy wrócili do siebie po latach rozłąki. Jakbyśmy odnaleźli w małżeństwie to, czego wcześniej brakowało.

Później, już po wszystkim, odsunęłam się i położyłam obok. Przekręciłam się na bok, by lepiej go widzieć.

– Mogłabym bez końca patrzeć w twoje oczy.

James ziewnął, co lekko popsuło nastrój.

– Jakież to romantyczne.

– Wcale nie. To prawda. Są niesamowite. Mam nadzieję, że dzieci będą miały twoje oczy.

Spojrzał na mnie, pogłaskał po włosach.

– A ja mam nadzieję, że będą miały takie włosy.

– Lepiej nie. Trudno rozczesać i ułożyć. No i nie jestem pewna, czy marzę o bandzie wojowników biegających po całym domu.

– No to może przynajmniej odziedziczą kolor. Banda wojowników o kasztanowych włosach, w odcieniu zachodu słońca.

– Zachodu słońca? – To było bardzo miłe i musiałam się uśmiechnąć.

Znowu ziewnął.

– No. Złoty z rudym. Jak piękny zachód słońca.

– Załatwione. – Wtuliłam się w poduszkę, zarzuciłam mu nogę na biodra. – Będą miały twoje oczy i moje włosy.

– I moje wyczucie stylu.

Roześmiałam się.

– Jakie wyczucie stylu?

– No co?! – Prawie się obraził. – Przecież ładnie myję naczynia.

– Owszem – przyznałam, głaszcząc go po policzku. – Bardzo ładnie.

Pocałował mnie.

– Nie mogę się doczekać bandy małych Jamesików ganiających po domu.

– Jamie, muszę się do czegoś przyznać.

Zapadał w sen, ale nagły napad szczerości nie pozwolił mi milczeć. Nie umiałam czekać z tym do rana. Przykryłam nas kołdrą, otuliłam po bokach.

Leżeliśmy jak w kokonie. Czekał na moje wyznanie. Widziałam, że jest przejęty.

– Przestałam brać zastrzyki antykoncepcyjne.

– Wiem.

Pokręciłam głową.

– Dopiero kilka tygodni temu.

– Nie rozumiem. – Zmarszczył brwi. – Myślałem, że przestałaś...

– Przestałam, ale nie powiedziałam kiedy. Gdy o tym rozmawialiśmy, trochę minęłam się z prawdą. Przestraszyłam się, a potem, sam wiesz, wszystko stanęło na głowie. Nie przyznałam się, że jednak zdecydowałam się na zastrzyk.

– Pozwoliłaś mi myśleć, że możesz zajść w ciążę. Okłamałaś mnie?

Nie wiedziałam, czy jest zły, czy tylko urażony. A może jedno i drugie.

– Przepraszam. Nie byłam wtedy gotowa na dziecko.

– Dlaczego mi tego po prostu nie powiedziałaś?

– Byłeś taki przejęty, gadałeś o dziecku, a ja... Nie byłam gotowa. Nawet nie wiem, czy w ogóle uda mi się zajść w ciążę. Gdybyśmy nie spróbowali, przynajmniej nie miałabym poczucia winy, że cię zawiodłam.

– Nie powinnaś czuć się winna, kochanie.

– Głupia jestem.

– Przecież lekarze powiedzieli, że operacja się udała i nie powinnaś mieć kłopotu z zajściem w ciążę.

– Wiem, ale... jest jeszcze coś.

Opowiedziałam mu wszystko. O Michaelu. O nienarodzonym dziecku, którego tak bardzo nie chciałam. I o tym, jak podle się potem czułam, chociaż nie usunęłam ciąży, tylko poroniłam.

Wysłuchał mnie, nie przerywając. Myślałam, że się rozpłaczę, ale miałam suche oczy. Potrafiłam spojrzeć na wszystko z dystansu. Wspomnienia bolały coraz mniej.

Opowiedziałam o tym strasznym dniu, kiedy ojciec prawie nas utopił. O tym, co działo się po odejściu matki. Opowiedziałam, jak bardzo czułam się odpowiedzialna za rodzinę, jak starałam się, żeby wszystko było w porządku. Jak bardzo dbałam, by nikt nie zajrzał pod powierzchnię i zobaczył, jacy jesteśmy naprawdę. Chciałam, by zrozumiał, dlaczego często śnię, że tonę.

Opowiedziałam też o moim dążeniu do doskonałości, chociaż nie do końca wiedziałam, na ile pragnienie perfekcji utrudnia mi życie.

Mówiłam długo. Z nadejściem nocy w pokoju zrobiło się chłodniej, ale w naszym kokonie było ciepło.

– Przepraszam cię – powiedziałam na koniec. – Miałam wrażenie, że cały czas cię okłamuję. Nie chciałam dłużej tak żyć. Szczerość to dobry fundament budowania związku.

Przytulił mnie mocno, pogłaskał po głowie. Przez długi czas nic nie mówił i zastanawiałam się, czy w ogóle coś powie. Gdy w końcu się odezwał, brzmiał jak dawny James, pewny siebie i naszego związku.

– Nie musisz być doskonała, Anne. Nigdy tego nie chciałem. Pragnę, byś była ze mną szczęśliwa.

– Boję się być szczęśliwa. Szczęście jest, a potem... ucieknie.

– Ja nigdy nie ucieknę – powiedział na koniec.

Uwierzyłam mu.

Planowaliśmy dłużej pospać, ale rano obudził nas telefon. James warknął i przykrył głowę poduszką.

Nadal półprzytomna, spojrzałam na wyświetlacz. Patricia. Jęknęłam, wkurzona, i zrobiłam to samo co on.

Usłyszałam kliknięcie sekretarki automatycznej. Patricia nie zostawiła żadnej wiadomości. Już zaczynałam drzemać, gdy telefon znowu zadzwonił. Tym razem przeklęłam ostro, co rozśmieszyło Jamesa.

– Lepiej, żebyś miała dobry powód – zachrypiałam w słuchawkę.

– Anne? – Drżący głos Patricii od razu mnie zirytował.

– Pats, jest cholernie wcześnie. Co się dzieje?

– Chodzi o... – Patricia wybuchła płaczem.

Od razu usiadłam.

– Pats, co się stało? Uspokój się i powiedz, co się stało.

– Sean został aresztowany.

ROZDZIAŁ OSIEMNASTY

Spotkaliśmy się w domu Patricii, bo nie miała z kim zostawić dzieci. Mama i Mary zaparzyły kawę i zaczęły robić kanapki. Claire, która wyrzucała z siebie litanie bluzgów pod adresem Seana i jego ostatnich dokonań, została wysłana na górę, by zabawiać Callie i Tristana. Ojciec łaził po całej kuchni w tę i z powrotem, grając wszystkim na nerwach. James i ja siedzieliśmy przy stole z Patricią, która wyglądała na kompletnie załamaną.

– Wiedziałam, że jest źle, ale nie spodziewałam się aż takiej katastrofy. – Patricia grzebała w stosie rachunków, wezwań do zapłaty, upomnień z banku, które chyba już znała na pamięć. – Co mam teraz zrobić?

– Napij się kawy. – Mama podała jej kubek.

– Nie mogę. Mdli mnie.

Mary podała tonik imbirowy. Patricia piła małymi łyczkami.

– Ma cztery karty kredytowe, o których nie wiedziałam. Wykorzystał cały limit co do grosza. Kolejne dwadzieścia tysięcy dolarów i... to jeszcze nie wszystko...

– Oddychaj głęboko – poradziłam, gdy załkała. – Wszystko się wyjaśni.

Okazało się, że Sean został aresztowany za handel narkotykami. Był tak zadłużony, że poprosił „przyjaciela" z wyścigów, by pomógł mu zarobić „szybką kasę". Ten przyjaciel, kompletny idiota, polecił Seana facetowi, który zlecił mu dostarczenie kilku paczek. Sean, znęcony szybkim zarobkiem, zgodził się i został złapany z czterdziestoma torebkami najlepszej jakości marihuany. Trafił do aresztu.

To była jego wersja wydarzeń. Opowiadając ją, Patricia łkała histerycznie. Kochany mąż zapomniał powiedzieć, że nie tylko przepuścił na wyścigach wszystkie oszczędności, lecz także od sześciu miesięcy nie spłacał kredytu hipotecznego. Poprosił bank o przesyłanie wyciągów do pracy, żeby nie dowiedziała się o niczym. Wykorzystał także debet gotówkowy z domowej karty kredytowej. W dodatku Patricia odkryła istnienie dodatkowych czterech kart kredytowych, gdy przeszukała jego aktówkę.

– Powiedział, że wychodzimy na prostą – mówiła Patricia. – Kłamał, że chodzi do psychologa, płaci wszystkie rachunki. Sprawdziłam w komputerze! Były zapłacone! – Znowu zaczęła płakać. – Pobierał gotówkę z kart kredytowych, by spłacać bieżące zobowiązania, żonglował debetami, otwierał nowe rachunki i brał nowe karty, gdy wyczyścił stare.

Poczułam się trochę lepiej, widząc, że zamiast dalej pogrążać się w rozpaczy, zaczyna być wściekła.

– Wszystko załatwimy, Pats, ale z głową i po kolei, dobrze? Najpierw musimy dowiedzieć się, ile wynosi kaucja, żeby wyciągnąć go z aresztu.

– Albo lepiej zostawmy go tam, niech zgnije – oświadczyła Mary.

– Bank chce na początek półtora tysiąca dolarów – odpowiedziała Patricia. – To były ich pierwsze słowa. Sprawdziłam konto oszczędnościowe, chociaż wiedziałam, że nie ma tam zbyt wiele. Powoli odkładaliśmy kilka groszy z każdej wypłaty, gdy przestał grać na wyścigach. Konto jest puste...

Sean tylko udawał, że przestał grać, pomyślałam. Tymczasem brał nowe karty i wydawał wszystkie pieniądze na wyścigach. Dobrze, że ci debile, którzy udzielali mu kredytu, przynajmniej wyznaczali limit.

– Sprawdziłam, czy można wykorzystać czeki, które dołączają do kart kredytowych – ciągnęła Patricia. – Powiedzieli, że jeśli to zrobię, naliczą odsetki. W zamian zaproponowali podwyższenie limitu na karcie! Bo przecież jesteśmy takimi dobrymi klientami. Wyobrażacie sobie? Przez ostatni rok karty były wyczyszczone prawie do zera, spłacaliśmy tylko kwotę minimalną, a oni zaproponowali podwyższenie limitu!

– Zrobią wszystko, żeby klient wydawał pieniądze – zauważyła matka. – Nieważne, czy będziecie spłacać, czy nie. Jeśli wam się nie uda, po prostu obciążą was odsetkami.

– Zrozumiałam, że nie możemy opierać budżetu domowego na kartach kredytowych. Ależ byłam głupia!

– Przestań się obwiniać. Przecież to Sean cały czas cię oszukiwał.

– Wiedziałam, że mamy problemy, ale bałam się całej prawdy. Tak bardzo chciałam mu zaufać.

– To chyba zrozumiałe. Nikt nie przypuszczał, że aż tak się pogrążył – stwierdziła Mary.

– Nie wiem, co robić – zawodziła Patricia.

Dodawaliśmy jej otuchy i zastanawialiśmy się, jak pomóc. Ojciec cały czas krążył po kuchni. W końcu wziął kluczyki do samochodu ze stołu. Mama i ja ruszyłyśmy za nim do wyjścia.

– Co zamierzacie? – zapytałam.

Odwrócili się jednocześnie.

– Muszę na chwilę wyjść. Niedługo wrócę.

Mama skinęła głową, nadstawiając policzek do pocałunku, ja się obruszyłam.

– Tato, Patricia cię teraz potrzebuje.

– Wcale nie – odparł.

– Powinieneś ją wspierać, pocieszać – stwierdziłam spokojnym tonem. – Zdenerwowałeś się i co? Pójdziesz się narąbać? Będziemy się martwić, gdzie jesteś i kiedy wrócisz do domu. Mało mamy kłopotów?

Rodzice dosłownie zamarli. Mama skrzywiła się, a ojciec miał taki wyraz twarzy, jakby nie wierzył w to, co usłyszał. Ja też nie mogłam uwierzyć.

– Jak mogłaś powiedzieć coś takiego?

– Bo to prawda, tato. Zawsze tak było.

Odwróciłam się na pięcie i zostawiłam ich przy drzwiach wyjściowych. Nie miałam ochoty ani siły przepraszać. Nie chciałam patrzeć, jak wychodzi.

Gdy wróciłam do kuchni, tylko James podniósł głowę. Złapał mnie za rękę. Chyba nigdy wcześniej nie byłam tak bardzo wdzięczna za gest otuchy.

– Ile jesteście dłużni bankom? W sumie? – zapytał.

– Powyżej siedemdziesięciu tysięcy dolarów. – Patricia zwiesiła głowę.

– Jasna cholera! – szepnęła przejęta Mary.

– To więcej niż roczne zarobki Seana. A bez przerwy przekonywał, że nie powinnam iść do pracy.

– Przecież pracujesz. Zajmujesz się domem i dziećmi. To ciężka robota – zauważyłam. – Zresztą nawet gdybyś znalazła zatrudnienie, prawdopodobnie skończyłoby się podobnie. Nie przestałby grać na wyścigach.

– I co ja teraz pocznę? – powtarzała płaczliwie Patricia.

– Zdobędę te pieniądze – oznajmił James.

Spojrzałyśmy na niego. W pierwszej chwili poczułam dumę, ale zaraz potem przyszło zwątpienie. Jego firma, Kinney Designs, przynosiła zyski, ale niewielkie. Większość naszych wolnych środków wracała do firmy i nawet gdybyśmy wyciągnęli wszystkie aktywa, i tak nie wystarczyłoby na spłacenie długów Seana.

– Przecież nie mamy tyle pieniędzy – odparłam.

– Nie, ale mogę zdobyć.

Patricia złapała go za rękę.

– Wszystko ci zwrócimy, James. Wiesz, że oddamy. Spłacimy w ratach, tylko trochę to potrwa.

Poklepał ją po dłoni.

– Będzie dobrze. O szczegółach porozmawiamy później.

Wiedziałam, w jaki sposób James zamierza zdobyć pieniądze. Mógł je pożyczyć tylko od jednego człowieka.

– Ale jak go... – zaczęłam.

– Wiem, gdzie mieszka – wszedł mi w słowo James.

– Kto? – zapytała Patricia.

– Jego przyjaciel Alex – odpowiedziałam za Jamesa.

– Naprawdę? Ma tyle pieniędzy? I pożyczy? – W głosie Patricii zabrzmiała nieśmiała nadzieja.

– Zrobi dla Jamiego wszystko – oświadczyłam, wiedząc, że to prawda.

Gdy James wstał, by wyjść, pochylił się, chcąc mnie pocałować na pożegnanie. W ostatniej chwili nadstawiłam zamiast ust policzek. Udałam, że to przez roztargnienie, bo jestem zbyt zaaferowana kłopotami Pats. Nie udało mi się oszukać ani siebie, ani Jamesa.

Ojciec nie wrócił. James wrócił na krótko, z czekiem na kaucję za Seana. Zapewnił, że jak tylko otworzą banki w poniedziałek, dostarczy całą kwotę potrzebną na pokrycie długu. Chyba był zadowolony, że pojedzie z Patricią po Seana. Nie czuł się dobrze w atmosferze ogólnego przygnębienia.

Dzieci zostały zagonione do łóżek jeszcze przed powrotem Patricii, Seana i Jamesa. Mama postawiła na stole kanapki. Claire zasnęła, przegrywając walkę z rozszalałymi hormonami, a Mary wyszła do ogródka porozmawiać przez telefon.

Nie byłam głodna, ale poczęstowałam się kanapką. Mama pogryzała precle i piła kawę, spoglądając co jakiś czas na zegar.

– Odwiozę cię do domu, mamo.

– Ojciec zaraz po mnie przyjedzie.

– No to Claire was odwiezie.

– Claire zostaje tutaj na kilka dni, by pomóc przy dzieciach – odparła matka.

– To odwiezie was Mary albo ja – powiedziałam stanowczo. – Nie wsiądziesz do samochodu kierowanego przez ojca.

– Anne – powiedziała matka zimnym tonem. – Uważam, że to moja sprawa, z kim pojadę. Chyba mogę samodzielnie podejmować decyzje.

– Nie, jeśli zamierzasz zrobić coś głupiego! – warknęłam ostro. – Masz szczęście, że do tej pory nikogo nie zabił ani nie potrącił!

– Uważaj, co mówisz!

– Jestem dorosła, mamo, i wiem, że mam rację.

Przez chwilę milczała. Patrzyła w udawanym skupieniu na kubek z kawą.

– Ojciec sobie poradzi.

– Posłuchaj. Niech robi, co chce w domu albo w barze. Tylko dlaczego siada po pijaku za kierownicę? To głupota i kompletny brak odpowiedzialności. Chce zapić się na śmierć, jego sprawa. Tylko że stanowi zagrożenie dla innych. Nie przejmujesz się tym? Kiedy się napije, staje się nieostrożny, traci zdrowy rozsądek. W dodatku nigdy nie chce powiedzieć, ile w siebie wlał. Skoro ma odwagę chlać, powinien też mieć odwagę przyznać się do tego.

Matka wyglądała na mocno urażoną.

– Twój ojciec...

Podniosłam rękę, dając do zrozumienia, że nie mam ochoty wysłuchiwać jej argumentów.

– Mamo. Oszczędź mi tych naciąganych historyjek, dobrze? Jeśli chcesz udawać, że nie mam racji, twoja sprawa. Nie zamierzam cię słuchać. Wciąż śnię, że tonę, nie uwolniłam się od tego koszmaru.

– O czym ty mówisz?

Westchnęłam głośno i opowiedziałam jej, co wydarzyło się na jeziorze. Słuchała w skupieniu, co chwila zaciskała palce na kubku z kawą.

– Nic nie wiedziałam – przyznała. – Nie zdawałam sobie sprawy, że to było...

– Poważne zagrożenie? – Wzruszyłam ramionami.

– Nie powiedziałaś mi.

– Przecież odeszłaś. A gdy wróciłaś, z ojcem było trochę lepiej, prawda? Oczywiście nadal pił, miał napady depresji, zapominał o przedstawieniach szkolnych i urodzinach. No i znikał, kiedy był potrzebny.

– Anne...

Tak, byłam rozgoryczona, ale nie żałowałam tych słów, chociaż narastało we mnie poczucie winy.

– Mam nadzieję, że to było tego warte.

– Nawet nie wiesz...

– Claire powiedziała mi, że tamtego lata odeszłaś do innego mężczyzny. Czy to prawda?

Matka uniosła brodę.

– Claire nie umie trzymać języka za zębami.

– Czy to prawda?

– Tak.

Westchnęłam i spuściłam głowę.

– Myślałam, że gdybym ci opowiedziała o tacie i żaglówce, zostałabyś z nami. Zostałabyś?

– Może...

Zamilkła. Spojrzałam na nią i zobaczyłam siebie za dwadzieścia lat. Miałam nadzieję, że nie będę tak smutna i przegrana.

– Zakochałam się w innym – wyznała. – Nie muszę się tłumaczyć, ale co tam. Ojciec był zawsze trudny we współżyciu. Pracował na rodzinę, ale miewał zmienne nastroje. Był albo przesadnie wesoły, albo bardzo ponury, w dodatku zaborczy i zazdrosny. Podejrzewał mnie o romans już podczas miesiąca miodowego.

Powstrzymałam się od zadania pytania, czy słusznie.

– Barry'ego poznałam na kręgielni. Uczył mnie grać. Był przyjacielem ojca, a co ciekawe, jedynym facetem, o którego ojciec nie był zazdrosny.

– Miałaś z nim romans?

– Po prostu się stało. Zakochałam się.

– Odeszłaś do niego, a nas zostawiłaś z ojcem?

– Nie wiedziałam, jak ułoży się z Barrym. Musiałam przez jakiś czas pobyć sama, żeby wszystko przemyśleć. Macierzyństwo nie sprawia, że podejmujesz wyłącznie dobre decyzje. Popełniałam błędy. I tak jak się obawiałam, nie ułożyło się. Za bardzo kochałam ojca, by się z nim rozstać. Uważasz, że powinnam zabrać dzieci do kochanka, co do którego miałam tyle wątpliwości?

– Zostawiłaś nas! – zawołałam. – A tata pił całe lato! Bez przerwy groził, że wypcha kieszenie kamieniami i wypłynie na środek jeziora, żeby się utopić, albo że się zastrzeli!

– Tak mi przykro – wyznała matka. – Przepraszam. Nie wiedziałam, że było tak źle. Chyba powinnam was wtedy zabrać.

– Dlaczego wróciłaś? To w końcu kochałaś Barry'ego czy nie?

– Kochałam. Równie mocno jak ojca, ale inaczej. Przy Barrym byłam inną osobą. Kobietą, która nie miała czterech córek i nieciekawej przeszłości. Pozwolił mi być taką, ale w końcu... okazało się, że wcale tego nie chcę.

Zrobiło mi się głupio, że przez tyle lat nie doceniałam matki. Była inteligentna i na pewno bardziej oczytana, niż mi się wydawało.

– Czy kiedykolwiek żałowałaś, że wróciłaś? Czy nie zastanawiałaś się, że wszystko mogłoby być inaczej?

– Oczywiście, że o tym myślałam. Dokonałam wyboru świadomie, nie pozwoliłam, żeby marzenia zniszczyły to, co z takim trudem budowałam.

Skinęłam głową i skupiłam wzrok na stole.

– Przepraszam, mamo.

– Za co?

– Że nie byłam lepszą córką.

– Och, Anne. – Matka się roześmiała. – Nie wiesz, że dla mnie zawsze byłaś doskonała? Wszystkie jesteście dobrymi córkami.

Objęła mnie. Popłakałyśmy chwilę, wtulone w siebie. Obudziłyśmy Claire, która wpadła do kuchni, trąc zaczerwienione oczy.

– Co tu się, do cholery, dzieje?

– Mama uważa, że jestem doskonałą córką.

– Pieprz się, dziwko. To ja jestem doskonała – odparła Claire.

Mama westchnęła.

– Claire, na miłość boską. Co to za język? Nie mów tak do siostry.

Roześmiałyśmy się i przeszły do wulgarnych gestów. Mama była w mniejszości i mogła jedynie kręcić głową i cmokać z niezadowolenia.

– Jesteście doskonałymi wrzodami na tyłku – skomentowała w końcu.

I to mi w zupełności wystarczało.

Dzięki zaangażowaniu Jamesa i pieniądzom Alexa wszystko dobrze się skończyło. Udział w rozwiązaniu kłopotów Patricii miał jednak też przykre konsekwencje. Obiecałam i ofiarowałam szczerość, w zamian dostałam kłamstwa.

James nie tyle okłamał mnie, ile przemilczał prawdę. Pozwolił mi wierzyć, że Alex wyjechał, zniknął z naszego życia. No tak, właściwie tylko z mojego.

Burze, które od kilku dni zapowiadano, wisiały nad nami przez cały weekend i poniedziałek. Stałam na patio i obserwowałam kłębiące się i ciemniejące chmury. Wiatr szarpał rozpuszczonymi włosami, których nie zamierzałam wiązać.

Chciałam być wojowniczką.

James wrócił z pracy, gdy z nieba zaczęły spadać pierwsze krople deszczu. Rozbijały się z miłym pluskiem o deski patio. Nie odwróciłam się, żeby przywitać męża. Obciągnęłam rękawy bawełnianej bluzy sportowej i skrzyżowałam ramiona.

– Powinieneś był mi powiedzieć – odezwałam się, gdy usłyszałam kroki w progu.

– Poprosiłaś, by się wyprowadził. Posłuchał. Skąd mogłem wiedzieć, że interesuje cię, co się z nim dzieje? Myślałem, że zależy ci, by jak najszybciej się wyniósł.

– Tobie na tym nie zależało.

– Chyba nie. Gdybym uważał, że jeszcze trochę wytrzymasz, nie mam na myśli naszych orgietek, tobym ci powiedział...

Odwróciłam się na pięcie.

– Pieprz się!

– Anne...

Wymierzyłam w niego palec.

– Nie! Zamknij się i słuchaj! Pieprz się! Mówisz o tym, jakby to było jakieś głupstwo. Orgietki...

– Nie to miałem na myśli!

– A co? Och, ta głupia Anne zupełnie się pogubiła. Może nawet zadurzyła się w Aleksie, a przecież chodziło tylko o „orgietki". Kiedy przestała sobie radzić z uczuciami, zmusiła Alexa do wyprowadzki. Miałaby się interesować jego losem? Niby dlaczego? Zatem nadal spotykałeś się z nim? Za moimi plecami? I jak wy się, chłopcy, zabawialiście, co? Paliliście trawkę i graliście w gry wideo? Czy oglądaliście razem pornosy i waliliście sobie konia? Ach, chwileczkę. Prawie bym zapomniała. Nie jesteś przecież ciotą!

Deszcz powoli przybierał na sile.

– Nie chciałem cię po prostu denerwować, to wszystko!

Miałam ochotę nim potrząsnąć, wrzeszczeć, płakać.

– Przyszedł do naszego domu, łóżka i pieprzył się z naszym małżeństwem...

– Alex nie pieprzył się z naszym małżeństwem!

– Masz absolutną rację! To ty pieprzyłeś nasze małżeństwo!

Podniósł palec w geście oskarżenia, ale zaraz opuścił.

– Widzę, że już mnie oceniłaś. Cokolwiek powiem, nie zmienisz zdania. Lepiej skończmy tę dyskusję.

Wiatr był coraz silniejszy i chłodniejszy. Zacisnęłam zęby, żeby powstrzymać szczękanie, i wycedziłam:

– To wszystko przez ciebie! To twoja wina!

– Ty też tego chciałaś – odburknął. – Widziałem, jak na niego patrzysz. Rozbierałaś go wzrokiem! Myślisz, że jestem ślepy?

– No i co z tego? Dałeś mi go, żeby sam po mnie nie sięgnął?

Nie odpowiedział.

– Nie jestem twoją własnością, nie masz prawa nikomu mnie oferować! – krzyczałam, zbliżając się do niego. – Nie jestem księżniczką z gry komputerowej!

– Chciałaś tego! – wrzasnął. – Do cholery, Anne! Pragnęłaś go!

– A dlaczego ty też tego chciałeś? – zapytałam. – Odpowiedz, tylko szczerze.

Odwrócił się i oparł o barierkę. Spuścił głowę. Krople deszczu wpadały mu za kołnierz dżinsowej kurtki.

– Nie wiem, co odpowiedzieć.

– Prawdę.

Byliśmy wściekli, żadne nie chciało ustąpić. Odetchnęłam głęboko, ale i tak czułam się, jakby brakowało mi powietrza. James stanął przede mną. Krople deszczu spływały mu po policzkach.

– Powinienem był ci powiedzieć, że się z nim spotykam – przyznał w końcu. – Ale, do cholery, Anne. Nie bzykamy się ani nic takiego. Wypijamy kilka piw, czasem pogramy w bilard. Jesteśmy przyjaciółmi. To wszystko.

– Dlaczego to ukrywałeś? Dlaczego pozwoliłeś mi myśleć, że wyjechał?

– Mogłaś zapytać.

– Nie wiedziałam, że muszę pytać o takie rzeczy.

– Sądziłem, że wcale się tym nie interesujesz.

Nie powinnam się dziwić, że mógł tak pomyśleć. Znał mnie chyba lepiej, niż mi się wydawało.

– Wcale nie poprosiłam, by się wyprowadził.

James zastygł bez ruchu.

– Co? – zapytał zdziwiony.

– Nie powiedziałam mu, żeby się wyprowadził – powtórzyłam. – Chciałam, żeby został. Nawet go o to prosiłam.

James pokręcił głową. Oparł się o futrynę.

– Przecież powiedziałaś, że...

– I co z tego? Chcę tylko wiedzieć, dlaczego nie byłeś ze mną szczery.

– Jasne, za to ty byłaś ostatnio szczera jak jasna cholera! Powinnaś powiedzieć o zastrzyku antykoncepcyjnym! Być może wszystko potoczyłoby się inaczej.

Ledwie to powiedział, zacisnął usta. Za późno. Przetarłam mokre od deszczu oczy. Chciałam wyraźnie widzieć każde drgnięcie mięśni na twarzy Jamesa.

– Na przykład co?

– Nieważne. Zapomnijmy o wszystkim. Oboje sporo spieprzyliśmy.

– James – zaczęłam głosem bezlitosnej wojowniczki – gdybyś wiedział, że jestem po zastrzyku i nie mogę zajść w ciążę, zmieniłbyś zasady, tak?

Wykonał ruch, jakby chciał mnie odepchnąć, ale ramiona zawisły bezradnie w powietrzu. Nie poruszyłam się.

– Pozwoliłbyś mu mnie posuwać, tak?

– Nie chcę o tym dyskutować.

– James! Pozwoliłbyś?

– Nie wiem! – krzyknął. – I tak nie mam pewności, że się z nim nie bzykałaś. Co robiliście, kiedy wychodziłem do pracy? Skąd mam wiedzieć, czy nie poszliście na całość?

– Nie poszliśmy, bo cię kocham! – wykrzyczałam ze łzami w oczach. – Bo powiedziałeś, że tego nam nie wolno. Za bardzo cię kochamy, żeby skrzywdzić! Jak sądzisz, dlaczego się wyprowadził? Dlaczego na to pozwoliłam? Bo kochamy ciebie, ale ja kocham też Alexa. Co za koszmarny bałagan. Miesza mi się od tego w głowie!

Krzyczałam, ale dobrze wiedziałam, że nie jestem bez winy. Nie mogłam dłużej patrzeć na Jamesa. Uciekłam do ogródka. Poślizgnęłam się na mokrej trawie, wstałam i pobiegłam nad jezioro. Dostrzegłam błyskawicę na niebie, usłyszałam odległy odgłos grzmotu.

Zaczęłam brodzić przy brzegu. Woda, zbyt zimna jak na sierpień, sięgała kolan. Pochyliłam się i obmyłam twarz z łez.

Przypomniałam sobie, jak ojciec groził, że wypcha kieszenie kamieniami, by szybciej pójść na dno. Przerażały mnie te gadki. Wyobrażałam sobie, jak unosi się na wodzie, z zakrwawioną twarzą, nadjedzoną przez ryby i ptaki. W niektórych koszmarach ginęłam ja, nie ojciec. Kiedy dorosłam, zrozumiałam, że ojciec okrutnie nami manipulował, by skupić na sobie uwagę, ale nadal śniłam ten sam koszmar.

– Anne! – Przez szum wiatru dobiegł mnie krzyk Jamesa.

Nie odwróciłam się. Znowu zawołał. Podniosłam twarz. Padał zimny deszcz.

– Anne! Wyłaź stamtąd!

Błyskawica. Grzmot. Nie groziło mi, że się utopię, z pewnością nie w wodzie sięgającej kolan. Nie powinnam natomiast wchodzić do jeziora podczas burzy, która z każdą chwilą przybierała na sile. Odwróciłam się do niego.

Nigdy nie kochałam Jamesa desperacko. Zawsze z odrobiną rezerwy. To był rodzaj samoobrony, bo bałam się, że gdy go stracę, utracę też cząstkę siebie.

Zeskoczył z patio, przebiegł przez ogródek na plażę. Usłyszałam plusk wody. Po chwili złapał mnie za rękę.

– Wyłaź z wody! Co ty wyprawiasz? Zwariowałaś?

– Nie – odpowiedziałam, ale nie usłyszał mnie.

Wyciągnął mnie na brzeg.

– Chodź do domu!

Ruszyłam, ale nogi miałam jak z waty. Wszystko mnie bolało. Potknęłam się, fala musnęła mnie delikatnie. James wziął mnie na ręce, gdy niebo rozświetliła kolejna błyskawica. Grzmoty rozlegały się jeden po drugim. Powietrze było naładowane elektrycznością. Szczękałam zębami.

Postawił mnie i pociągnął na brzeg. Weszliśmy do domu przy wtórze błyskawic i grzmotów. James zatrzasnął drzwi. Patrzyliśmy na siebie w milczeniu, ociekając wodą. Znów dzwoniłam zębami, było mi coraz zimniej.

Zgasło światło. Po chwili znowu się zapaliło. Sekundę później zapadła ciemność, już na dobre. Następna błyskawica rozjaśniła kuchnię. Żadne z nas się nie poruszyło.

Tak rzadko zdarzało nam się ostatnio siedzieć w absolutnej ciemności. Nawet w bezksiężycowe noce widzieliśmy w mroku podświetloną tarczę budzika. Teraz nie było na czym skupić wzroku. Znajoma przestrzeń stała się obca, w dodatku pełna pułapek.

Usłyszałam skrzypienie otwieranej szuflady. James znalazł latarkę z akumulatorkiem, który ładowało się bez użycia prądu.

– Chodźmy się wysuszyć. – Wziął mnie za rękę.

W sypialni dudnienie kropel o dach wydawało się jeszcze głośniejsze. James położył latarkę na komódce z szufladami, ja zapaliłam świeczkę o zapachu bzu, który momentalnie wypełnił pokój.

Ściągnęłam bluzę, spodnie i bieliznę, rzuciłam na stos wilgotnej odzieży. Teraz było mi cieplej niż w mokrym ubraniu. Przestałam szczękać zębami. Sutki nadal sterczały, ale przynajmniej pozbyłam się gęsiej skórki. Wzięłam z łazienki ręczniki, rzuciłam jeden Jamesowi.

Wytarłam włosy i przeczesałam palcami. By je ułożyć, musiałabym zużyć mnóstwo odżywki. Lubiłam, gdy opadały mi na plecy. Owinęłam się szczelnie ręcznikiem.

– Zostawisz mnie? – usłyszałam za plecami. Wolałabym, by zapytał o to w całkowitej ciemności, bo wtedy nie widziałabym jego twarzy. Nie chciałam się odwracać, ale gdy wyszeptał moje imię, nie miałam wyjścia.

– Zostawisz mnie? – powtórzył.

– A powinnam?

– Jeśli już mnie nie kochasz, to tak.

– Och, James – odparłam czule. – Przecież cały czas cię kocham.

Zaszlochał i uklęknął przede mną. Wtulił twarz w mój brzuch. Dotknęłam delikatnie jego włosów.

– Przepraszam, Anne – wyszeptał. – Za wszystko. Proszę, wybacz mi.

Nigdy wcześniej nie widziałam, żeby płakał. Tulił mnie tak mocno, że z trudem utrzymywałam równowagę. Zanosił się płaczem, jakby czuł ból. Prawdopodobnie tak było.

Nie mogłam znieść tego cierpienia. Delikatnie go odepchnęłam i uklękłam przed nim. Wtulił twarz w moją szyję. Wciągnęłam jego zapach. Uścisnął mnie tak mocno, że zabrakło mi tchu. Po chwili puścił. Klęczeliśmy wtuleni w siebie, a na zewnątrz szalała burza.

– Kocham cię. – Z jego twarzy bił żar. – Boże, tak bardzo cię kocham, że nie wiem, co zrobiłbym bez ciebie. Nie zostawiaj mnie, Anne. Proszę, powiedz, co mam zrobić, by wszystko naprawić.

Usiadłam na podłodze, James splótł nasze palce, żebym nie mogła się odsunąć. Nie zrobiłabym tego, ale wolałam zachować pewien dystans.

– Nie zostawię cię – powiedziałam.

Nie umiałabym odejść. Wiele czasu poświęciłam na rozmyślania, jak to będzie, gdy pewnego dnia nasza miłość wygaśnie. Nie potrafiłam wyobrazić sobie, co by się ze mną stało. Życie bez Jamesa? Niemożliwe...

– Jeśli chcesz, żebym przestał spotykać się z Alexem, nie ma sprawy. – Głaskał mnie delikatnie po rękach. – Albo... może chcesz, żeby wrócił?

Zakręciło mi się w głowie.

– Nie – odparłam.

James westchnął i opuścił głowę.

– Powiedział to samo co ty. Że ty wszystko zakończyłaś.

– Tak powinnam zrobić.

– Kochasz go? – Spojrzał mi prosto w oczy, gotowy na najgorsze. – Wolałabyś być z nim niż ze mną?

Rozejrzałam się po pachnącej bzami sypialni, oświetlanej co chwilę błyskawicami, złotawym płomykiem świecy i ostrym światłem latarki. Spojrzałam na nasze łóżko, komódkę z szufladami, sekretarzyk, który kiedyś należał do jego babci. To był mój dom. Życie, które razem zbudowaliśmy. Może nie było doskonałe, ale w zupełności wystarczało.

– Raczej nie, James.

Jego śmiech brzmiał bardziej jak jęk.

– Raczej nie? Nie jesteś pewna?

Odpowiedziałam, właściwie nie odpowiadając.

– Przy nim jestem inną osobą niż przy tobie.

Puścił mnie. Wzięłam go za ręce, ucałowałam jego dłonie, przycisnęłam do policzka.

– Kocham cię – powiedziałam. – Mamy życie, o jakim marzyłam, ale zawsze bałam się, że wszystko utracę. Z Alexem było inaczej, bo wiedziałam, że to się szybko skończy. On nigdy nie byłby naprawdę mój, a ty jesteś.

Powinnam się rozpłakać ze wzruszenia, ale nie uroniłam ani jednej łzy. Zamiast tego, pocałowałam go, a on mnie przytulił. Burza na zewnątrz powoli słabła. W naszym domu właśnie się skończyła.

ROZDZIAŁ DZIEWIĘTNASTY

Nadszedł czas, żeby wszystkie kawałki układanki w cudowny sposób wskoczyły na swoje miejsce. Żeby Evelyn wreszcie zrozumiała, że postąpiła niewłaściwie i poprosiła mnie o wybaczenie. Żeby ojciec przestał pić i popadać w dziwacznie nastroje. Żeby matka i siostry uporządkowały swoje sprawy. Żeby Alex zniknął raz na zawsze, bym mogła wieść spokojne i szczęśliwe życie u boku Jamesa w domku z ogródkiem i białym płotem, psem i dwójką albo trójką dzieci.

Oczywiście nic takiego się nie wydarzyło.

Coś jednak się zmieniło, wewnątrz mnie. Przestałam wierzyć, że potrafię wszystko naprawić. Nie musiałam być aniołem stróżem, który pilnuje i uszczęśliwia bliźnich. Radzili sobie nieźle bez mojej pomocy.

Lato, które zapowiadało się na wyjątkowo długie i słoneczne, niepostrzeżenie zmieniło się w jesień. Drzewa jeszcze nie straciły liści, a już zrobiło się chłodno i pochmurnie. Nie udało mi się uporządkować ogrodu ani posadzić nowych roślin, i miałam z tego powodu wyrzuty sumienia. Postanowiłam temu zaradzić, kupując torbę cebulek kwiatowych i specjalne narzędzie ogrodnicze do sadzenia. Kupiłam rękawiczki i nawóz do roślin, polewaczkę i słomiany kapelusz wiązany pod szyją.

Moje wcześniejsze wysiłki nie poszły na marne. Całe lato spędziliśmy z Jamesem na wyrywaniu wszystkiego z korzeniami, nadszedł czas, by wreszcie coś posadzić.

– Dzwoniła Mary – oznajmiła Claire, podając mi kolejną cebulkę. Przez ostatnie tygodnie brzuch i piersi zaokrągliły się jej jak melony, więc nie bardzo miała ochotę schylać się nad grządkami. Usiadła w chłodnym jesiennym słońcu i przyglądała się, jak pracuję.

Mary dzwoniła także do mnie. Nic dziwnego, biorąc pod uwagę, że była wielbicielką telefonii komórkowej. Mruknęłam coś pod nosem i wróciłam do sadzenia.

– Wszystko u niej dobrze – opowiadała Claire, jakbym nie wiedziała. – Powiedziała, że dobrze jej idzie na uniwerku.

– To świetnie. – Otarłam czoło. Może i było chłodno, ale spociłam się z wysiłku. – A co u Betts?

– Wszystko w porządku. Jadą do domu jej rodziców na Święto Dziękczynienia.

– Święto Dziękczynienia. – Przykucnęłam. – Chyba w tym roku przygotuję świąteczną kolację. Przyjedziesz do nas?

Claire pogłaskała się po brzuchu.

– A nie jedziecie do Kinneyów?

– Nie.

– Zapraszasz ich?
– Nie sądzę.
– To możesz na mnie liczyć. Wolałabym nie wysłuchiwać rad twojej teściowej. Na wszystkim się zna, a najlepiej na dzieciach.
– Co postanowiłaś w sprawie dziecka?
– Zatrzymam je – odpowiedziała po chwili zastanowienia.
Tyle to i ja wiedziałam. Pytałam o co innego.
– A co powiedzieli rodzice?
– Mama mówi zawsze to co ojciec, a on unika tematu.
– No jasne. – Uśmiechnęłam się.
Wzruszyła ramionami.
– Patricia mówi, że mogę u nich mieszkać tak długo, jak zechcę, nawet po porodzie.
– Jak się dogadujecie?
– Świetnie. Odkąd wyrzuciła Seana, jest spokojniejsza, bardziej rozluźniona. Pieniądze od Alexa bardzo w tym pomogły.
Domyślałam się, że Claire zarzuca haczyk, ale nie dałam się złapać.
– Cieszę się – odparłam krótko.
– Dostałam pracę w firmie Alterna. Mają zakładowy żłobek. Niedługo skończę studia, brakuje mi tylko trzech zaliczeń. Jeśli przepracuję dla nich rok, zwrócą mi za czesne.
– Rok to szmat czasu. Wytrzymasz tak długo? – drażniłam się z nią.
Roześmiała się i pokazała mi środkowy palec.
– Przecież nie biorę z nimi ślubu.
Popracowałam jeszcze trochę, aż poczułam ból

w plecach i kolanach. Palce mi zdrętwiały, pot zalewał oczy. Jęknęłam i się przeciągnęłam. Przyjrzałam się efektom pracy.

– Nieźle. – Claire uniosła kciuki. – Wiosną pięknie zakwitną.

Trudno było dopatrzeć się piękna w zagrabionej ziemi. Jeszcze trudniej wyobrazić sobie, że z wysuszonych cebulek wyrosną piękne kwiaty.

Podniosłyśmy wzrok, gdy dobiegł nas chrzęst kamyków na podjeździe. Spodziewałam się Jamesa, ale zobaczyłam nieznany niebieski samochód.

– To Dean!

Byłam świadkiem, jak Claire z entuzjazmem i uwielbieniem rozprawia o gwiazdach kina czy rocka. Nigdy jednak nie patrzyła na nikogo tak czule, jak teraz na młodego mężczyznę wysiadającego z samochodu. Miała rozświetloną twarz. Dostrzegłam coś jeszcze – sposób, w jaki położyła dłonie na brzuchu.

Odwróciła głowę w moją stronę.

– Nie obrazisz się, jeśli nie zostanę na kolacji? Nie wiedziałam, że tak wcześnie wróci z pracy.

– Dean? – Uniosłam brwi.

Claire się zarumieniła. Chyba po raz pierwszy w życiu.

– To mój przyjaciel.

– Aha – przytaknęłam z przekąsem.

Szedł w naszą stronę. Wysoki i szczupły, o blond włosach, piegowaty. Ubrany w stylu gotyckim. Niewątpliwie w typie Claire.

– Claire! – zawołał. – Wcześniej dziś skończyłem. Pomyślałem, że może wybrałabyś się na kolację.

Spojrzał na mnie i wyciągnął rękę.

– Cześć, jestem Dean.

– A ja Anne, siostra Claire.

Claire wywróciła oczami.

– No co ty? On wie, kim jesteś. Powiedziałam mu, gdzie będę i jak tu dojechać.

Miał miły uśmiech, podczas którego w kącikach oczu robiły się zmarszczki. Patrzył na moją siostrę jak na najcenniejszy skarb. Od razu go polubiłam.

– Claire miała zostać u nas na kolacji. Jeśli masz ochotę, przyłącz się do nas.

Odpowiedzieli jednocześnie. Dean powiedział „chętnie", a Claire „nie, dzięki". Spojrzeli po sobie i odpowiedzieli ponownie, tym razem zupełnie odwrotnie. Roześmialiśmy się.

– Nie martw się – zwróciłam się do Claire. – Nie przyniosę ci wstydu. Obiecuję. I postaram się, żeby James też był grzeczny.

Prawda była taka, że nie chciałam jeść kolacji sama z mężem. Przy gościach musielibyśmy udawać, że wszystko jest w porządku. Nie jedlibyśmy w posępnym milczeniu, co ostatnio zdarzało się bardzo często. Nie byliśmy źli, tylko smutni. Zastanawialiśmy się, co z nami będzie. Nie umieliśmy nazwać uczuć, które nas łączyły.

Claire się wahała. Poznałam jej poprzednich chłopaków, przynajmniej kilku. Lubiła nas szokować przesadnymi opowieściami o bogatym życiu seksualnym, ale milczała o uczuciach.

– Chętnie zostanę – oznajmił Dean.

Ciekawiło mnie, jak długo się z nim spotykała i jaki facet umawia się z kobietą w ciąży.

– Będzie lasagne i pieczywo czosnkowe.

Claire stęknęła i pomasowała się po brzuchu.

– No tak. Jawne przekupstwo. Dean, ona robi najlepszą lasagne na świecie, a za pieczywo czosnkowe dałabym się pokroić.

– To tylko jeden z moich licznych talentów – wyjaśniłam skromnie.

– No to zostajemy. – Dean się uśmiechnął.

Claire przygryzła wargę, wciąż się wahała. Wreszcie powiedziała:

– No dobrze. Obiecaj, że ani razu nie zapytasz Anne o moje dzieciństwo. I nie ma mowy o oglądaniu starych zdjęć, zgoda?

Zrobiła groźną minę, ale nie przejęliśmy się zbytnio.

– Przysięgam – odparł Dean, unosząc dwa palce.

– Anne?

– Nie patrz tak na mnie – odparłam niewinnym głosem. – Ja nawet nie znam żadnych wstydliwych historyjek z twojego dzieciństwa. Chyba że wspomnę, jak...

– Anne!

– Spokojnie, siostrzyczko. Twoje sekrety są bezpieczne.

Już miała pokazać mi środkowy palec, ale przypomniała sobie o Deanie i tylko potrząsnęła pięścią. Ciekawe.

– Wezmę szybki prysznic, a wy zróbcie sobie coś do picia i włączcie telewizor, jeśli macie ochotę.

Pod prysznicem spędziłam więcej czasu, niż planowałam. Gorąca woda przynosiła ukojenie, mogłabym tak stać bez końca. Rozluźniła spięte mięśnie ramion, odcięła mnie od zewnętrznego świata. Gdy skończyłam, łazienka wyglądała jak sauna.

– Hej.

Powitanie Jamesa zaskoczyło mnie tak bardzo, że w progu uderzyłam łokciem w futrynę. Owinęłam się ręcznikiem. Musiał wrócić przed sekundą, bo jeszcze nie zdążył się przebrać.

– Cześć – odpowiedziałam.

Spoglądaliśmy na siebie przez chwilę, potem sięgnęłam do szuflady po bieliznę. James rozebrał się i wrzucił ubranie do kosza z brudami. Zerkałam na niego spod oka.

Nie zmienił się podczas tego lata. Był trochę smuklejszy, bardziej opalony dzięki pracy na powietrzu. To wciąż ten mężczyzna, którego kochałam i pożądałam zaledwie kilka miesięcy temu. Tak samo się poruszał, pachniał, mówił. Oboje byliśmy tacy sami. Kiedy obserwowałam go podczas snu, serce przyspieszało, zastanawiałam się, czym zasłużyłam na takie szczęście, za jakie zasługi los podarował mi wspaniałego męża. Teraz poczułam to samo.

– Anne? – James zauważył, że mu się przyglądam.

Otrząsnęłam się, sięgnęłam po ubranie.

– Idziesz pod prysznic? – zapytałam. – Obiad będzie gotowy za pięć minut.

– Tak, muszę się wykąpać.

Czułam jego spojrzenie, gdy kończyłam się ubierać.

– Widziałeś się z Claire i Deanem?

– Tak. Wydaje się miły.

– Też tak uważam.

– To jej chłopak?

– Nie mam pojęcia.

Uśmiechnął się.

– Zapytasz ją?

– Na pewno nie przy nim. Obiecałam, że będę grzeczna. Złożyłam też obietnicę w twoim imieniu.

– Okay, okay. – Podniósł ręce i wycofał się do łazienki. – Też będę grzeczny.

– To dobrze, bo inaczej będziesz miał ze mną do czynienia.

– Hm, ciekawe. Słuchaj... wychłoszczesz mi plecy? – zapytał z błyskiem w oku.

– Chciałbyś. – Uśmiechnęłam się i rzuciłam w niego mokrym ręcznikiem. – Powieś.

Ukłonił się nisko.

– Twoja prośba jest dla mnie rozkazem.

– Czy nie mogło być tak zawsze? – powiedziałam, zanim zdałam sobie sprawę, jak to zabrzmiało.

– Anne...

– Piekarnik się nagrzał, muszę lecieć. – Uśmiechnęłam się, by go uspokoić, ale nadal był spięty. Wycofałam się z pokoju.

Musiałam jeszcze zrobić grzanki i wymieszać sałatę. Claire i Dean chętnie mnie wyręczyli. Nakryłam stół, rozlałam do szklanek mrożoną herbatę. Gdy James wyszedł z łazienki, kolacja stała na stole.

Było miło. Dean okazał się wesołym i otwartym facetem. Podobało mi się, jak traktuje Claire. Przy nim zachowywała się spokojniej, choć wciąż pozostała sobą. Tak jakby pomógł jej odnaleźć i wydobyć cechy, które do tej pory skrzętnie ukrywała. Dean i James zaczęli rozmawiać o sporcie i męskich gadżetach, o których nie miałyśmy zielonego pojęcia. Właściwie byłam zadowolona, że mogę pomilczeć.

Przekonałam siostrę, by została na kolacji, ale nie dała się namówić na wspólne oglądanie filmu. Odmówiła w typowy dla siebie sposób – po prostu wzniosła oczy do nieba.

– Dean zaprosił mnie do kina.

– Ach, więc jednak masz randkę? – Zajrzałam do gabinetu, gdzie James pokazywał Deanowi kije golfowe. – Spójrz na nich. James i Dean. James Dean.

Znowu pomyślałam o Aleksie.

– Ha, ha, ale śmieszne. – Poklepała mnie po plecach. – Naprawdę dobre.

– Widzisz, jaka jestem mądra?

Poklepywanie zmieniło się w mocne objęcie.

– Wszystko w porządku? – zapytała Claire.

– Tak, jak zwykle. – Uśmiechnęłam się ironicznie.

– Kłamiesz jak z nut.

– Od dawna znasz Deana?

– Od paru lat.

– Co?

Naprawdę czuła się winna. Coś takiego. Jeszcze trochę, a przestanę ją poznawać.

– Dobrze słyszałaś.

– Przecież nigdy...

– Nie chodziłam z nim. – Jej uśmiech zmienił się w lekki grymas. – Nigdy między nami nie iskrzyło, dopiero teraz.

– Czyli teraz iskrzy? – Musiałam zapytać, zyskać pewność. Wiedziałam, że jest dorosła, ale nadal budziła we mnie instynkt opiekuńczy.

– Chyba tak. – Zerknęła na niego. Ten maślany wzrok...

– Cieszę się. Nie przeszkadza mu, że będziesz miała dziecko?

– Nie, odniósł się do sprawy bardzo pozytywnie.

– Claire powiedziała to z dziwnym uśmieszkiem. – Dziecko jest najważniejsze, prawda?

– Jasne, mądralińska.

– Jeszcze nie wychodzę za mąż, przestań tak się szczerzyć.

– Cieszę się, że masz kogoś, z kim jest ci dobrze.

Claire spojrzała na pogrążonych w rozmowie facetów, potem zwróciła się do mnie.

– Chciałabym to samo powiedzieć tobie.

– Poradzimy sobie. Po prostu musimy pokonać kilka trudności.

Przysunęła się bliżej.

– Czy to ma coś wspólnego z jednym takim?

Tym razem to ja wzniosłam oczy do nieba.

– A jak myślisz?

– Myślę, że powinnaś pozwolić, by zniknął z twojego życia, zastanowić się, jak to zrobić. Męczysz się i męczysz Jamesa.

– Uwierz, zdaję sobie z tego sprawę. Pogubiłam się. Mogłabym udawać, że to wina Alexa i Jamesa, ale chodzi o coś więcej.

– Wiesz, Alex powiedział Pats, że nie weźmie odsetek od pożyczki. Umówili się, że będzie spłacała po sto dolarów miesięcznie, dopóki nie wykaraska się z kłopotów finansowych.

– Naprawdę? Co za wielkoduszność. Czy to powinno mi pomóc?

Pokręciła głową.

– No nie. Pamiętasz, jak przyłapałam was w kuchni?

Nie byłam pewna, czy chcę rozmawiać właśnie o tamtym dniu.

– Pamiętam. Co to ma do rzeczy?

– Nigdy wcześniej nie widziałam, żebyś tak na kogoś patrzyła.

A ja byłam pewna, że udało mi się w ogóle na niego nie patrzeć...

– No i?

Wzruszyła ramionami, spojrzała w stronę Jamesa i potem znowu na mnie.

– Cieszyłam się, że masz kogoś, z kim jest ci dobrze.

Uśmiechnęłam się gorzko.

– *Déjà vu.*

– Tak – zaśmiała się Claire.

– Jego nie ma – odpowiedziałam spokojnie. – Tak jest lepiej. Musi minąć trochę czasu, zanim wezmę się w garść. Czasem wszystko toczy się inaczej, niż zaplanowaliśmy.

Claire pogłaskała się po brzuchu.

– Mnie to mówisz?

Faceci właśnie kończyli fascynującą rozmowę o jakimś meczu.

– Bawcie się dobrze w kinie.

– Jasne. Pomyśl o tym, co powiedziałam, Anne.

– Tak. Znajdę sposób, by Alex zniknął z mojego życia. Pozwolę mu odejść. To nie powinno być trudne, szczególnie że już go nie widuję.

– Myślisz, że mówiłam o Aleksie? O rany...

Po wyjściu Claire i Deana pogrążyłam się w ponurym milczeniu. James włączył spokojną muzykę i po chwili zaczął metodycznie sprzątać ze stołu. Ja myłam naczynia.

„Pozwolić mu odejść". Pozwolić odejść jednemu z nich. Teoria ma się do praktyki jak pięść do nosa.

Musiałam wreszcie odpowiedzieć sobie na pytanie, któremu dać odejść.

James wstawił do zlewu blachę z piekarnika. Objął mnie. Poczułam na policzku jego oddech, chwilę później usta na szyi. Zamknęłam oczy, oparłam się o niego.

Staliśmy tak przez minutę, milcząc. Zaczęliśmy się kołysać w rytm spokojnej muzyki. Oparł dłonie na moich biodrach, odwrócił do siebie. Tańczyliśmy w kuchni, nadal w milczeniu. Pewnie nie mieliśmy sobie nic do powiedzenia.

Zadzwonił telefon. Spojrzeliśmy w tamtym kierunku, ale nie zamierzaliśmy odebrać. Włączyła się automatyczna sekretarka.

To był Alex.

– Hej... to ja. Chciałem wam powiedzieć, że skończyłem gościnne występy w Sandusky. Goście z Cleveland zaproponowali dobry interes. Będę zarządzał ich oddziałem w Tokio. Wyjeżdżam z kraju. Chciałem wam o tym powiedzieć. I... dziękuję wam za to lato.

Sądziłam, że powie coś jeszcze. Mój umysł domagał się czegoś więcej niż zwykłego pożegnania i banalnych podziękowań za lato... Czegoś bardziej wyrazistego. Ale nagranie się skończyło. Zapadła cisza.

Otworzyłam usta, żeby coś powiedzieć, słowa uwięzły mi w gardle. Zdobyłam się jedynie na dziwaczny syk. Spojrzałam na Jamesa, a on na telefon.

Puścił mnie i podszedł do aparatu. Byłam pewna, że podniesie słuchawkę i zadzwoni do Alexa. Czułam to w głębi serca, ponad wszelką wątpliwość.

James nacisnął przycisk. Rozległ się głos Alexa. James nacisnął inny guzik.

Skasował nagranie.
Odwrócił się do mnie.
– Chodźmy do łóżka.

Nigdy nie byłam w Breakers, najstarszym hotelu w Cedar Point, ale spacerując po plaży, często mijałam ten piękny biały budynek.

Miał w sobie staroświecką elegancję. Pobliski park rozrywki nadal otwierano podczas weekendów, dlatego dobiegały mnie chrzęst i stukot wagoników kolejki górskiej, wesołe pokrzykiwania, ale w hotelowym holu było bardzo cicho.

Alex otworzył drzwi, ledwie zapukałam. Nie spodziewał się wizyty, ale nie wydawał się zaskoczony. Powoli odsunął się, by wpuścić mnie do środka. Kiedy wreszcie to zrobił, westchnął i uśmiechnął się ironicznie, zapewne, bym poczuła się winna. Nic z tego.

Odgłos zamykanych drzwi wydał mi się wyjątkowo głośny i... ostateczny. Tak jakbym straciła ostatnią szansę ucieczki. Musiałam na chwilę zamknąć oczy i zaczerpnąć powietrza. Kiedy uniosłam powieki, nadal tu był. Bałam się, że tylko śnię.

– Czy Jamie wie, że tu jesteś?

– Tak.

– Naprawdę? – Nie spodziewał się takiej odpowiedzi.

Przeczesał włosy, potem skrzyżował ramiona. Był ubrany w różową koszulę i dżinsy. Jak zwykle na bosaka. Chciałam uklęknąć i ucałować palce jego stóp, ale się nie poruszyłam.

– Ja pierdolę... – mruknął, nie patrząc na mnie.

– O to właśnie chodzi.

Słysząc to, podniósł gwałtownie głowę, stał się czujny. Wyciągnął rękę, jakby chciał coś chwycić. Otworzył usta, by coś powiedzieć. Potem zamarł, patrząc mi prosto w oczy.

– Muszę się czegoś dowiedzieć, Alex. – Zaczęłam rozpinać bluzkę. – Chcesz się ze mną pieprzyć? – zapytałam.

Milczał. Nawet wtedy, gdy zdjęłam bluzkę i rzuciłam na podłogę. Nawet wtedy, gdy zsunęłam z bioder długą dżinsową spódnicę. Stałam przed nim w biustonoszu i bawełnianych majtkach. Nie w żadnej seksownej jedwabnej bieliźnie, jaką powinna włożyć kobieta zamierzająca uwieść mężczyznę.

Jego spojrzenie aż parzyło, ale nie zasłoniłam się, nie wycofałam. Opuściłam powieki i wyciągnęłam do niego ramiona.

– Chcesz?

Złapał mnie. Mocno. Tak gwałtownie, jak oczekiwałam.

– Po to przyszłaś? Tak.

Przyciągnął mnie jeszcze bliżej. Nie zapomniałam, jak to jest, gdy trzyma mnie w ramionach. Byliśmy idealnie dopasowani, jak połówki jabłka.

– Jamie jest moim najlepszym przyjacielem – szepnął mi do ucha.

Może i męczyły go wyrzuty sumienia, ale ciało je ignorowało. Napierał na mnie przez dżinsy. Pamiętałam ten dotyk i smak.

– A moim mężem – odszepnęłam.

Staliśmy przytuleni policzkami. Uwolnił mnie z objęcia. Nie odsunęłam się.

Westchnął, zaczął błądzić spojrzeniem po mojej twarzy. Najpierw skupił wzrok na ustach, potem na oczach.

– Dlaczego, Anne? Dlaczego teraz?

– Bo chcę. Bo wyjeżdżasz.

Nie odpowiadał. Ściągnęłam mu koszulę, głaskałam goły tors. Pod dotykiem palców stwardniały mu sutki, wyskoczyła gęsia skórka. Pochyliłam się, objęłam go w pasie, przylgnęłam policzkiem do miejsca, gdzie biło serce.

– Bo muszę pozwolić ci odejść – powiedziałam po chwili. – Bo musisz odejść.

– Wyjeżdżam. Tak będzie lepiej.

– Nie będzie – wyszeptałam. – Nie szkodzi, poradzę sobie.

Podniosłam głowę, przyciągnęłam go jeszcze bliżej. Pocałowałam. Powoli, zmysłowo, by nie zechciał się wycofać. Rozchyliliśmy usta na spotkanie języków.

Łóżko było zaledwie kilka kroków dalej, ale dotarcie do niego zabrało nam sporo czasu. Rozsunęłam mu suwak w dżinsach, zaczęłam pieścić przez materiał. Przerwał pocałunek, oparł się czołem o moje czoło.

– Anne. – Powiedział tylko tyle. I nic więcej. Czekałam, ale gdy milczał, uśmiechnęłam się i ściągnęłam mu dżinsy.

Uklękłam przed nim. Członek powiększał się, twardniał. Moje dłonie i usta odnalazły go bez wysiłku. Alex jęknął, tym razem głośniej. Przytrzymał mi głowę, bym poczuła go jeszcze głębiej. Zaczęłam głaskać jądra.

Czasami mamy świadomość, że robimy coś po raz ostatni, i że to coś nigdy się nie powtórzy. Żyjemy w rytmie przypływów i odpływów. Bywa, że los rzuca nas ponownie w miejsca, których nie spodziewaliśmy się już zobaczyć. Oddala od tych, które wydawały się nam pisane. Zbyt często przegapiamy ważne momenty. Zakładamy błędnie, że będą jeszcze tysiące podobnych okazji.

Nie zamierzałam popełnić tego błędu. To był mój czas z Alexem, nasz pierwszy i ostatni raz.

Głaskał mnie po włosach. Zostawiłam w spokoju członek, kucnęłam. Alex spojrzał na mnie, złapał za brodę. Błyszczały mu oczy. Usta miał wilgotne od moich pocałunków. Musnął delikatnie policzek, potem znowu włosy. Przymknęłam powieki, ciesząc się pieszczotą. Kiedy je uniosłam, wyciągnął do mnie ramiona. Pomógł mi wstać.

Poprowadził mnie do łóżka. Odsunął kapę. Pościel była biała i chłodna. Położył mnie delikatnie i nakrył sobą, cały czas całując.

Byłam w majtkach. Kiedy się o mnie ocierał, materiał dodatkowo pobudzał łechtaczkę. Rozchyliłam nogi, zarzuciłam na jego łydki, przylgnęliśmy do siebie jeszcze mocniej. Pocałunki stały się gorętsze, jakbyśmy próbowali jak najszybciej nasycić się i zaspokoić trudne do zniesienia pożądanie.

Całował mnie, gryzł. Wygięłam plecy, krzycząc z rozkoszy, gdy zaczął mnie lizać. Przyciskał mnie całym ciężarem do łóżka, ale nie czułam się uwięziona. Chciałam być właśnie tutaj, pod nim.

Pocierał nosem obojczyk, muskał delikatną skórę nad piersiami, zsuwając zębami ramiączka stanika. Wsunął mi ręce pod plecy, by go rozpiąć. Objął piersi, wodził kciukami wokół sutków, pocierając coraz mocniej. Krzyknęłam z rozkoszy.

– Wiem, jak cię dotykać.
– Tak. Wiesz.
– Chcę jeszcze raz usłyszeć ten krzyk.

Nie musiał się za bardzo wysilać, bo krzyknęłam jeszcze wiele razy. Całował i ssał sutki. Położył mi dłonie na biodrach, potem na brzuchu, pod kolanami. Turlaliśmy się po łóżku, znajdując pozycje, w których odczuwaliśmy największą przyjemność.

W końcu położył się na mnie, pocierając członkiem łechtaczkę. Doprowadzał nas niemal do orgazmu i wycofywał się w ostatniej chwili.

Nawet największa przyjemność może zaboleć, jeśli powtarza się z bezlitosną uporczywością. Miałam napięte mięśnie, zaczęłam zbyt intensywnie reagować na bodźce. Każdy pocałunek i dotyk powodował drżenie, któremu poddawało się całe ciało. Nie istniało nic poza ustami, dłońmi i członkiem Alexa.

Naparł mocniej. Otworzyłam się na niego. Wsunął się we mnie, na chwilę znieruchomiał, oblizał wargi i westchnął głęboko. Zadrżały mu ramiona, gdy unosił się nade mną. Przesunęłam się, przyciągnęłam uda do piersi, by było mu łatwiej.

Wchodził we mnie powoli, kawałek po kawałku. Patrzyliśmy sobie głęboko w oczy, gdy wszedł do samego końca. Widziałam w nich moje odbicie.

To nieuczciwe, że tak szybko osiągnęłam orgazm. Poczułam się wręcz oszukana. Moje ciało zdradziło mnie, zbyt szybko reagując na jego ruchy. Rozsypywałam się, pocałunki składały mnie z powrotem, żebym znowu mogła się rozpaść.

Nie liczyłam, ile miałam orgazmów. Może jeden, może dwanaście... To było całkowite zespolenie. Kochaliśmy się w nieskończoność, która wydała się za krótka, ale musiała wystarczyć.

Na końcu zwolnił, poruszał się z namysłem. Objęłam go nogami i ramionami, by był jeszcze bliżej, chociaż wydawało się to niemożliwe. Gdyby nasze ciała mogły się stopić w jedno, to chciałam, żeby to nastąpiło właśnie teraz, gdy znowu wypełniła mnie rozkosz, a on osiągnął orgazm.

Szczytowaliśmy razem. To był magiczny wybuch rozkoszy, doskonała ekstaza.

To było... wspaniałe.

Potem leżeliśmy obok siebie i patrzyliśmy w sufit. Trzymaliśmy się za ręce. Z zewnątrz doszedł nas stukot kolejki górskiej, potem cisza i wrzaski, gdy z zawrotną prędkością pędziła w dół.

Ta chwila nie mogła trwać w nieskończoność. Przekręciłam się na bok, by na niego popatrzeć. Chłonęłam rysy twarzy, każdy szczegół ciała.

Mogliśmy powiedzieć wiele różnych rzeczy, ale wystarczyło, że pocałowałam go ostatni raz. Nie pytałam, czy pozwoli mi skorzystać z prysznica. Po prostu to zrobiłam. Zmyłam go z siebie.

Nie poruszył się, gdy wyszłam z łazienki owinięta ręcznikiem. Wytarłam się, ubrałam. Tylko patrzył, nie odzywał się. To dobrze, tym łatwiej będzie mi go zostawić.

Już ubrana, przeczesałam włosy palcami i spoglądając w lustro, próbowałam ułożyć. Wyciągnęłam z torebki puder, tusz do powiek i szminkę. Zrobiłam makijaż, by stać się kimś innym. Wygładziłam ubranie. Odsunęłam się od lustra.

Spojrzałam na Alexa, ale on nadal się nie ruszał.